우루과이라운드

서비스 분야 양허 협상 2

우루과이라운드

서비스 분야 양허 협상 2

한국학술정보

| 머리말

우루과이라운드는 국제적 교역 질서를 수립하려는 다각적 무역 교섭으로서, 각국의 보호무역 추세를 보다 완화하고 다자무역체제를 강화하기 위해 출범되었다. 1986년 9월 개시가 선언되었으며, 15개 분야의 교섭을 1990년 말까지 진행하기로 했다. 그러나 각 분야의 중간 교섭이 이루어진 1989년 이후에도 농산물, 지적소유권, 서비스무역, 섬유, 긴급수입제한 등 많은 분야에서 대립하며 1992년이 돼서야 타결에 이를 수 있었다. 한국은 특히 농산물 분야에서 기존 수입 제한 품목 대부분을 개방해야 했기에 큰 경쟁력 하락을 겪었고, 관세와 기술 장벽 완화, 보조금 및 수입 규제 정책의 변화로 제조업 수출입에도 많은 변화가 있었다.

본 총서는 우루과이라운드 협상이 막바지에 다다랐던 1991~1992년 사이 외교부에서 작성한 관련 자료를 담고 있다. 관련 협상의 치열했던 후반기 동향과 관계부처회의, 무역협상위원회 회의, 실무대책회의, 규범 및 제도, 투자회의, 특히나 가장 많은 논란이 있었던 농산물과 서비스 분야 협상 등의 자료를 포함해 총 28권으로 구성되었다. 전체 분량은 약 1만 3천여 쪽에 이른다.

2024년 3월

한국학술정보(주)

| 일러두기

· 본 총서에 실린 자료는 2022년 4월과 2023년 4월에 각각 공개한 외교문서 4,827권, 76만여 쪽 가운데 일부를 발췌한 것이다.

· 각 권의 제목과 순서는 공개된 원본을 최대한 반영하였으나, 주제에 따라 일부는 적절히 변경하였다.

· 원본 자료는 A4 판형에 맞게 축소하거나 원본 비율을 유지한 채 A4 페이지 안에 삽입하였다. 또한 현재 시점에선 공개되지 않아 '공란'이란 표기만 있는 페이지 역시 그대로 실었다.

· 외교부가 공개한 문서 각 권의 첫 페이지에는 '정리 보존 문서 목록'이란 이름으로 기록물 종류, 일자, 명칭, 간단한 내용 등의 정보가 수록되어 있으며, 이를 기준으로 0001번부터 번호가 매겨져 있다. 이는 삭제하지 않고 총서에 그대로 수록하였다.

· 보고서 내용에 관한 더 자세한 정보가 필요하다면, 외교부가 온라인상에 제공하는 『대한민국 외교사료요약집』 1991년과 1992년 자료를 참조할 수 있다.

| 차례

정 리 보 존 문 서 목 록					
기록물종류	일반공문서철	등록번호	2020030070	등록일자	2020-03-10
분류번호	764.51	국가코드		보존기간	영구
명 칭	UR(우루과이라운드) / 서비스 분야 양허협상, 1992. 전6권				
생 산 과	통상기구과	생산년도	1992~1992	담당그룹	
권 차 명	V.3 6월				
내용목차					

0001

주 제 네 바 대 표 부

20, route de Pre-Bois POB. 566/ (022) 791-0111 / (022) 791-00525(FAX)

문서번호 : 제네(경) 20644-328
시행일자 : 1992. 5. 29( )

선결			지시		
접수	일자 시간		결재		
	번호	31195			
처리과			공람		
담당자		이			

수신 : 장 관

참조 : 통상국장, 경제기획원장관
(대외경제조정실장)

제목 : UR/서비스 협상

92. 5. 29

표제협상 관련 '92. 4. 2이후 추가 제출된 각국의 MFN 일탈 신청목록을 별첨 송부합니다.

첨부 : 각국의 MFN 일탈 신청 목록 1부. 끝.

주 제 네 바 대 사

0002

64.

18.5.92

In accordance with the Informal Note by the Chairman of the GNS circulated on 30 January 1992, the secretariat circulated draft lists of intentions in respect to m.f.n. exemptions for individual participants on 18 March, 24 March and 2 April 1992. As indicated in the note of 30 January 1992, these lists are being made available on a confidential basis to all those participants who have presented offers.

Since the circulation of the list on 2 April 1992, the following additional draft lists on m.f.n. exemptions have been received:

Brazil
Bolivia
Côte d'Ivoire
Iceland
Romania

and revised lists received from:

Austria
Thailand

0003

50-MISC4

PERMANENT DELEGATION OF AUSTRIA TO THE GATT
9-11 rue de Varembé
1211 GENEVA 20

Geneva, 21 April 1992

No 783-G/92

Sir,

Following my letter dated 9 March 1992, ref no 465-G/92, I have the honour to transmit to you the revised list of Austrian MFN exemptions and would be grateful for the distribution to the participants in the negotiations.

Accept, Sir, the assurances of my highest consideration.

R. Hochörtler

Richard Hochörtler
Deputy Permanent
Representative

Encl.

Mr. Arthur DUNKEL
Director-General

G A T T

G e n e v a

0004

Austria

MFN-exemptions - revised preliminary list

In conformity with the procedure set out in the informal note from the chairman of the GNS from 30 January 1992 Austria submits the attached tabels regarding its intentions with respect to MFN-exemptions which it finds necessary at this stage of the negotiations. Austria reserves the right to add, amend or delete entries.

There are in addition, some other areas where further discussion would be warranted as to whether and how the MFN-treatment obligation would apply. This could include measures which might be outside the scope of the GATS, for example existing and future agreements on:
double taxation, juridical, technical and administrative cooperation, social security and medical care, dispute settlement procedures investment protection, visa, work and residency.

Furthermore it may be necessary - dependent on the final shape of the air transport annex - to consider whether exemptions in relation to the air transport sector may be required.

Austria has at this stage not sought exemptions for measures falling under the draft Agreement on the European Economic Area (EEA) which provides for the freedom of establishment, of provisions of services and of movement of labour between Austria and the European Community, Finland, Iceland, Liechtenstein, Norway, Sweden and Switzerland. Once this Agreement has entered into force it will be covered by Article V of the GATS. Should this not have occurred prior to the entry into force of the GATS, there may be need for exemption of additional measures to cover existing agreements and arrangements which would be subsumed under the EEA.

AUSTRIA: Art. II.2 exemption

Measures based on existing and future bi- or plurilateral agreements on road haulage (inlcuding combined transport - road/rail) and passenger transport as well as on taxation. Partners concerned : Hungary, Poland, CSFR, Romania, Bulgaria, USSR (successor states), Yugoslavia (Successor states), Turkey, Albania, Tunisia, Algeria, Marocco, Cyprus, Iran, etc. (comprehensive list of countries is available if required; at present there exist approximately 70 agreements).

1. Description of the measure:
The measures according to these agreements consist of the maintenance of an annual quota for road transit traffic and the cross border supply of road transport services as well as the prohibition of cabotage. In addition specific agreements provide for VAT-exemption and/or an exemption from taxes for vehicles registered in the contracting states concerned. In the absence of an agreement tax exemption may also be granted provided that the other state accords reciprocal treatment.

2. Treatment inconsistent with Art.II.1:
The measures reserve or limit the provision of road transport services between the contracting states, cross border traffic and transit traffic across the territory of the contracting states to vehicles registered in the contracting states. Tax exemptions may be provided for such vehicles.

3. Intended duration of the exemption:
Indefinite. The exemption applies for existing and new future agreements as well as for agreements with successor states of former political entities.

0006

4. Conditions creating the need for the exemption:
The need for the exemption is linked to the regional specificity of the cross border provision of road transport services including transit triffic. Austria is heavily affected by road transport, in particular by road transit traffic. The capacity of infrastructure as well as the acceptability of heavy goods transport by the Austrian population, however, for environmental and health reasons is limited. The measures associated with the above mentioned agreements primarily aim at the protection of the environment and the integrity of the infrastructure as well as at the securing of smooth traffic flows. The quotas are fixed according to economic and environmental considerations taking into account also the level of trade between the contracting states. Endeavours are undertaken to shift the increasing share of road haulage form road to rail by means of combined transport (road/rail). A suspension of the agreements concerned would in effect lead to a deliberalisation and would constitute a step back compared with the status quo.

0007

Austria: Art.II.2 exemption

Measures in conformity with bilateral agreements on access to inland waterways following the Rhine-Main-Danube Link.
Parties concerned: Hungary, Bulgaria, Yugoslavia (successor states), Romania, CSFR, USSR (successor states).

1. Description of the measure:
   According to these agreements traffic rights are reserved for operators based in the contracting states concerned and meeting nationality criteria regarding ownership.

2. Treatment inconsistent with Art.II.1:
   The reservation of traffic rights for operators meeting certain requirements may be inconsistent with Art.II.1.

3. Intended duration of the exemption:
   Indefinite. The exemption applies to existing and future measures.

4. Conditions creating the need for the exemption:
   The need for exemption is linked to the historical development and the regional specificity of internal waterways transport. The measures aim at creating favourable conditions for the provision of services in this sector on a reciprocal basis. There exists a need to regulate the exercising of triffic rights until an all-European harmonization on internal waterways transport is achieved.

0008

Austria: Art.II.2 exemption

Measures based on bi- or plurilateral agreements with certain countries (Yugoslavia; agreement with Hungary is in preparation) on audivisual works (Co-production agreements).

1. Description of the measure:
   To audivisual works produced in accordance with these agreements , national treatment is conferred in particular with respect to distribution and funding.

2. Treatment inconsistent with Art.II.1:
   Above mentioned national treatment may be refused for works originating in countries with whom no such agreements exist.

3. Intended duration of the exemption:
   Indefinite. The exemption applies to existing and future agreements with countries with whom cultural cooperation may be desirable.

4. Conditions creating the need for the exemption:
   The aim of these measures is to promote cultural links with the countries concerned, in order to achieve a better mutual understanding.

Austria: Art.II.2 exemptions

Measures in coformity with agreements and regulations based on the MEDIA and EURIMAGES programmes.

1. Description of the measure:
   According to these programmes certain european providers of audivisual services (e.g. production and distribution of TV-programmes and cinematographic works) as well as training programmes may benefit from special funding.

2. Treatment inconsistent with Art.II.1:
   National treatment in respect to funding may be confined to audivisual service providers and training programmes established in certain European countries.

3. Intended duration of the exemption:
   Indefinite. The exemption applies to existing and future measures.

4. Conditions creating the need for the exemption:
   The measures aim to promoten cultural objectives of regions within Europe which have longstanding cultural links.

0010

Austria: Art.II.2 exemption

Measures in conformity with the Danube convention.
Parties concerned: Hungary, Yugoslavia (successor states), Romania, CSFR, USSR (successor states), Bulgaria.

1. Description of the measure:
   According to the Danube convention certain traffic rights are reserved for operators based in the contracting states.

2. Treatment inconsistent with Art.II.1:
   The reservation of traffic rights for operators meeting certain requirements may be inconsistent with Art.II.1.

3. Intended duration of the exemption:
   Indefinite. The exemption applies to existing and future measures.

4. Conditions creating the need for the exemption:
   The need for the exemption is linked to the historical development and the regional specificity of internal waterways transport. The measures aim at creating the conditions for the provision of services in this sector. There exists a need to regulate the exercising of traffic rights until an all-European harmonization on internal waterways transport is achieved.

0011

Austria: Art.II.2 exemption

Measures taken in conformity with the EC Television Broadcasting Directive (89/552/EEC) and the Council of Europe Convention on transfrontier Television.

1. Description of the measure:
   The EC Television Broadcasting Directive and the Council of Europe Convention on Transfrontier Television requires that broadcasters reserve a majority proportion of the transmission time to European audivisual works.

2. Treatment inconsistent with Art.II.1:
   Audivisual works originating in certain European countries may be privileged in regard to screentime access. To works which meet specific linguistic criteria minimum screentime access can be given.

3. Intended duration of the exemption:
   Indefinite. The exemption applies to future measures.

4. Conditions creating the need for the exemption:
   The measure aim, within the broadcasting sector, to promote cultural identity in Europe. In addition the measure persues linguistic policy objectives.

0012

Austria: Art.II.2 exemption

Reciprocity measures according to the Austrian legislation.

1. Description of the measure:
   According to the Austrian legislation the right of establishment and national treatment in almost all sectors including financial services is dependent on reciprocal possibilities for Austrian service providers. This reciprocity requirement is applied by the Austrian authorities in an open manner.

2. Treatment inconsistent with Art.II.1:
   Market access commitments offered by Austria may be limited to those parties which take adequate commitments.

3. Intended duration of the measure:
   The duration of the measure depends on the assumption of adequate commitment by all GATS-parties in their respective schedule.

4. Conditions creating the need for the exemption:
   Austria is prepared to renounce recourse to reciprocity measures in relation to GATS-parties. However, this offer is dependent on the assumption of an adequate level of commitments by other GATS-parties comparable to those undertaken by Austria.

0013

Misión Permanente
de la República de Bolivia
Ginebra

219/92/8515.7 Ginebra, 9 de abril de 1992

Señor Director:

Me es grato remitir, adjunto a la presente, la lista preliminar de excepciones de Bolivia al Art. II, Cláusula de Nación más Favorecida, del Acuerdo General sobre Servicios, así como una relación parcial de acuerdos amparados por el Art. V del referido Acuerdo.

Hago propicia la oportunidad para reiterar a usted, señor Director General, las seguridades de mi más alta y distinguida consideración.

Gualberto Rodríguez San Martín
Consejero
Encargado de Negocios a.i.

Señor
Arthur Dunkel
Director General
Acuerdo General sobre Aranceles y Comercio
Ginebra

0014

BOLIVIA

LISTA PRELIMINAR DE EXCEPCIONES AL ART. II DEL GATS.

La presente lista de excepciones al Art. II del GATS es preliminar y Bolivia se reserva el derecho de modificarla.

SERVICIO	ACUERDO Y/O DISPOSICION	DURACION	CONDICION/ MOTIVO
Transporte Internacional	Acuerdo 1.63 (XVI) Convenio sobre contrato de transporte internacional y las formas sobre responsabilidad civil del portador terrestre (CRT). (Todos los países del Cono Sur).	Ilimitado	Acuerdos en el marco del Cono Sur.
Transporte Internacional	Acuerdo 1.6 (XVI) Convenio sobre transporte internacional terrestre. (Todos los países del Cono Sur).	Ilimitado	Acuerdos en el marco del Cono Sur.
Transporte por rio	Acuerdo de transporte por la Hidrovía Paraguay - Paraná	En proceso de negociación	Cuenca del Plata
Tránsito de personas	Convenio firmado con el Perú, que instituye la tarjeta de Tránsito y Turismo, en el marco de los acuerdos de ILC.	Ilimitado Se considerará pasados 12 meses su ampliación a todo el territorio de ambos países.	Marco Acuerdos de Ilo.
Transporte Internacional Terrestre	Convenio firmado con el Perú para liberalizar y facilitar el transporte entre ambos países.	Ilimitado	Marco Acuerdos Ilo.

0015

OTROS ACUERDOS AMPARADOS POR EL ARTICULO V DEL ACUERDO GENERAL SOBRE SERVICIOS

SERVICIO	ACUERDO Y/O DISPOSICION	DURACION	CONDICION/ MOTIVO
Transporte Internacional Carretera	Decisión 257 Convenio sobre transporte internacional de mercancías por carretera.	Ilimitado	Acuerdos en el marco del Grupo Andino
Transporte Internacional Carretera	Decisión 94 Sistema Troncal Andino de carretera.	Ilimitado	"
Transporte Internacional Carretera	Decisión 289 Transporte internancional de pasajeros por carretera	Ilimitado	"
Transporte Internacional Carretera	Decisión 290 Póliza Andina de Seguro de responsabilidad civil para el transporte internacional por carretera.	Ilimitado	"
Transporte Marítimo	Decisión 208 Libertad de acceso a la carga originaria y destinada por vía marítima dentro de la Subregión.	Ilimitado	"
Transporte Internacional Carretera	Decisión 271 Sistema Andino de Carretera	Ilimitado	"
Tránsito Aduanero	Propuesta JUN/252 Régimen de Tránsito Aduanero Internacional en la Subregión Andina	En proceso de negociación	"
Transporte Aéreo	Propuesta JUN/253 Multiple designación en el transporte aéreo de la Subregión Andina.	En proceso de negociación	"

0016

Mission permanente du Brésil
auprès des Nations Unies à Genève

Geneva, April 7 1992

Dear Ambassador,

Please find attached a copy of the Brazilian initial list of MFN exemptions for circulation among participants of the GNS who have made offers. In preparing such a list, Brazil has undertaken a great effort to reduce to a minimum necessary the derogations requested. The recent developments in this area, however, with some participants proposing extensive MFN derogations may lead Brazil to review its position.

Please accept, Excellency, the assurances of my highest consideration.

(CELSO L. N. AMORIM)
Ambassador
Permanent Representative of Brazil

His Excellency
Mr. Felipe Jaramillo
Ambassador, Chairman of the Group on
Negotiations on Services
C.C. Mr. Gary P. Sampson
Director of the GNS Division

33, rue Carteret - 1202 Genève - Suisse

0017

BRAZIL PRELIMINARY MFN EXEMPTIONS LIST IN SERVICES

Sector: Audiovisual/ Motion picture and video tape production and distribution services, CPC 9611.

- Description of the Measures: Measures which give the mandate to the Conselho Nacional de Cinema (National Council of Cinema) CONCINE to establish norms for the co-production of motion pictures with foreign countries, in coordination with the Ministry of External Relations. Measures which define as Brazilian a motion picture produced under an international co-prodution agreement.

- Treatment inconsistent with Article II: Motion pictures co-produced outside the scope of international agreements are considered to be Brazilian.

- Intended duration of the measure. It is not foreseen at the moment the abrogation of such measures.

- Conditions which create the need for the exemption: These agreements go beyond the scope of the Agreement on Trade in Services, as they aim the promotion of cultural exchange and the establishment of mechanisms to facilitate access to financial resources.

0018

DEMANDE D'EXEMPTION EN MATIERE
DE TRANSPORT MARITIME

Cônformément aux dispositions de l'annexe relative aux exemptions de l'article II de l'Accord sur les Services, la Côte d'Ivoire a l'honneur de vous adresser sa demande d'exemption.

Veuillez trouver ci-joint la liste des renseignements relatifs à la dispositions des mesures, au traitement incompatibles avec l'article II : 1, de la durée projetée de l'exemption ainsi que les conditions qui rendent l'exemption nécessaire.

0019

(i) Description de la disposition
(ii) Traitement incompatible avec II.I
(iii) Durée présumée de l'exemption
(iv) Conditions gérant le besoin d'exemption

Dispositions (i)	Secteur ou sous-secteur (i)	Objet de la disposition (ii)	Partenaires concernés (i)	Dispositions Existantes ou Futures (i)	Facultatives ou Obligations (i)	Durée (iii)	COnditions (iv)
Agence gouvernementale compétente-Lois, Décrets, décisions basées sur des accords bilatéraux ou multilatéraux	Transport Maritime Echanges commerciaux par cabotage	Accord des droits de cabotage aux partenaires commerciaux sur une base réciproque	25 pays	Futures		Avenir proche en attendant que l'objectif visé prenne racine	stimuler le commei inter-états et prc -mouvoir l'intégration économique régionale
Agence gouvernementale compétente. Lois, Décrets et décisions basées sur des accords bilatéraux et/ u multilatéraux ésolutions de la CMEAOC adoptées en vue de la mise en oeuvre des dispositions pertinentes de la convention des Nations Unies relative à un Code de conduite	Transport Maritime	Répartir 80% des échanges commerciaux de ligne avec la Compagnie Nationale de Navigation Maritime de l'Etat situé à l'autre bout d'un trafic particulier	non spécifiés	Existantes et futures jusqu'à développement de services maritimes auxiliaires et de services portuaires		illimité	La nécessité de veiller à ce que la Compagnie de Navigation Maritin transporte au moir 40 % du trafic de ligne. Promouvoir le développement c la flotte national ou sous-régionale afin de soutenir l développement écon mique et social au niveaux national et/ou sous-régiona veiller à la compé titivité de nos pr duits d'exportatio

0020

.../...

							et réduire les coûts des produi[illegible] importés dans le cadre du commerc[illegible] intérieur. Assurer des services maritimes, auxiliaires et porturaires effi[illegible]caces. Promouvoi[illegible] l'industrie naissante. Mesure à renforcer si les partenaires comm[illegible]ciaux continuent barrer l'accès a[illegible] cargaisons et pr[illegible]tiquent le dumpi[illegible]
Agence Gouvernementale compétente. Lois, Décrets, ordonnances et Décisions basées sur des accords bilatéraux et/ou multilatéraux	Transport Maritime Vracs et cargaisons spécialisées	Répartir toutes les cargaisons vracs et spécialisées entre compagnies maritimes d'Etats aux 2 bouts d'un trafic particluier	non spécifiés	Existantes ou futures			Nécessité d'assu[illegible] aux compagnies m[illegible]ritimes national[illegible] et/ou sous-région[illegible] 50% des cargaiso[illegible] Dispositions à r[illegible]forcer si les pa[illegible]tenaires commerc[illegible] continuent de ba[illegible] l'accès aux carg[illegible]sons et pratique[illegible] le dumping.

.../.

0021

Agence Gouvernementale compétente. Lois, Décrets, Ordonnances et décisions			non spécifiés	Existantes futures			Nécessité de promouvoir l'industr naissante.

0022

PERMANENT MISSION OF ICELAND

9-11, RUE DE VAREMBÉ - CH-1211 GENÈVE 20

Geneva, 13 April 1992

Dear Mr. Sampson,

In accordance with the agreed procedures in the negotiations on services, I have an honour to transmit to you a list of MFN-exemptions requested by Iceland.

It is requested that the list be distributed to other participants in the negotiations in line with agreed procedures.

Yours Sincerely,

Stefán H. Jóhannesson
First Secretary

Mr. Georg P. Sampson
Director
Services Division
GATT

0023

MINISTRY OF COMMERCE
Reykjavík
Iceland
1992-04-10

EXEMPTIONS REQUESTED BY ICELAND FROM ARTICLE II (MFN) OF THE SERVICE AGREEMENT

Enclosed is Iceland's preliminary listing of those measures that are considered necessary to exempt from the application of article II of the services agreement in order for it to present a comprehensive draft scdedule on initial commitments and to fulfill its obligations under the GATS.

Like many other countries participating in the GATS, Iceland attaches great importance to the inclusion of an unconditional MFN obligation in the GATS Agreement and is negative to attempts to undermine the MFN principle and make the GATS weaker than GATT in this respect.

However, Iceland is prepared to accept a limited number of exemptions from Article II that other participants find necessary, for technical reasons and only during a short transitional period after the entry into force of the Agreement.

Iceland, as well as other participating countries, has identified certain measures that could be deemed to result in discriminatory treatment of foreign services or of foreign service suppliers, sometimes but not always, these measures are established through an intergovernmental agreement. The measures that Iceland intends to keep are only those that are considered to be of that nature that they facilitate and promote trade and link the domestic regulatory system with other corresponding systems.

The GATS agreement should not deminish the role of such agreements but rather encourage governments to adopt more measures of the type mentioned. Therefore Iceland supports the view that such measures warrant a general block exemption from MFN for all Signatories. The exemption should be explicitly stated in the Agreement as part of Article II or, if more appropriate, in an annexed or attached legal text that declares that such measures fall outside the scope of the GATS.

0024

Exemptions from article II should not be granted for the purpose of maintaining purely protectionist measures for political reasons. If, however, such exemptions were to be considered inevitable they should be available to all Signatories on a non-discriminatory basis and not be granted unilaterally only to some.

***

This paper on Iceland's position as regards MFN exemptions is as follows:

PART I. Measures that presumably fall outside the scope of the GATS and therefore do not need exemption.

PART II. Additional measures that Iceland might need to exempt if other participants are granted an MFN exemption for corresponding measures.

In preparing this paper Iceland has not sought exemptions for measures falling under the draft Agreement on the European Economic Area, which provides for the freedom of establishment, of provision of services and of movement of labour between Iceland and Austria, the European Community, Finland, Sweden, Norway and Switzerland.

Once that Agreement has entered into force it will be covered by Article V of the GATS. Should this not have occurred prior to the entry into force of the GATS, there might be need for exemption of additional measures to cover existing agreements and arrangements which would be subsumed under the EEA Agreement.

PART I.

MEASURES THAT PRESUMABLY FALL OUTSIDE THE SCOPE OF THE GATS AND THEREFORE DO NOT NEED EXEMPION FROM ARTICLE II

1. Sector or sub-sector:

All sectors.

Description of existing measures:

a) Government or government agency decisions on which documents to accept as passports for entry into Icelandic territory.

b) Government decisions to exempt holders of foreign passports from the requirement to obtain entry visa, over and above the exemption in force for residents and citizens of Denmark, Finland, Iceland and Norway.

c) Government dicisions to exempt holders of foreign passports wishing to stay more than 3 months in Iceland from the general requirement to obtain residence permits, over and above the exemption in force for residents and citizens of Denmark, Finland, Iceland and Norway.

d) Government decisions to exempt holders of foreign passports from the requirments to obtain a work permit in order to work in Iceland on the basis of a job contract concluded in Iceland or abroad, over and above the exemption in force for residents and citizens of Denmark, Finland, Iceland and Norway.

e) Government decisions to delagate the authority to decide on matters of entry visas and residence permits to other authorities than the Ministry of Justice or to delegate the authority to decide on matters of work permits to other authorities than the Ministry of social affairs, or the Ministry of Commerce. Such decisions imply that simplified administrative procedures will apply.

0026

PART I. (cont):

Legal basis:

The measures described in 1(a-e) are contained in the Aliens Act No. 45/1965, Act concerning work permits of Aliens as well as Act on Investment by Non-Residents in Business Enterprises No 34/1991.

Beneficiary countries:

Exemption from the entry visa requirement at present applies to citizens of XX countries as stated in the Aliens Ordinance

Intended duration of the exemption:

Unlimited.

Additional future measures envisaged:

Same measures, but changes in composition of countries to whose residents or citizens the measures may apply.

Comments:

It would seem preferable, and be both clear and legally correct, to deal with the complicated issue of the application of article II in relation to immigration law measures by:

- allowing Signatories a block exemption from article II:1 for all measures directly regulating entry visas, residence permits and work permits, and

- applying article II to each Party's commitments as specified in its national schedule.

PART I (cont):

2. Sector or sub-sector:

All sectors.

Description of existing measures:

a) Exemption of a service provider of another Party from taxation in Iceland on certain income received in Iceland.

Legal basis:

The measures is contained in bilateral treaties "for the avoidance of double taxation and the prevention of fiscal evasion with respect to taxes on income". Such taxation treaties normally apply to all taxes imposed on behalf the government of Iceland or of its local authorities on total income or on elements of income, including taxes on gains from the alienation of movable or immovable property, as well as taxes on capital appreciation.

Beneficiary countries:

At present taxation treaties are in force with 7 countries.

Intended duration of the exemption:

Unlimited.

Additional future measures envisaged:

Same measure to be applied to additional countries.

Comments:

The measure is presumably covered by article XIV.

0028

PART I (cont):

3. Sector or sub-sector:

All sectors.

Description of existing measures:

a) Access for another country to binding international arbitration to settle a dispute with Iceland on a matter also covered by the GATS.

b) Access for a service supplier of another country to binding international arbitration to settle a dispute with Iceland on a matter also covered by the GATS.

Legal basis:

The measures described in 3(a-b) are e.g. contained in:

Bilateral investment protection treaties. Such treaties normally comprise every kind of asset.

Bilateral or multilateral agreements that regulate traffic rights and related activities that would limit or affect the ability of Parties to negotiate, grant or receive traffic rights, or that would have the effect of limiting the exercise of such rights. Such air service agreements do not contain measures that relate to aircraft repair and maintenance, computer reservation systems, selling and marketing of air transport or ground handling services.

Beneficiary countries:

At present investment protection treaties are in force with XX developing or former state trading countries.

At present air service agreements are in force with XX countries.

Intended duration of the exemption:

Unlimited.

Additional future measures envisaged:

Same measure to be applied to additional countries.

0029

PART I. (cont):

Comments:

Clauses granting the other State, or a service supplier of the other State, access to binding international arbitration to settle a dispute are normal features in international treaties. If the existence or envokation of such a clause would be deemed to constitute a violation of the GATS all such treaties would loose their enforcement mechanisms.

4. Sector or sub-sector:

All sectors.

Description of existing measures:

a) Extension of mutual judicial and administrative assistance between Icelandic judicial or administrative authorities and their counterparts in another State.

b) Extension of legal protection and administrative assistance by Icelandic judicial or administrative authorities to citizens of other States.

Legal basis:

The measures described in 4(b) are contained in bilateral treaties. Such treaties are normally very detailed.

Beneficiary countries:

At present treaties on judicial or administrative cooperation are in force with XX countries.

Intended duration of the exemption:

Unlimited.

Additional future measures envisaged:

Same measures to be applied to additional countries.

Comments:

Presumably covered by the footnote to article II.

0030

PART I (cont):

5. Sector or sub-sector:

All sectors.

Description of existing measures:

a) Extension of social security benefits and medical care to citizens of other States.

Legal basis:

The measures described in 5(a) are contained in bilateral treaties. Such treaties are normally very detailed.

Beneficiary countries:

At present social security and medical care cooperation treaties are in force with XX countries.

Intended duration of the exemption:

Unlimited.

Additional future measures envisaged:

Same measures to be applied to additional countries.

Comments:

PART II.

ADDITIONAL MEASURES THAT ICELAND MIGHT NEED TO EXEMPT IF OTHER PARTICIPANTS ARE GRANTED AN mfn EXEMPTION FOR CORRESPONDING MEASURES.

Measures that discriminate between services or service suppliers from other countries in the areas of:

- international shipping
- financial services
- "basic telecommunications"
- access to domestic financing facilities or other support structures for coproduction of films or other cultural services
- licencing of professional services
- etc.

0032

Permanent Mission of
Romania
to the European Office of the United Nations
and International Organizations in Switzerland

Mission permanente de la
Roumanie
auprès de l'Office Européen des Nations Unies
et les Organisations Internationales en Suisse

6, CHEMIN DE LA PERRIÈRE - 1223 COLOGNY-GENÈVE - TÉLÉPHONE 752 10 90 - TELEX 422 818 - FAX 752 29 76

No. 578

The Permanent Mission of Romania to the European Office of the United Nations and International Organizations in Switzerland presents its compliments to the Secretariat of the GATT and has the honour to forward the attached "Preliminary list of exemptions requested by Romania from article II (MFN) of the General Agreement on Trade in Services".

The Permanent Mission of Romania kindly requests that this preliminary list of exemptions be circulated to the participants in the negotiations.

The Permanent Mission of Romania thanks the Secretariat of the GATT and avails itself of this opportunity to renew to it the assurances of its highest consideration.

Geneva, 9 April 1992

SECRETARIAT OF THE GATT

0033

PRELIMINARY LIST OF EXEMPTIONS
REQUESTED BY ROMANIA FROM ARTICLE II (MFN)
OF THE GENERAL AGREEMENT ON TRADE IN SERVICES

In conformity with the procedures set out in the informal note from the Chairman of the GNS dated 30 January 1992, Romania submits herewith its draft list of exemptions from article II (MFN) of the GATS.

The following measures are considered to fall outside of the GATS and therefore, are not included in the draft list:

- agreements on investment protection;
- agreements on avoiding duble taxation:
- agreements on social insurance and health protection.

Romania reserves the right to revise its list and to operate technical modifications prior to the final outcome of the negotiations.

x

x x

0034

Sector or sub-sector:

Road transportation

1. Discription of the measure

Permission for vehicles registred in an other specified country to transport goods and/or passengers in accordance with existing and future bilateral road agreements. Road cabotage is reserved to domestic registered vehicles.

2. Treatment inconsistent with article II:1 of the Agreement

To grant trafic rights to trading parteners on a reciprocal basis.

3. Parteners concerned at present

Denmark, Bulgaria, Cyprus, Austria, Germany, Finland, Hungary, Italy, France, Greece, Netherlands, Norway, Portugal, Sweden, Switzerland, Luxembourg, Syria, Poland, Turkey, United Kingdom, Yugoslavia, Czech and Slovack F.R., Belgium.

4. Intended duration of exemption

Indefinite

5. Conditions creating the need for the exemption

The need for exemption is linked to the regional specificity of the cross border provision of road transport services.

0035

Sector or sub-sector:

Maritime Transport

1. Discription of the measure

Cargo reservation under the UN Code of Conduct on Liner Conferences.

2. Treatment inconsistent with article II:1 of the Agreement

Cargo preference system for national lines belonging to parties to the UN Code of Conduct on Liner Conferences.

3. Intended duration of exemptions

Indefinite.

4. Conditions creating the need for the exemptions

Romania is a Party to the Code.

0036

Sector or sub-sector:

Maritime transport

1. Discription of the measure

Existing and future bilateral maritime agreements concerning access to ports, cargo and related services and facilities and governing maritime safety.

2. Treatment inconsistent with article II:1 of the Agreement

To grant preferential treatment on a reciprocal basis concerning the access to cargo.

3. Intended duration of exemptions

Indefinite.

4. Conditions creating the need for exemptions

The necessity to promote the development of national shipping.

0037

Sector or sub-sector:

Internal waterways transport

1. Discription of the measure

Existing and future bilateral agreements on access to inland waterways (including agreements following the Rhine - Main - Danube Link).

2. Treatment inconsistent with article II-1 of the Agreement

To reserve trafic rights to operators in the countries concerned and meeting nationality ownership.

3. Parteners concerned at present

Germany and bilateral agreements under negotiation with France, The Netherlands, Belgium.

4. Intended duration of exemptions

Indefinite.

5. Conditions creating the need for exemotions

The need for exemptions is linked to the specificity of the inland waterways transport.

0038

PERMANENT MISSION OF THAILAND
GENEVA

No. 1180 /2535

29 April 1992.

Dear Ambassador Jaramillo,

I wish to refer to my letter dated 10 March 1992 by which I submitted to you the preliminary MFN exemption list by Thailand for circulation under confidentiality condition to selected participants.

In order to provide more detail of the list, I hereby submit a revised version of the previous list for circulation under the same condition. Although the attached list is intended to replace the preliminary version, it should be understood by all participants that Thailand reserves the right to adjust, modify, improve, and expand the list as it deems necessary, taking into account the negotiation procedures of the Uruguay Round.

To assist the secretariat in the reproduction process, we have also offered a computer diskette containing the whole list to be used for the purpose.

Yours sincerely,

Tej Bunnag
Ambassador
Permanent Representative

H.E. Mr. Felipe Jaramillo,
Chairman,
Group of Negotiation on Services,
GATT,
GENEVA.

0039

Date: MARCH 30, 1992

REQUEST FORM

Exemption under Article II

Thailand hereby requests that, with regard to the following measures, exemptions from obligations under Article II:1 be inscribed in the Annex on Article II Exemptions attached to the draft text for adoption of the GATS.

Name of Measure: Reciprocity Treatment

1. Service sectors affected by the measure:
   Business Service concerning auditing

2. Countries, or category of countries, which receive less favourable treatment as a result of the measure:
   Countries which do not allow Thai nationals to practise auditing in their territories.

3. Policy objective of the measure:
   To ensure equal treatment for Thai auditors.

4. Treatment inconsistent with Article II:1 of the Agreement provided for under the measure:
   Bilateral agreement based on reciprocity treatment

5. Legal reference to the text of the measure:
   The Auditing Act B.E. 2505 (1962)
   " A person who intends to register as a Certified Public Accountant must be of Thai nationality or nationality of a reciprocating country."

6. Intended duration of the exemption:
   Indefinite

7. Where the intended duration of the exemption is more than 5 years,

0040

(a) Timetable for the progressive phase-out of the measure or reason why a progressive phase-out is not possible:
Indefinite
Depending on willingness of contracting parties to enter into reciprocal agreement with Thailand.

(b) Reason why the policy objective stated above cannot be achieved through measures which are consistent with the Agreement:
The reciprocity provision of the Auditing Act B.E. 2505 (1962)

(c) Conditions which, when they occur, will make unnecessary the continued exemption of the measure:
After all participating countries have made reciprocal agreements with Thailand.

8. Any further remarks on the requested exemption:
--

0041

Date: MARCH 30, 1992

REQUEST FORM

Exemption under Article II

Thailand hereby requests that, with regard to the following measures, exemptions from obligations under Article II:1 be inscribed in the Annex on Article II Exemptions attached to the draft text for adoption of the GATS.

Name of Measure: The provision of CRS service

1. Service sectors affected by the measure:
   Computer Reservation System

2. Countries, or category of countries, which receive less favourable treatment as a result of the measure:
   Countries whose CRS operators are not in Amadeus system and intend to bring in and install the systems to any travel agencies in Thailand.

3. Policy objective of the measure:
   To ensure that local operators are able to make complete access to Amadeus system within a certain period of time.

4. Treatment inconsistent with Article II:1 of the Agreement provided for under the measure:
   Only airlines/CRS partners which are in Amadeus system can bring in and install their own systems in Thailand.

5. Legal reference to the text of the measure:
   Subject to the Telegraph and Telephone Act B.E. 2477 (1934)

0042

6. Intended duration of the exemption:
Indefinite

7. Where the intended duration of the exemption is more than 5 years,

(a) Timetable for the progressive phase-out of the measure or reason why a progressive phase-out is not possible:
--

(b) Reason why the policy objective stated above cannot be achieved through measures which are consistent with the Agreement:
--

(c) Conditions which, when they occur, will make unnecessary the continued exemption of the measure:
--

8. Any further remarks on the requested exemption:
--

0043

Date: MARCH 30, 1992

REQUEST FORM

Exemption under Article II

Thailand hereby requests that, with regard to the following measures, exemptions from obligations under Article II:1 be inscribed in the Annex on Article II Exemptions attached to the draft text for adoption of the GATS.

Name of Measure: Special permission for the establishment of a hangar maintenance center in Thailand

1. Service sectors affected by the measure:
   Aircraft Repair and Maintenance Service (Hangar Maintenance)

2. Countries, or category of countries, which receive less favourable treatment as a result of the measure:
   Countries whose operators have not undertaken joint study with Thai operators in the establishment of a hangar maintenance center in Thailand.

3. Policy objective of the measure:
   For the economic viability of the hangar maintenance operator.

4. Treatment inconsistent with Article II:1 of the Agreement provided for under the measure:
   Permission is only granted to companies which have undertaken a joint study with Thai operators.

5. Legal reference to the text of the measure:
   Subject to the administrative guideline of the Ministry of Transport and Communications No.0206/528 dated June 5, 1988.

6. Intended duration of the exemption:
   Indefinite

7. Where the intended duration of the exemption is more than 5 years,

   (a) Timetable for the progressive phase-out of the measure or reason why a progressive phase-out is not possible:
   --

   (b) Reason why the policy objective stated above cannot be achieved through measures which are consistent with the Agreement:
   --

   (c) Conditions which, when they occur, will make unnecessary the continued exemption of the measure:
   --

8. Any further remarks on the requested exemption:
   --

0045

Date: MARCH 30, 1992

REQUEST FORM

Exemption under Article II

Thailand hereby requests that, with regard to the following measures, exemptions from obligations under Article II:1 be inscribed in the Annex on Article II Exemptions attached to the draft text for adoption of the GATS.

Name of Measure: Revenue Code in respect of VAT collection

1. Service sectors affected by the measure:
   Selling or Marketing of Air Transport Services

2. Countries, or category of countries, which receive less favourable treatment as a result of the measure:
   Countries where there is no VAT system and countries whose governments impose business tax on Thai carriers.

3. Policy objective of the measure:
   Fair treatment between Thailand and her trading partners.
   Thailand applies the principle of reciprocity to tax collection.

4. Treatment inconsistent with Article II:1 of the Agreement provided for under the measure:
   Due to reciprocal basis, Thailand classifies airlines into 3 groups as follows:

   4.1 airlines which have to pay 7 per cent rate;
   4.2 airlines which are exempted from VAT system;
   4.3 airlines which have to pay 0 per cent rate.

0046

5. Legal reference to the text of the measure:
Subject to the Revenue Code (30th amendment) B.E. 2534 (1991)

6. Intended duration of the exemption:
Indefinite

7. Where the intended duration of the exemption is more than 5 years,

(a) Timetable for the progressive phase-out of the measure or reason why a progressive phase-out is not possible:
--

(b) Reason why the policy objective stated above cannot be achieved through measures which are consistent with the Agreement:
--

(c) Conditions which, when they occur, will make unnecessary the continued exemption of the measure:
--

8. Any further remarks on the requested exemption:
--

0047

Date: MARCH 30, 1992

REQUEST FORM

Exemption under Article II

Thailand hereby requests that, with regard to the following measures, exemptions from obligations under Article II:1 be inscribed in the Annex on Article II Exemptions attached to the draft text for adoption of the GATS.

Name of Measure: Reciprocity treatment

1. Service sectors affected by the measure:
   International Maritime Transport of Cargoes

2. Countries, or category of countries, which receive less favourable treatment as a result of the measure:
   All countries except the United States of America, the Socialist Republic of Vietnam and the People's Republic of China.

3. Policy objective of the measure:
   Reciprocal treatment granted to the United States of America, the Socialist Republic of Vietnam and the People's Republic of China under the relevant agreements as appear in 5 below.

4. Treatment inconsistent with Article II:1 of the Agreement provided for under the measure:

   (1) Rights to carry all products: Treaty of Amity and Economic Relation between the Kingdom of Thailand and the United States of America (29 May 1966)

0048

(2) Cargo sharing

- Commercial Maritime Navigation Agreement between the government of the Kingdom of Thailand and the Government of the Socialist Republic of Vietnam (22 January 1979)

- Agreement of Maritime Transport between the Government of the Kingdom of Thailand and the Government of the People's Republic of China (23 March 1979)

5. Legal reference to the text of the measure:

(1) Treaty of Amity and Economic Relation between the Kingdom of Thailand and the United States of America (29 May 1966)

(2) Commercial Maritime Navigation Agreement between the government of the Kingdom of Thailand and the Government of the Socialist Republic of Vietnam (22 January 1979)

(3) Agreement of Maritime Transport between the Government of the Kingdom of Thailand and the Government of the People's Republic of China (23 March 1979)

6. Intended duration of the exemption: 10 years

7. Where the intended duration of the exemption is more than 5 years,

(a) Timetable for the progressive phase-out of the measure or reason why a progressive phase-out is not possible:

--

(b) Reason why the policy objective stated above cannot be achieved through measures which are consistent with the Agreement:

--

(c) Conditions which, when they occur, will make unnecessary the continued exemption of the measure:

--

8. Any further remarks on the requested exemption:

--

0050

Date: MARCH 30, 1992

REQUEST FORM

Exemption under Article II

Thailand hereby requests that, with regard to the following measures, exemptions from obligations under Article II:1 be inscribed in the Annex on Article II Exemptions attached to the draft text for adoption of the GATS.

Name of Measure: Classification Society to be recognized by the Harbour Department of the Kingdom of Thailand

- American Bureau of Shipping (United States of America)
- Bureau Veritas (Republic of France)
- Det Norske (Kingdom of Norway)
- Germanischer Lloyd (Federal Republic of Germany)
- Lloyd Register of Shipping (United Kingdom of Great Britain and Northern Ireland)
- Nippon Kaiji Kyokai (Japan)

1. Service sectors affected by the measure:
   Marine surveys and classification societies

2. Countries, or category of countries, which receive less favourable treatment as a result of the measure:
   All countries except the United States of America, the Republic of France, the Kingdom of Norway, the Federal Republic of Germany, the United Kingdom of Great Britain and Northern Ireland and Japan.

3. Policy objective of the measure:
   To recognize the standard of marine surveys.

0051

4. Treatment inconsistent with Article II:1 of the Agreement provided for under the measure:
A marine survey by any society other than the six societies is not recognized by the Harbour Department of the Kingdom of Thailand.

5. Legal reference to the text of the measure:
Regulation on Marine Surveys (18th amendment) B.E. 2534 (1991) under the Navigation in Thai Waters Act B.E. 2456 (1913)

6. Intended duration of the exemption: 10 years

7. Where the intended duration of the exemption is more than 5 years,

(a) Timetable for the progressive phase-out of the measure or reason why a progressive phase-out is not possible:
--

(b) Reason why the policy objective stated above cannot be achieved through measures which are consistent with the Agreement:
--

(c) Conditions which, when they occur, will make unnecessary the continued exemption of the measure:
--

8. Any further remarks on the requested exemption:
--

0052

Date: MARCH 30, 1992

REQUEST FORM

Exemption under Article II

Thailand hereby requests that, with regard to the following measures, exemptions from obligations under Article II:1 be inscribed in the Annex on Article II Exemptions attached to the draft text for adoption of the GATS.

Name of Measure: Reciprocity Agreement

1. Service sectors affected by the measure:
   International Road Transport Services

   - Passenger transportation
   - Freight transportation
   - Rental of non-commercial vehicles with/without driver

2. Countries, or category of countries, which receive less favourable treatment as a result of the measure:
   Countries that have no agreement on international road transport with Thailand.

3. Policy objective of the measure:

   (a) Reciprocity
   (b) Regulation and provision of road transport

4. Treatment inconsistent with Article II:1 of the Agreement provided for under the measure:
   Reciprocity Treatment

0053

5. Legal reference to the text of the measure:
   The Land Transport Act B.E. 2522
   The Motor Vehicle Act B.E. 2522

6. Intended duration of the exemption:
   Indefinite

7. Where the intended duration of the exemption is more than 5 years,

   (a) Timetable for the progressive phase-out of the measure or reason why a progressive phase-out is not possible:
   Progressive phase-out cannot be scheduled since it is a reciprocity commitment.

   (b) Reason why the policy objective stated above cannot be achieved through measures which are consistent with the Agreement:
   --

   (c) Conditions which, when they occur, will make unnecessary the continued exemption of the measure:
   --

8. Any further remarks on the requested exemption:
   --

0054

Date: MARCH 30, 1992

REQUEST FORM

Exemption under Article II

Thailand hereby requests that, with regard to the following measures, exemptions from obligations under Article II:1 be inscribed in the Annex on Article II Exemptions attached to the draft text for adoption of the GATS.

Name of Measure: Treaty of Amity and Economic Relations between the Kingdom of Thailand and the United States of America B.E. 2509 (1966).

1. Service sectors affected by the measure:
Service sectors stipulated in the relevant articles of the Treaty especially articles 4 and 10.

2. Countries, or category of countries, which receive less favourable treatment as a result of the measure:
All countries

3. Policy objective of the measure:
To ensure stable economic growth, peace and stability within the region.

4. Treatment inconsistent with Article II:1 of the Agreement provided for under the measure:
Only American citizens and entities are granted national treatment with respect to operating businesses and providing services in Thailand.

0055

5. Legal reference to the text of the measure:
Treaty of Amity and Economic Relations between the Kingdom of Thailand and the United States of America B.E. 2509 (1966)

6. Intended duration of the exemption: 10 Years

7. Where the intended duration of the exemption is more than 5 years,

(a) Timetable for the progressive phase-out of the measure or reason why a progressive phase-out is not possible:
Revision of the Treaty is subject to negotiations.

(b) Reason why the policy objective stated above cannot be achieved through measures which are consistent with the Agreement:
--

(c) Conditions which, when they occur, will make unnecessary the continued exemption of the measure:
Once the Treaty is revised.

8. Any further remarks on the requested exemption:
--

0056

원 본

외 무 부

통기

종 별 :

번 호 : GVW-1113 일 시 : 92 0602 1820

수 신 : 장 관(수신처 참조)

발 신 : 주 제네바대사

제 목 : UR/서비스협상

5.14.GNS 비공식 협의시 논의된바 있는 SCHEDULING 관련 기술적 과제에 대하여사무국 에서 재 작성한 토의문서를 별첨 송부함.

첨부: 사무국 작성문서 1부

(GVW(F)-0353)

(대사 박수길-국장)

수신처: 통기,경기원,재무부,법무부,농림수산부,상공부,문화부,건설부,교통부,체신부,보사부,과기처,공보처,항만청

통상국 법무부 보사부 문화부 교통부 체신부 경기원 재무부 농수부
상공부 동자부 과기처 해항청 공보처

PAGE 1

92.06.03 08:06 WH

외신 1과 통제관

0057

주 제 네 바 대 표 부

번호 : GVW(F) - 0353　　년월일 : 20602　　시간 : 1820

수신 : 장 관(통기, 경기원, 재무부, 법무부, 농림수산부, 상공부, 문화부, 보사부, 건설부, 교통부, 체신부, 과기처, 공보처, 항만청)

발신 : 주제네바대사

제목 : UR/서비스 협상

보 안 통 제	

총 8 매(표지포함)

외신관 통 제	

0058

353 - 8 - 1

29.5.92

Group of Negotiations on Services

QUESTIONS FOR DISCUSSION AS IDENTIFIED BY PARTICIPANTS

It has been brought to the attention of the secretariat that a number of technical matters relating to the Scheduling of Commitments may require clarification. The attached note draws attention to some of the questions which have been raised by participants. Where possible, written answers have been provided by the secretariat.

The attached informal note should be considered as a complement to the explanatory note relating to Scheduling of Initial Commitments (12.2.92). It could be added to, or otherwise modified, as thought appropriate by participants. Any comments in this respect would be welcome.

353-8-2

FF-1

29.5.92

RESPONSE TO TECHNICAL QUESTIONS RELATED TO SCHEDULING
AS IDENTIFIED BY PARTICIPANTS

1. Some offers contain information for clarification purposes only. Is such information suitable for a schedule? What degree of detail should be given with respect to legal references in schedules?

In any sector where a commitment has been undertaken, any non-conforming measure must be entered in the appropriate market access or national treatment column. The entry should describe the measure concisely, stating the elements which make it inconsistent with Article XVI or XVII. This is equally true of horizontal measures inscribed in the head-note of the schedule. Given the legal nature of a schedule, it should contain only descriptions of bound measures. Any additional information for clarification purposes should not be entered in the schedule but will be subject to Article III obligations. A reference to the legal basis of a scheduled measure (i.e. the relevant law or regulation) may be entered if thought necessary. This, in any case, will also be subject to the obligations of Article III.

2. If a party does not intend to inscribe any limitations, qualifications or conditions on market access or national treatment in its schedule, what is the appropriate entry in the schedule?

Should the party not seek to limit market access or national treatment in a given sector or mode of supply through measures inconsistent with Articles XVI or XVII other than those of a horizontal nature identified in the head-note, the party should enter NONE in the appropriate column.

3. Does the entry NONE in the national treatment column mean no conditions, qualifications or limitations apply other than the

PF-1

0060

discriminatory measures listed in the market access column and those identified as horizontal restrictions?

Yes. It should be noted that the entry NONE in the national treatment column means that no sector specific measures which constitute limitations on national treatment, whether of a de jure or de facto nature, exist or will remain in place for the specified mode of supply in the listed sector. As recognized in Article XX:2, however, there are measures which are inconsistent with both Articles XVI and XVII. Article XX:2 in fact stipulates that such measures shall be inscribed in the column relating to Article XVI on market access. Thus, while NONE may be entered in the national treatment column, there may be a discriminatory measure inconsistent with national treatment inscribed in the market access column. Further, in accordance with the footnote to Article XVI:2, all discriminatory measures can be challenged as violation of Article XVII.

4. What happens if there is no corresponding classification for a specific service in the secretariat, or the CPC, classification list?

As indicated in the explanatory note relating to Scheduling of Initial Commitments (12.2.92, page 6), services should be identified for scheduling purposes in accordance with the secretariat classification list. If a corresponding classification for a specific service is not found in the secretariat's list, a further disaggregation based on the CPC may be necessary. If no corresponding classification is found in either the secretariat list or in disaggregated sectors of the CPC classification, then the Party should clearly describe the service, preferably with reference to its own national nomenclature.

5. Is it possible to exempt preferential treatment accorded to countries on the basis of existing agreements which are inconsistent with Article V on Economic Integration?

0061

353-8-4

FF-2

Yes. If the measure is inconsistent with Article V, an exemption from the m.f.n. obligation may be sought prior to the entry into force of the GATS in accordance with the procedures described in the Annex on Article II Exemptions. If the GATS is already in force, the waiver procedures set out in Article XXIV:4 and 5 should be followed. Alternatively, the non-conforming measure should be brought into conformity with the m.f.n. provision.

6. Is there a need to schedule discriminatory subsidies where specific commitments are undertaken, given that there are no disciplines on subsidies in Article XV?

Article XV merely obliges Parties to 'enter into negotiations with a view to developing the necessary multilateral disciplines' to counter the distortive effects caused by subsidies. In the absence of express language, the provision cannot be interpreted to exclude subsidy measures from the scope of m.f.n. or, when taken, from the scope of national treatment commitments. Furthermore, such an exclusion would require a legal definition of subsidies which is currently not provided for under the GATS. Article XVII (National Treatment) covers any measure which discriminates between foreign services or service suppliers and the Party's own services or service suppliers. Therefore, any subsidy which is discriminatory within the meaning of Article XVII would have to be either scheduled or brought into conformity with that Article.

7. To what extent is it necessary to schedule measures covered by Articles XII and XIV?

Measures falling under Article XIV are excepted from obligations and commitments under the Agreement, and therefore need not be scheduled. Measures falling under Article XII are also exceptions. Exceptions from general obligations under the Agreement cannot be negotiated under Part III and should therefore not be scheduled. Article XII

0062

353 - 8 - 5

FF-1

provides separate disciplines for the measures it covers, including notification and consultation.

8. Should prudential measures, such as minimum capital asset requirements, be scheduled if a Party undertakes a market access commitment in the financial services sector? Should a prudential measure requiring a specific type of legal entity be scheduled?

Any prudential measure justifiable under paragraph 2:1 of the Annex on Financial Services constitutes a general exception to the Agreement and as such should not be scheduled. The scope of this paragraph is not defined in terms of the types of measures that it may cover but in terms of the objectives of such measures. Therefore paragraph 2:1 of the Annex may cover any type of measure, including a requirement for minimum capital assets or for specific types of legal entity, as long as the objective of such a measure is justifiable for prudential reasons, as specified in the paragraph.

9. What is the definition of movement of consumer? Is the correct interpretation that the "consumer" is a consumer of the Party?

(a) The mode of supply often referred to as 'movement of the consumer' is more accurately referred to as 'consumption abroad'. The essential feature of this mode is that the service is delivered abroad, i.e. outside the jurisdiction of the Party taking the measure. Often the actual movement of the consumer is necessary as in tourism services. However, activities such as ship repair abroad, where the property of the consumer "moves", or is situated overseas, are also covered.

(b) Whatever the mode of supply, obligations and commitments under the Agreement relate directly to the treatment of service suppliers of other Parties. They only relate to service consumers insofar as service suppliers of other Parties are affected.

353-8-6

0063

FF-1

(c) The "service consumer of any other Party" mentioned in Article I:2(b) can be, according to a plain reading of the text, from any Party to the Agreement. In practice however, in applying obligations and commitments to this mode, a Party may not be able to impose restrictive measures affecting consumers of other parties on activities taking place outside its jurisdiction.

10. Should a Party be prevented from making a commitment that would cover a measure for which it also seeks an m.f.n. exemption:

- when the m.f.n. exemption is intended to allow for less favourable treatment of certain Parties (reciprocity cases)?
- when the m.f.n. exemption is intended to allow for more favourable treatment of certain countries (agreements on preferential treatment)?
- in both the above cases?

A Party taking a national treatment or a market access commitment in a sector under the Agreement must simply accord the stated minimum standard of treatment specified in its schedule to all other Parties. The m.f.n. obligation requires that the most favourable treatment actually accorded must also be accorded to all other parties. However, where an m.f.n. exemption has been granted in a sector, a Party is free to deviate from its Article II obligations, but not from its Article XVI and XVII commitments. Therefore, in such cases, a Party may accord treatment in that sector more favourable than the minimum standard to some parties, as long as all other parties receive at least the minimum standard.

(To be further discussed)

353-8-7 FF-1 0064

QUESTIONS STILL TO BE DISCUSSED

1. To what extent do specific commitments extend to all services which are inputs to, or are otherwise related to, the supply of the service for which the specific commitment has been made?

2. Which tax measures are not covered by Articles XIV? Would such measures be subject to scheduling?

3. What is meant by residency; full establishment, personal presence of an individual, a study period, apprenticeship, simple registration, an address, or other? How should residency requirements be dealt with?

4. Article XVI:2(b) indicates that in sectors where market access commitments are undertaken, measures which constitute limitations on the total value of services transactions or assets should be specified in national schedules. Do such limitations refer to both the maximum and minimum value of services transactions or assets? Similarly, do measures which constitute limitations in the sense of Article XVI:2(d) refer to both the maximum and minimum number of natural persons?

353-8-8

FF-1

0065

원 본

외 무 부

종 별 :

번 호 : GVW-1121 일 시 : 92 0603 1800

수 신 : 장관(통기, 경기원, 재무부, 농수산부, 상공부, 특허청)

발 신 : 주제네바대사

제 목 : 카나다 통상장관 서한 송부

당지 카나다대표부는 WILSON 카나다 통상장관이 UR협상의 조속한 타결, 특히 서비스 협상의 진전을촉구하는 별첨 서한을 아국 상공장관앞으로 발송하였음을 참고로알려왔는바 동서한 사본을송부하니 참고바람.

첨부: 상기 서한 1부(GVW(F)-0357).끝

(대사 박수길-국장)

통상국 경기원 재무부 농수부 상공부 특허청

PAGE 1 92.06.04 07:53 BD

외신 1과 통제관

0066

주 제 네 바 대 표 부

번 호 : GVW(F) - 0357 년월일 : 20603 시간 : 1800

수 신 : 장 관

발 신 : 주 제네바대사

제 목 : GVW-1121 첨부

보 안	
통 제	

총 5 매(표지포함)

외신국	
통 제	

357-5-1

0067

The Permanent Mission of Canada
to the United Nations

La Mission Permanente du Canada
auprès des Nations Unies

1, rue du Pré-de-la-Bichette
1202 Geneva

May 26, 1992

H.E. Mr. Soo Gil Park
Ambassador
Permanent Representative to GATT
Permanent Mission of the Republic of Korea
Route de Pré-Bois 20
1216 Cointrin

Excellency, Soo Gil

As you are aware, there is continuing concern that an impasse in agricultural and other key sectors threatens the successful conclusion of the Uruguay Round negotiations. The Honourable Michael Wilson, Minister for International Trade, has taken recent opportunities to explore ways in which to reinvigorate the process, in particular focusing on the Services negotiations. While much has been accomplished, especially in the drafting of the multilateral trade rules for the Services sectors, more needs to be done in the area of market access liberalization commitments to achieve a comprehensive balanced deal.

In this regard Minister Wilson has written to your Minister of Trade and Industry. For your information I enclose a copy of his letter.

Yours sincerely,

Gerald E. Shannon
Ambassador
Permanent Representative

359-5-2

0068

Ottawa

May 20, 1992

Dear Minister:

I am writing to you about the Uruguay Round of Multilateral Trade Negotiations (MTN) to share some of Canada's concerns about our collective inability so far to bring these most important trade negotiations to a successful conclusion.

The Uruguay Round provides a unique opportunity to strengthen the open multilateral trading system, which is particularly important for the smaller trading countries. A successful outcome would create new trade expansion opportunities; it would also strengthen the confidence necessary for bringing about renewed economic growth.

Unfortunately, this opportunity keeps eluding us as the negotiating process in Geneva moves from one impasse to another, particularly over the critical issue of agriculture. I think that you would agree with me that the time has come for all MTN participants to show flexibility on specific issues still preventing the early conclusion of the Round.

We need to ensure, of course, that compromises would be consistent with he achievement of: A) a substantial and broad based package of trade liberalization results, including for agriculture, resource-based and other products; and B) preserving the substantive achievements that the December 1991 Dunkel package represents in terms of stronger and fairer trade rules of international competition, including the gradual phasing out of the MFA textile and clothing arrangements.

On the basis of my recent discussion with a number of MTN participants, I believe that this kind of ambitious and balanced overall MTN outcome remains within reach. However, it is apparent that there is a need to make further efforts to improve the quality and the size of the trade in services liberalization package. This is to ensure both that the comprehensive package would represent a reasonable balance of interests for all participants and that pressures to obtain the biggest possible package in the trade in goods package would be maintained.

.../2

357-5-3

I believe that a solid open multilateral trading regime for services will be of increasing economic benefit to developing countries themselves. Indeed, as countries advance and diversify their industrial base, their services industries play an increasingly important part, both in domestic and export markets. In addition, as the industrialization experience of many countries shows, growth opportunities of agricultural, resource-based and manufacturing industries stand to be enhanced by assured access to efficient world-class services such as financial services, business and professional services, computer software and telecommunications.

Through good cooperation in the services negotiations in Geneva so far, it has been possible to develop a good set of draft multilateral trade rules (GATS) to be eventually applied to trade in services, just as the GATT applies to trade in goods. But a good and balanced package of concessions is also necessary for a successful outcome.

In this respect, the specific areas where Canada would expect better market access liberalization commitments, both in terms of preserving existing access conditions and rolling back existing barriers, have been communicated to your Geneva-based negotiating team. It is especially important that key sectors are adequately covered by liberalization commitments, including financial, telecommunications, professional services and maritime shipping.

For its part, Canada has recently made significant enlargements to the scope of its initial offer as well as to the potential application of its offer to provincial (sub-national) government measures. We are prepared to make some further efforts ourselves, if necessary.

I realize that there are still major difficulties to be overcome to ensure that the exceptions to the non-discrimination (MFN) rules are limited as much as possible. However, I share the view that the chances of achieving this and a good overall MTN result will require a stronger services liberalization package, one which has substantive commitments in all major sectors including financial services.

MTN participants have had different tactical views about how best to ensure that the various aspects of the MTN would move together. I believe that an effort by key developing countries to enrich the overall services market access package at this time would further strengthen developing countries' influence on the shape of the final outcome. Such a development could, of course, be made conditional upon commensurate efforts by other countries in different areas of the overall negotiations.

.../3

357-5-6

- 3 -

I hope that you will share Canada's keen desire to bring the Uruguay Round to a successful conclusion this year. Improving the potential market access package on services is an essential element of such an outcome. I hope to hear from you soon on the matter.

Yours sincerely,

Michael H. Wilson

3-5-7-5-5

0071

이시(이관)

원 본

외 무 부

종 별 :

번 호 : GVW-1131 일 시 : 92 0605 1640

수 신 : 장관(수신처참조) 통기

발 신 : 주제네바대사

제 목 : UR/서비스협상

6.9 주부터 개최예정인 기술적 과제에 대한 협상일정과 INITIAL COMMITMENTS 에관한 양자협상 일정을 하기 보고함.

1. 기술적 과제에 대한 협상(CARLISLE 사무차장주재 주요국 비공식 협의)

- 6.10(수): 제 34조(용어의 정의), 제 21조(양허수정)

- 6.11(목) : 조세문제

- 6.12(금) : SCHEDULING 및 기타

2. INITIAL COMMITMENTS 에 관한 양자 협상(기타국과의 협상 일정은 추후 통보 예정)

가. 국가별 협상일정

- 6.23(화) 09:00 : 미국

15:00 : 카나다

- 6.24(수) 09:30 : EC

15:00 : 호주

17:00 ~~노르웨이~~ 뉴질랜드?

- 6.25(목) 09:30: 노르웨이

11:00 : 스웨덴

15:00 : 일본

나. 각국의 본부 협상 대표 참석 계획(제네바주재관은 별도)

- 미국: 서비스 협상 대표 및 금융전문가등 3-4명

- 일본: 서비스 협상 대표 및 각분야별 전문가등완전한 협상팀

- 카나다: 서비스 협상 대표 및 금융, 통신,운송,인력이동 전문가

- 호주 : 서비스 협상대표 2명

통상국 법무부 보사부 문화부 교통부 체신부 경기원 재무부 농수부
상공부 건설부 과기처 해항정 공보처

PAGE 1 92.06.06 10:31 BD
외신 1과 통제관 ✓

0072

- 뉴질랜드 : 서비스 협상대표 1명

- 스웨덴, 노르웨이 : 본부대표 참석 예정이나대표단 규모는 미정.끝

(대사 박수길-국장) 수신처 략

상 공 부

우)427-760 경기도 과천시 중앙동 1번지 / 전화(02)503 - 9446 /FAX : 503 - 9496, 3142

문서번호 국협 28143-497

시행일자 1992. 6. 5 ( )

수신 수신처 참조

참조

선결			지시		
접수	일자 시간	92. 6. 8 :	결재·공람		
	번호	20351		국장	
처 리 과				심의관	
담 당 자				과장	

제목 : UR 협상관련 카나다 Wilson 장관의 서한

1. 카나다의 Wilson 통상장관은 우리부 장관 앞으로 보낸 별첨 서한을 통해 UR 협상의 성공적 타결을 위한 한국의 협조를 요청하면서 특히 서비스 협상에서의 금융, 통신, 해운분야 등 주요 서비스 분야에 대한 아국의 개방 확대 약속이 필요함을 강조하고 있읍니다.

2. 동 서한에 언급한 내용에 대해 카나다측은 우리부 장관의 답신을 요청한바 동 답신 작성을 위해 필요하오니 카나다측이 언급한 내용을 검토하시고 이에대한 귀부 입장을 통보하여 주시기 바랍니다.

첨 부 : 카나다 장관 서한 사본. 끝.

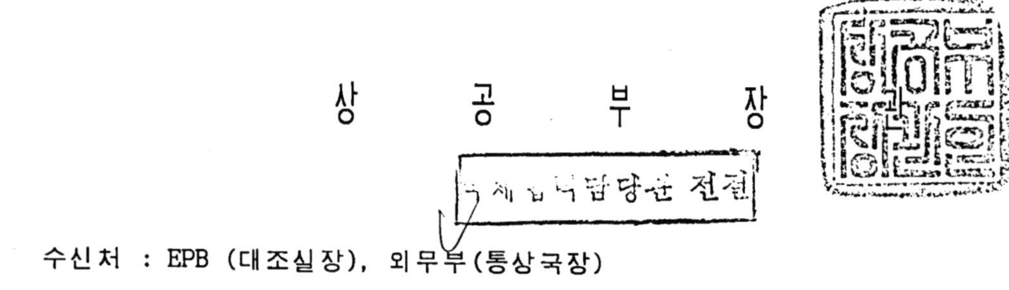

상 공 부 장

수신처 : EPB (대조실장), 외무부(통상국장)

0074

Canadian Embassy  Ambassade du Canada

Seoul 100-662, Korea

May 27, 1992

Mr. Han, Bong-Soo
Minister of Trade and Industry
Ministry of Trade and Industry
1, Chungang-dong
Kwachon City, Kyonggi Province

Dear Minister,

I am writing to you about the Uruguay Round of Multilateral Trade Negotiations (MTN) to share some of Canada's concerns about our collective inability so far to bring these most important trade negotiations to a successful conclusion.

The Uruguay Round provides a unique opportunity to strengthen the open multilateral trading system, which is particularly important for the smaller trading countries. A successful outcome would create new trade expansion opportunities; it would also strengthen the confidence necessary for bringing about renewed economic growth.

Unfortunately, this opportunity keeps eluding us as the negotiation process in Geneva moves from one impasse to another, particularly over the critical issue of agriculture. I think that you would agree with me that the time has come for all MTN participants to show flexibility on specific issues still preventing the early conclusion of the Round.

We need to ensure, of course, that compromises would be consistent with the achievement of: a) a substantial and broad based package of trade liberalization results, including for agriculture, resource-based and other products; and b) preserving the substantive achievements that the December 1991 Dunkel Package represents in terms of stronger and fairer trade rules of international competition, including the gradual phasing out of the MFA textile and clothing arrangements.

On the basis of my recent discussion with a number of MTN participants, I believe that this kind of ambitious and balanced overall MTN outcome remains within reach. However, it is apparent that there is a need to make further efforts to improve the quality and the size of the trade in services liberalization package. This

0075

is to ensure both that the comprehensive package would represent a reasonable balance of interests for all participants and that pressures to obtain the biggest possible package in the trade in goods package would be maintained.

I believe that a solid open multilateral trading regime for services will be of increasing economic benefit to developing countries themselves. Indeed, as countries advance and diversify their industrial base, their services industries play an increasingly important part, both in domestic and export markets. In addition, as the industrialization experience of many countries shows, growth opportunities of agricultural, resource-based and manufacturing industries stand to be enhanced by assured access to efficient world-class services such as financial services, business and professional services, computer software and telecommunications.

Through good cooperation in the services negotiations in Geneva so far, it has been possible to develop a good set of draft multilateral trade rules (GATS) to be eventually applied to trade in services, just as the GATT applies to trade in goods. But a good and balanced package of concessions is also necessary for a successful outcome.

In this respect, the specific areas where Canada would expect better market access liberalization commitments, both in terms of preserving existing access conditions and rolling back existing barriers, have been communicated to your Geneva-based negotiating team. It is especially important that key sectors are adequately covered by liberalization commitments, including financial, telecommunications, professional services and maritime shipping.

For its part, Canada has recently made significant enlargements to the scope of its initial offer as well as to the potential application of its offer to Provincial (sub-national) Government measures. We are prepared to make some further efforts ourselves, if necessary.

I realize that there are still major difficulties to be overcome to ensure that the exceptions to the non-discrimination (MFN) rules are limited as much as possible. However, I share the view that the chances of achieving this and a good overall MTN result will require a stronger services liberalization package, one which has substantive commitments in all major sectors including financial services.

MTN participants have had different tactical views about how best to ensure that the various aspects of the MTN would move together. I believe that an effort by key developing countries to enrich the overall services market access package at this time would further strengthen developing countries' influence on the shape of the final outcome. Such a development could, of course, be made conditional upon commensurate efforts by other countries in different areas of the overall negotiations.

I hope that you will share Canada's keen desire to bring the Uruguay Round to a successful conclusion this year. Improving the potential market access package on services is an essential element of such an outcome. I hope to hear from you soon on the matter.

Yours sincerely,

Michael H. Wilson

0077

외 무 부

110-760 서울 종로구 세종로 77번지 / (02)720-2188 / (02)725-1737 (FAX)

문서번호 통기 20644-193
시행일자 1992. 6. 9.( )

수신 상공부장관
참조

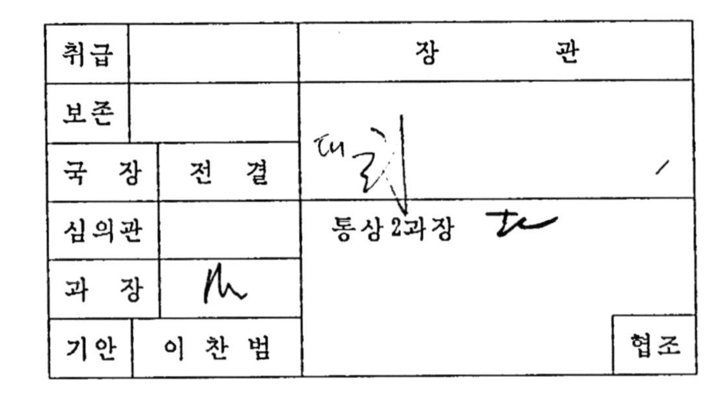

취급		장 관
보존		
국 장	전 결	
심의관		통상2과장
과 장		
기안	이 찬 범	협조

제목 UR 협상 관련 카나다 통상장관의 서한

대 : 국협 28143-297

1. UR 서비스 협상 관련, 카나다 통상장관앞 우리측 답신내용에 포함할 사항에 대한 우리부의 의견을 별첨 송부하오니 적의 조치 바랍니다.

첨 부 : 카나다 통상장관앞 답신 포함사항. 끝.

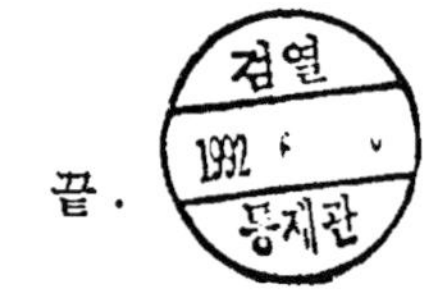

외 무 부 장 관

0078

카나다 통상장관앞 답신 포함사항

o 국제무역 확대와 이를 통한 범세계적 경제성장을 위하여 UR 협상이 조속히 성공적으로 타결되어야 한다는데 공감함.

o 한국은 대외지향적인 경제구조를 가진 나라로서 국제무역환경의 개선과 다자무역체제의 강화에 어느나라보다 깊은 관심을 갖고 있음.

o 한국은 이러한 신념에 따라 UR 협상 개시 이래 협상의 진전을 위하여 능력의 한도내에서 최대한의 기여를 해왔으며 이러한 노력은 앞으로도 계속될 것임.

o 91.12.20 제시된 Dunkel 총장의 협정 초안은 과거 4년반의 협상 결과의 종합 (a fair consolidation)으로서 평가하며, 이를 토대로 국제무역 규범의 강화 및 균형있고 실질적인 무역자유화가 이루어지기를 희망함.

o 한국으로서는 최근의 최종단계 협상 부진이 주요국간의 일부 쟁점사항에 대한 이견에 연유한다는데 주목하며, UR 협상을 성공적으로 종료시키기 위한 주요 국가의 정치적 의지가 조속히 행동으로 옮겨져야 할 것으로 생각함.

o 또한, 협상의 공개주의(transparency)의 회복과 중소국가들의 핵심 관심사항을 균형있게 반영하기 위한 마무리 협상 과정의 운용도 협상 성공의 필수적 요소로 생각함.

o 서비스 협상과 관련, 한국도 내실있는 시장개방 실현을 통한 서비스 협상의 실질적인 성과가 UR 협상 전체 package의 중요한 구성 요소로 평가하며, 협상의 진전을 위한 가능한 기여를 다해 왔는바, 신속한 최초 및 수정 양허 계획 제출과 극히 제한된 내용의 MFN 일탈 신청등이 그러한 노력의 증거임.

0079

o 카나다가 제의한 금융, 통신, 전문직 및 해운분야의 양허 확대와 관련, 한국으로서도 협상의 진전상황에 따라 최선의 노력을 다할 것이나 서비스 협상 및 UR 협상의 전반적인 균형과 한국의 request에 대한 협상 상대국의 반응도 고려되어야 하며, 특히 금융서비스 개방에 있어서는 한국의 경제 상황도 중요한 변수라고 생각함.

o 한국으로서는 서비스 협상을 진전시키기 위하여는 주요국의 MFN 일탈 범위를 최소한으로 제한하는 것이 우선적으로 해결되어야할 문제라고 생각하며, 이를 위한 주요협상 참가국의 공동 노력이 필요하다고 생각함. 끝.

0080

재 무 부

우 427-760 경기도 과천시 중앙동 1 / 전화 503-9266 / 전송 503-9324

문서번호 국금 22251-154
시행일자 '92. 6. 4 ( )

수신 수신처 참조 외무부.
참조

선결			지시	회신요.	
접수	일자 시간	92.6.8			
	번호	20355	결재·공람		
처리과					
담당자		안명수(이시)			

제목 UR/서비스 협정과 관련된 조세문제 검토 의견 통보

1. GVW-1010('92. 5.15)호와 관련입니다.

2. UR/서비스 협정과 관련된 우리 부의 검토의견을 별첨과 같이 통보합니다.

첨부 : 조세문제에 관한 쟁점 및 검토의견 1부. 끝.

재 무 부 장 관

국제금융국장 전결

수신처 : 경제기획원장관(대외경제조정실장), 외무부장관(통상국장)

0081

조세문제에 관한 쟁점 및 우리 부 검토의견

쟁 점	검 토 의 견
1. 제14조 D항 관련	
- 제17조(내국민대우) 뿐만 아니라 제2조(최혜국대우)에 대한 예외 허용 여부	- 현재 내국세법에서는 거주자(내국법인), 비거주자(외국법인)에 대한 별도 규정이 있을 뿐 국가별로는 차별 규정이 없으므로 제17조(내국민대우)에 대한 예외 허용으로 충분함.
- 'Taxes on Income'이라는 용이가 정확한지 여부, 즉 자본이득세 및 간접세 추가 필요 여부 ?	- Income Tax는 통상 Capital Gains Tax를 포함하는 개념이며, 간접세는 거래 또는 소비행위에 부과되는 바, 거주자 및 국적 여하에 따라 차별대우를 하지 않으므로 제외하는 것이 바람직함.
- 거주자간 차별 포함여부 ?	- 현재 내국세법에서는 일응 거주자로 분류될 경우 국적여부에 관계없이 동일한 대우를 하므로 거주자간 차별 허용 규정 불필요함. * 소득세법상 거주자 : 통상 1년 이상 국내에 거주한 자
2. 제14조 E항 관련	
- 이중과세 방지에 관한 국제적인 협정의 범위	- 이중과세 방지에 관한 국제적인 협정이 국내세법에 우선되는 효력을 가지기 위해서는 국회비준 동의를 요하는 협의의 『이중과세 방지 협약』으로 한정함이 타당함. o 즉, 국회비준 동의를 받지 않는 항공협정 및 해운협정은 동 예외 조항의 범위에서 제외 필요

0082

	분류번호	보존기간

발 신 전 보

번 호 : WGV-0887 920610 1426 WG 종별 : 지급

수 신 : 주 제네바 대사. 총영사

발 신 : 장 관 (통 기)

제 목 : UR/서비스 협정문 14조

대 : GVW-1010

대호 ~~귀관요청~~ 표제 협정문 14조D, E항 에대한 검토 의견을 아래 통보함.

- 아 래 -

1. D항

가. 제17조(내국민대우) 이외 제2조(최혜국대우) 예외 허용 여부

o 현재 국내세법상 거주자 및 내국법인, 비거주자 및 외국법인에 대한 별도 규정이 있으나 국가별 차별 규정이 없으므로 제17조에 대한 예외 허용으로 충분.

- 소득세법상 거주자 : 통상 1년이상 국내거주 자연인

- 외국법인 : 본사 또는 주된 사무소가 국외에 있는 경우

나. "Taxes on Income" 용어확인, 즉 자본이득세 및 간접세 추가 필요 여부

o 소득세(Income Tax)는 통상 자본이득세(Capital Gains Tax)를 포함하는 개념이며, 간접세는 거래 및 소비행위에 부과하는바, 거주자 및 국적 여하에 따라 차별 대우를 하지 않으므로 제외하는 것이 바람직함.

보 안 통 제	

앙 고 재	92년 6월 10일	통상기구과	기안자 성 명		과 장	심의관	국 장		차 관	장 관
			이찬범							

외신과통제

0083

다. 거주자간 차별 포함 여부

o 현재 내국세법상 거주자로 분류될 경우 국적에 관계없이 동일한 대우를 하므로 거주자간 차별 허용 규정은 불필요함,

2. E항

가. 이중과세 방지 관련 국제적 협정의 범위

o 국제적 협정이 국내세법에 우선되는 효력을 갖기 위해서는 국회비준 동의를 요하는 협의「이중과세 방지협약」으로 한정함이 타당함.

- 즉, 국회비준 동의를 받지 않는 항공협정 및 해운협정은 동 예외 적용 범위에서 제외 필요

※ 아국은 상기 협의의 협약으로 조치하더라도 법체계상 새조세 효과가 포함될 각종 협약을 행정부 임의로 창설치 못하므로 이중과세 방지 협약 이외에 MFN 문제가 발생하는 협약은 없다고 재무부가 확인

3. 상기 14조 D,E항 관련 부분적 설명된 바와 같이 조세문제 관련 제14조 (예외)에 의해 포괄되지 않는 과세조치는 없으므로 아국 Schedule에 기재하거나 제14조 본문에 새로이 반영할 사항은 없음. 끝.

(통상국장 대리 최 혁)

0084

이시

원 본

외 무 부

종 별 :

번 호 : GVW-1163 일 시 : 92 0612 1600

수 신 : 장관(수신처 참조)

발 신 : 제네바 대사

제 목 : UR/GNS 비공식협의

(1)수신처(통기,경기원,재무부,법무부,농림수산부,상공부,문화부,건설부,교통부,체신부,보사부,과기처,공보처,항만청)

6.10(수) 개최된 표제협의 내용을 하기 보고함.

1. 제 34조: 용어의 정의(6.10 오전, CARLISLE사무차장 주재)

가. 협의 개요

0 사무국에서 작성한 초안(5.14 자, 기송부)을 기초로 34조(A)항 - (H) 항까지 항목별로 토의 하였으며, (I) 항이후는 추후 논의 예정임.

나. 협의 내용

1) 서비스 협정의 적용 범위(제 1조에 해당되는사항임)

0 EC는 EC 통합 기본조약인 ROME 협약에 댓가를 받지 않고 무상으로 공급되는 서비스는 제외한다는 명문규정이 있음을 예로 들어 서비스협정에도 이를 명시적으로 규정 할 것을 제기한바,

0법률국은 제 1조 1항의 서비스 협정은 'TRADE INSERVICES'를 대상으로 한다는 규정에 의하여 당연히 상업적으로 제공되는 서비스만 협정 적용 대상이 된다는 입장을견지하였으며

0 기타, 서비스 자체는 무상으로 공급되나 상호 보조등다른 방법으로 보상이 이루어지는 경우까지 제외될 위험이 있다는 점, 상업적 댓가는 징수 하지않으나 명목상의 소액 수수료만 징수하는 경우도 포함되는지 여부등 의문이 제기되어 관심 국가들이개 별적으로 사무국과 계속 협의키로 함.

2) MEASURE 의 범위(A 항)0 카나다는 유통, 운송망에의 접근등과 관련 이를 보장하기 위한 적극적 조치를 취하지 않는 소극적행위도 MEASURE 에 해당하는지 질의한바법률국은 소극적 행위도 적극적 행위와동일하나 이는 본질적으로 내국민 대우

통상국 법무부 보사부 문화부 교통부 체신부 경기원 재무부 농수부
상공부 건설부 과기처 해항청 공보처

92.06.13 05:54 FE

외신 1과 통제관 ✓

0085

문제로귀착된다고 함.

0 또한 카나다는 국가간 협정도 MEASURE 에해당하는지 질의한바, 법률국은 기속적인의무조항이 있는 국가간 협정으로서 그 자체가실행 능력이 있는 협정은 MEASURE 에해당하나 그외의 경우는 동 국가간 협정을이행하기 위한 국내법규, 행정조치등이 MEASURE에 해당한다고 답변함.

3) 유통망, 운송망, 통신망에의 접근(C 항II)

0 카나다는 C 항 II), 2 의 공중 통신망접근은 통신망 사용 부속서가 있기 때문에불필요하다는 의견을 제시하였으나 기 타 국가는 동조항이 서비스 협정과 부속서의연결장치가 되기때문에 존치할 필요가 있다고 함.

0 또한 카나다는 C 항 II) 1의 유통망 및운송망이 PUBLIC SYSTEM 에 한정한 것인지PRIVATE SYSTEM 까지 포함하는지 의문을 제기하고II) 2 의 공중 통신망과 같이 ' PUBLIC'이라는 용어를 추가할 것을 제의한바 기타 국가는통신망의 경우에는 장기간의협상을 거쳐 공중통신망의 명확한 정의 규정이 마련 되었으나 추가할 경우 이를 정의하기 위한 작업이 장기간 소요된다는 점을 들어 반대 하였으며, 법률국은 유통상 운송망에의 접근 문제는 내국민 대우조항에 의하여 규율될수 있다고 함.

4) 자연인의 범위에 영주권자 포함 여부(H 항)

0 체약국 국민의 범위에 어떤 체약국이 스스로선언할 경우에는 영주권자도 당해체약국국민으로 간주한다는 사무국 초안에 대하여대부분의 국가가 지지하였으나 인도는 인력시장통합의 경우 동 조항에 의하여 MFN 작용이완전 배제될 위험이 있다는 점을 들어반대함.

(본조항은 A 체약국 국민이 B 체약국시장체 진출할 경우 서비스 협정의 혜택을받을수 있는 범위와 관련 A 체약국의여우권자도 A 국 국민에 포함되는지 여부에관한 문제인바 A 체약국 영주권자중 C체약국 국민은 동 조항이 없더라도 인력 이동부속서에의하여 당연히 서비스 협정상의 혜택을향유할 권리가 있으며, 오직 비 체약국 국민으로서A 체약국 영주권자인 경우에만 문제가 되는것이므로 그 경제적 영향이 크지 않음.)

2. 제 21조: 양허수정(6.10 오후 HAWES 대사 주재)

가. 협의 개요

0 사무국에서 작성한 제 21조 수정안 초안 및 21조이행절차에 관한 결정 초안 (별도 FAX 송부)중6항까지 협의하였으며, 잔여부분은 6.12 오후논의예정임.

PAGE 2

0086

나. 협의 내용1) 서비스이외 분야에서 보상 가능 여부(21조 2항 A)

0 미국은 사무국 초안중 추가 부분의 '보상 조치를위한 협상은 서비스 협정하의양허 수준을 유지하도록 노력하여야 한다'는 조항과 관련 동조항이 ENDEAVOR 조항으로 되어 있으므로 서비스협정하에서 적절한 보상이 어려울 경우 타분야에서도 보상이 가능하다는 것을 의미하는지 확인할 필요가있다고 하는 한편 분쟁해결과 관련CROSS-RETALIATION 이 가능한 점을 감안하여CROSS-COMPERSATION 도 가능하도록 하여야 한다고하였는바 참가국간 별 이견이 없었으나, 브라질은분쟁해결과는 별계 문제라고 반대입장을표명함

2) 중재자의 역할 범위 및 주재 절차(21조 3항 및결정초안 3항)

0 인도는 중재자의 역할 범위가 보상 수준만 결정하는 것인지 제소국가가 진실로AFFECTED PARTY에 해당하는지 여부까지 검증하는 것인지 의문을제기한바

0 법률국은 서비스 분야의 특성상 양허 수정의영향을 추정하기 어려우므로 각 체약국이 AFFECTEDPARTY 에 해당하는지를 자가 결정하고중재과정에서 보상 수준 결정시 해결되도록 하는것이라고 답변하였으나

0 인도는 동 취지는 이해하나 갓트 28조 이행에관한 결정 제 4항에는 양허 수정국가가 CLAIM인정을 거부할수 있는 권한이 있으며, 인정거부시 동 사안이 이사회에회부되는 절차가 있는반면 서비스 분야 사무국 초안 제 3항에는 동 절차가누락되어양허 수정 국가가 보다 불리한 위치에있다고 지적함.

첨부) 제 21조에 관한 사무국 초안 1부, 끝

(GVW(F)-368)

(대사 박수길-국장)

1992-06-12 16:34 KOREAN MISSION GENEVA 2 022 791 0525 P.01

주 제 네 바 대 표 부

번호 : GVW(F) - 0368　　　　년월일 : 20612　　　　시간 : 1130

수신 : 장 관(통기, 경기원, 재무부, 법무부, 농림수산부, 상공부, 문화부, 보사부, 건설부, 교통부, 체신부, 과기처, 공보처, 항만청)

발신 : 주제네바대사

제목 : UR/서비스 협상

보 안 통 제	기

총 10 매(표지포함)

외신관 통 제	

배부처	장관실	차관실	一차보	二차보	외정실	분석관	아주국	미주국	구주국	중아국	국기국	경제국	통상국	문협국	외연원	청와대	안기부	공보처	경기원	상공부	재무부	농수부	동자부	환경처	과기처	법무부	문화부	보사부	건설부	교통부	체신부	항만청
													0					/	/	/	/	/			/	/	/	/	/	/	/	/

318-10-1

0088

DRAFT
6.4.92

Note from Ambassador Hawes

ARTICLE XXI: MODIFICATION OF SCHEDULES

In the light of further informal consultations on the text of Article XXI (Modification of Schedules) during the week of 23 March, this note proposes a revision of the text of Article XXI as well as a preliminary draft of the rules and procedures for the implementation of Article XXI.

The suggested proposals which have been made are based on a number of considerations on which there seems to be a large measure of consensus among participants:

- First, the procedures to give effect to Article XXI should, to the fullest extent possible, be contained in a Decision which, being subject to amendment by the PARTIES, would afford more flexibility than putting them in the text of the Article itself.

- Second, the determination of an "affected party" should be left to a process whereby interested parties identify themselves as being affected; participants believe that frivolous cases would be unlikely in such a process.

- Third, traditional concepts (e.g. initial negotiating rights, principal or substantial supplying interest) should not be the basis for limiting who the parties are with rights to negotiate compensation and make withdrawals.

- Fourth, there is for many participants, no need to specify in the text of the article or of the procedures, the criteria that would help to determine the value of any compensation (these criteria

0089

included: trade shares in the relevant services market of the importing country; importance of the affected trade for the total services exports of the exporting country; or the extent to which potential services trade could be affected).

A number of deletions and additions have been made to the 20 December text of Article XXI (as contained in the Final Act in document MTN.TNC/W/FA) which, in the light of points raised by participants, aim to clarify, rather than change, the substance of the Article.

Regarding the suggested text on implementation, the approach taken has been to propose a detailed preliminary draft of the working rules and procedures which would give effect to Article XXI. Subject to further discussion, the draft could form the basis of a Decision on the implementation of Article XXI. The text covers procedural requirements with respect to notification of modification/withdrawal, negotiations on compensation, arbitration, and review as well as related matters discussed by participants (as contained in paragraphs 1-12). Furthermore, the text suggests additional procedures in order to ensure that schedules reflect the updated status quo after modification of commitments through Article XXI (viz. paragraphs 13-17); this part of the text adopts much of the approach in the GATT decisions on these subjects which appear in BISD 27S/25 and 27S/26.

318-1-3

1-ART2 0090

Secretariat draft based on informal consultations

Article XXI
Modification of Schedules

1. Any Party may, after a period of three years from the date a commitment enters into force, notify the PARTIES of its intention to modify or withdraw such a commitment included in its schedule. Such a Party shall make such notification to the PARTIES no later than three months before the intended implementation of the modification or withdrawal.

2. (a) At the request of any Party whose interests under this Agreement may be affected (hereafter "an affected Party") by a proposed modification or withdrawal notified under paragraph 1 the Party proposing to modify or withdraw the commitment (hereafter, the "modifying Party") shall enter into negotiations with a view to reaching agreement on any necessary compensatory adjustment. In such negotiations and agreement, the Parties concerned shall endeavour to maintain a general level of commitments not less favourable to trade than that provided for under this Agreement prior to such negotiations.

(b) Compensation shall be on ~~a m.f.n.~~ a most-favoured-nation basis.

3. (a) In the event an agreement cannot be reached at the end of the period provided for negotiations, any affected Party may refer the matter to arbitration. Any affected Party that wishes to enforce a right that it may have to compensation must participate in the arbitration.

(b) If no Party requests arbitration the modifying Party shall be free to implement the proposed modification or withdrawal.

0091

368-10-4 1-ART2

4. (a) The modifying Party may not modify or withdraw its commitment until it makes compensatory adjustments in conformity with the findings of the arbitration.

(b) If the modifying Party does not comply with ~~sub-paragraph (a)~~ the findings of the arbitration, an affected Party that participated in the arbitration may withdraw equivalent benefits in conformity with ~~the arbitration panel's findings~~ those findings.

368-10-5

1-ART2

Secretariat draft based on informal consultations and relevant GATT procedures

POSSIBLE DECISION ON THE IMPLEMENTATION OF ARTICLE XXI

Modification of Schedules
to the General Agreement on Trade in Services

Notification of Modification or Withdrawal

1. A Party intending to negotiate for the modification or withdrawal of concessions in accordance with the procedures of Article XXI (the "modifying Party") shall transmit a notification to that effect, no later than three months before the intended date of implementation of such modification or withdrawal, to the Secretariat which will distribute the notification to all other Parties in a secret document. Any Party intending to invoke the provisions of Article XXI under Article X:2 of the Agreement shall transmit its request for authority to enter into negotiations to the Secretariat to be circulated to all other Parties in a secret document and included in the agenda of the next meeting of the PARTIES.

2. The notification or request should include a list of commitments which it is intended to modify or withdraw, and should indicate whether the intention is to modify a commitment or withdraw it, in whole or in part, from the schedule, and the proposed date for implementing such modification or withdrawal. If a commitment is to be modified, the proposed modification should be stated in the notification or circulated as soon as possible thereafter to the PARTIES.

Negotiations on Compensation

3. Any Party which considers that its interests under the Agreement may be affected by the proposed modification or withdrawal ("affected Party")

0093

368-10-1

shall communicate its claim in writing to the modifying Party and at the same time inform the Secretariat. Such claims of interest must be made no later than one month after the date of circulation by the Secretariat of the notification referred to in paragraph 1 above. If, by that date, no Party has submitted a claim that it is an affected Party, the modifying Party shall be free to implement the proposed modification or withdrawal, and shall submit a notification of the date of such implementation to the Secretariat, for circulation to the Parties.

4. The modifying Party and any affected Party which has identified itself under the preceding paragraph shall negotiate with a view to reaching agreement within three months following the one-month deadline for claims of interest.

5. Upon completion of each negotiation conducted under paragraph 2(a) of Article XXI, the modifying Party shall send to the Secretariat a joint letter signed by both parties. To this letter shall be attached a report containing the results of negotiations and which shall be initialled by both parties. The Secretariat will distribute the letter and the report to all parties in a secret document.

6. A modifying Party which has completed all its negotiations with parties that have identified themselves as affected Parties shall send to the Secretariat, for distribution in a secret document, a final report on negotiations under Article XXI. Such a modifying Party will be free to give effect to the changes agreed upon in the negotiations as from the date of this report, and it shall submit a notification to the Secretariat, for circulation to the Parties, of the date on which these changes will come into force.

Arbitration

7. If the modifying Party and a Party which identified itself in timely fashion as an affected Party do not reach agreement within three months following the one-month deadline for claims of interest, such an affected Party may request arbitration. Such a request shall be made in writing to

1-ART2

the modifying Party and the Secretariat no later than **fifteen days** after the date for completing negotiations. If no affected Party has submitted a request for arbitration by that date, the modifying Party shall be free to implement the proposed modification or withdrawal, and shall submit a notification of the date of such implementation to the Secretariat, for circulation to the Parties. If an affected Party submits a timely request for arbitration under this paragraph, the modifying Party must suspend the implementation of its proposed modification or withdrawal until it has received the arbitrator's findings and has implemented compensatory adjustments in accordance with those findings.

8. If the parties to the arbitration cannot agree on an arbitrator **within ten days** after the date of the request for arbitration, the arbitrator shall be appointed by the Director-General [of the MTO] **within ten days thereafter**, after consulting the parties.

9. Any affected Party that wishes to enforce a right that it may have to compensation must participate in the arbitration. [If a modifying Party has reached agreement with an affected Party under paragraph 5 above, that affected Party shall be deemed to have participated in any arbitration with respect to the modification or withdrawal in question.]

10. The arbitrator shall find whether the compensation offered by the modifying Party or requested by an affected Party maintains a general level of commitments not less favourable to trade than that provided for under this Agreement prior to such negotiations. The arbitrator's findings shall be communicated to the parties to the arbitration **within three months** of the appointment of the arbitrator. The parties may by agreement provide for special terms of reference for the arbitrator.

11. When an arbitration has been conducted under paragraphs 7 through 10 above, the modifying Party shall be free to implement any modification or withdrawal in conformity with the findings of the arbitrator. Any affected Party shall then be free, no later than **three months** after such action is taken, to modify or withdraw benefits in conformity with those findings.

318-10-8 1-ART2

arbitrator, an affected Party that participated in the arbitration may modify or withdraw [illegible]itments in conformity with the [illegible]findings. Notwithstanding Article II of the Agreement, modifications or withdrawals under this paragraph may be made solely with respect to the modifying Party. [Modifications or withdrawals on such a basis shall terminate no later than the entry into force of the results of the next round of multilateral trade negotiations, or in [..] years if sooner.]

<u>Formal aspects of the procedures for modification or rectification of schedules of commitments</u>

13. These procedures are also valid for invocations of Article XXI pursuant to Article V, paragraph 5; Article VIII, paragraph 4; and Article XXIII, paragraph 4.

14. Changes in the authentic texts of Schedules annexed to the General Agreement which reflect modifications resulting from action under Article V, Article VIII, Article XIX, or Article XXI shall be certified by means of Certifications. A draft of such change shall be communicated to the Secretariat <u>within three months</u> after the action has been completed.

15. Changes in the authentic texts of Schedules shall be made when amendments or rearrangements which do not alter the scope of a commitment are introduced in measures of a Party in respect of bound items. Such changes and other rectifications of a purely formal character shall be made by means of Certifications. A draft of such changes shall be communicated to the Director-General where possible <u>within three months but not later than six months</u> after the amendment or rearrangement has been introduced in measures of a Party or in the case of other rectifications, as soon as circumstances permit.

16. The draft containing the changes described in paragraphs 14 and 15 shall be communicated by the Secretariat to all Parties and shall become a Certification provided that no objection has been raised by a Party <u>within three months</u> on the ground that, in the case of changes described in

368-10-1 1-ART2 0096

paragraph 14, the draft does not correctly reflect the modifications or, in the case of changes described in paragraph 15, the proposed rectification is not within the terms of that paragraph.

17. Whenever practicable Certifications shall record the date of entry into force of each modification and the effective date of each rectification.

Review

18. This decision shall be reviewed and shall be adapted in the light of experience as the PARTIES deem appropriate.

368-10-10

1-ART2

이시 원 본

외 무 부

종 별 :

번 호 : GVW-1164 일 시 : 92 0612 1130

수 신 : 장 관(통상국,법무부,보사부,문화부,교통부,체신부,경기원,재무부,

발 신 : 주 제네바 대사 농수부,상공부,건설부,과기처,해항청,공보처)

제 목 : UR/GNS 비공식 협의(2)

6.11(목) 속개된 표제협의는 SAMPSON 서비스 국장주재로 조세문제에 대하여 협의하였는바, 주요내용 하기 보고함.

1. 협의 개요

0 사무국에서 작성한 문서 (별도 FAX 송부)를 기초로 1항-5항 까지 항목별로 토의하였는바, 원천세 징수 조치가 11조 (지급 및 이전)에 위배되지 않는다는 점등에 대하여는 협의하였으나 기타 사항은 추후 재토의 예정임.

2. 협의내용

가. 조세조치와 11조와의 관계(사무국 문서 1항)

0 사무국에서 작성한 안에 대하여 이견없이 합의하였으며, 이를 NEGOTIATING HISTORY 로 남기기 위하여 사무국에서 비공식 NOTE 를 작성하기로 함.

나. 제 14조(예외)D 에 MFN 위배 조치 포함 여부(2항)

0 EC 는 조세를 부과하는 국가의 기업이 절세를 목적으로 보다 세율이 낮은 국가에 자회사를 설립하고 모 회사와 자회사간 수익을 재배분하는 경우 조세평가 가정에서 이를 교정하는 조치가 MFN에 위배될수가 있음을 들어 14조 D 에 내국민 대우 뿐만 아니라 MFN 도 포함할것을 제기하였으나

0 대부분의 국가가 그와 같은 조치는 국적에 따라 차별하는 것이 아니므로 MFN 위배 문제가 아닐뿐만 아니라 내국민 대우 위배 문제도 아니라고 하였으며, 법률국은 자국 서비스 공급자에 대한 조치는 서비스 협정 적용 대상이 아니며 세율이 낮은국가에 설립된 자회사도 당해 조세 부과 국가입장에서 볼때 서비스 공급자가 아니라고언급함.

0 SAMSPON 국장은 동 사례는 MFN 이나 내국민 대우 문제가 아니라는 의견이

통상국 법무부 보사부 문화부 교통부 체신부 경기원 재무부 농수부
상공부 건설부 과기처 해항정 공보처

PAGE 1 92.06.13 10:25 WG
외신 1과 통제관

0098

많았다고 요약하고 사무국에서 보다 자세하게 문서를 작성하여 차기 협의시 재토록 하겠다고 함.

다. 14 조 D 항 원용요건의 적정 여부(3항)

0 협정 초안상의 'EQUITABLE OR EFFECTIVE IMPOSITION OR COLLECTION OF TAX 를 목적으로 하는 조치일것'이라는 기준에 대하여 별다른 이견없이 합의함.

라. 14조 D 항의 적용 범위(4항)

I) TAXES ON INCOM 의 범위

0 소득에 대한 직접세가 자본 이들세도 포함한다는데 이견이 없었으며, 이에 따라 협정상의 용어를 'TEXES ON INCOME INCLUDING CAPITAL GAIN '로 바꾸기로 함.

0 한편, EC 는 직접세와 간접세를 구분하기 어려운 사례가 있음을 들어 조세일반을 대상으로 할것을 제의하였으나 기타 모든 나라가 간접세까지 예외 대상으로 하는데 반대함.

II) 비거주자인 서비스 공급자의 범위

0 카나다는 자국의 경우 중소기업 진흥 목적으로 중소기업 주주의 배당금에 대하여 조세감면을 해주는 반면 주주가 비거주자인 경우에는 조세감면을 해주지 않고 있다고 설명하고 동사례가 14조 D 항의 비거주자인 서비스 공급자에 해당하는지 문제를 제기 하였는바, 각국으로부터 다음 사항들이 지적됨.

- 동 조세감면 조치는 EQUITABLE OR EFFECTIVE 한 조세징수'를 목적으로 한 것이아니라 INCENTIVE제도이므로 14조 D 항에 해당하지 않음.

- 거주자의 정의는 각국 세법에 맡겨져 있는바 카나다 세법상 동 법인이 비거주자로 간주되는지 여부가 검토되어야 할 것이며, 보다 중요한 관건은 'EQUITABLE OR EFFECTIVE 한 조세징수'를 목적으로 할 것인지 여부임.

- 거주성 여부는 서비스 공급자(자연인 또는 법인)를 대상으로 하는것이지 법인의 주주의 거주여부를 기준으로 하는 것이 아님

첨부: 조세문제에 관한 사무국 문서 1부 끝

(GVW(F)-369)

(대사 박수길-국장)

주 제 네 바 대 표 부

번호 : GVW(F) - 0361 년월일 : 20612 시간 : 1600

수신 : 장 관 (통기, 경기원, 재무부, 법무부, 농림수산부, 상공부, 문화부, 보사부, 건설부, 교통부, 체신부, 과기처, 공보처, 항만청)

발신 : 주제네바대사

제목 : UR/서비스 협상 (2)

보 안 통 제	720
외신관 통 제	

총 10 매(표지포함)

배부처	장관실	차관실	一차보	二차보	외정실	분석관	아주국	미주국	구주국	중아국	국기국	경제국	통상국	문협국	외연원	청와대	안기부	공보처	경기원	상공부	재무부	농수부	동자부	환경처	과기처	법무부	문화부	보사부	건설부	교통부	체신부	항만청
												'	0					/	/	/	/	/			/	/	/	/	/	/	/	/

361-10-1

0100

5.6.92

Group of Negotiations on Services

TAXATION AND GATS

Informal Note by the Secretariat

It has been brought to the attention of the secretariat that some technical matters concerning the manner in which taxation measures are dealt with in the draft General Agreement on Trade in Services - (MTN.TNC/W/FA) may require some further clarification. Articles XI, XIV and XXII have been mentioned specifically in this context. In this informal note by the secretariat, some of these technical matters raised by participants are addressed in relation to each of the Articles mentioned above.

Article XI - Payments and Transfers

1. Could some taxation measures, such as withholding taxes, be considered "restrictions on international transfers and payments for current transactions" in terms of Article XI:1?

Article XI:2 makes clear that it is not the intention of Article XI to prohibit measures considered permissible by the International Monetary Fund.

The secretariat has consulted informally with representatives of the IMF on this matter. The initial reaction of the IMF was that under normal circumstances, such tax measures would not be considered restrictions on payments and transfers for current international transactions. Their manner of imposition or collection is important in that respect. For example, withholding at source - which is the normal practice - would not likely give rise to a restriction, whereas

F-TX 0101

31p-10-2

withholding at the moment of transfer would. The latter would be seen as a tax on the transfer - even if the intent was otherwise - while the former would be seen as a tax on dividend income. It probably is important also to note that current practices, to the extent that they have not already been classified as giving rise to restrictions, to all intents and purposes, could be considered to remain so.

Article XIV - General Exceptions

Article XIV:d

2. According to Article XIV:d, measures that are inconsistent with Article XVII may be applied providing that the difference in treatment is aimed at ensuring the equitable or effective imposition or collection of taxes. Are there measures inconsistent with Article II (Most-Favoured-Nation Treatment), but also applied for the "equitable or effective imposition or collection of taxes"? If so how should they be dealt with?

It has been indicated that measures which are inconsistent with Article II, but designed to ensure the equitable or effective imposition or collection of taxes may exist; measures with respect to countries considered to be tax havens have been cited as an example. It has been suggested that such measures could be dealt with under Article XIV:d. It may also be useful to determine whether measures other than those relating to tax havens are relevant in this respect.

It has also been suggested that measures inconsistent with Article II but which have as their objective the equitable or effective imposition or collection of taxes may be covered by Article XIV:c? Alternatively, should Members having measures which discriminate between members for the equitable or effective imposition or collection of taxes (e.g. vis-à-vis tax havens) request m.f.n exemptions for such measures?

F-TX

36p-10-2

0102

3. Are the tests or criteria regarding the scope of Article XIV:d adequate and/or appropriate?

Measures which are inconsistent with Article XVII may be maintained in accordance with paragraph (d) of Article XIV providing both the criteria of Article XIV:d and the chapeau of Article XIV are met. Measures covered by paragraph (d) must meet the test of being 'aimed at ensuring the equitable or effective imposition or collection' of taxes and the chapeau requires that measures are not applied in a manner which would constitute 'a means of arbitrary or unjustifiable discrimination' or 'a disguised restriction on international trade in services'. Three further criteria in paragraph (d) are that such tax measures relate to (1) income, (2) that the income be that of service suppliers, and (3) that these service suppliers must be non-residents.

It would appear to be accepted that the 'equitable and effective' criteria is appropriate. Questions have arisen, however, as to whether 'equitable and effective' is - in itself - sufficient criterion and, if so, are all three additional criteria necessary? In this regard, whether or not 'equitable and effective' may be considered a sufficient criteria could depend on how it is defined.

Questions related to the scope of the first and second additional criteria (income taxes and service suppliers) are addressed under the next heading (i.e. paragraph 4).

A question has been posed regarding the third additional criterion (non-residency). If there are measures which meet the 'equitable or effective' test but discriminate among residents, should such measures also be covered by the exception? It was the assumption in drafting that the possible inconsistencies with respect to discrimination in the 'equitable or effective imposition or collection of taxes' arose principally because tax regimes used residency (as defined for tax purposes) rather than nationality as a basis for taxation and that

36P-10-4

F-TX

0103

discrimination arose principally with respect to the imposition or collection of taxes on non-residents.

4. Are there additional types of tax measures which should be covered by Article XIV:d?

It has been confirmed that the intention in drafting paragraph (d) was that the term "income" would encompass measures related to income received in the form of capital gains. However, it has been subsequently noted that whether capital gains are categorised or reported as "income" may differ between different tax jurisdictions, or even within the same tax jurisdiction depending on the circumstances. Therefore, clarification of the intention in drafting could be achieved by amending the phrase "taxes on income" to read "taxes on income and capital gains".

Are other types of taxes also relevant to paragraph (d), e.g. indirect taxes, taxes on consumers or stockholders?

Should certain kinds of tax relief measures be covered by the scope of paragraph (d)? Paragraph (d) does not specify the type of tax measure that would be covered. It presumably covers any measure, including some which may be described as "relief" under some tax regimes, so long as it is "aimed at the equitable or effective imposition or collection of taxes on income of service suppliers". Tax relief measures may affect competition. However, if a particular tax "relief" measure had adverse effects on competition, it could be argued that it is unlikely that such a measure would meet the "equitable or effective" criterion.

5. Are terms such as "equitable or effective" as used in Article XIV:d sufficiently clear for the purposes of the Agreement?

Regarding the term "equitable or effective", while "equitable" appears in the text of the GATT, the need for a formal legal definition or

31P-10-5

F-TX

0104

interpretation has never arisen. "Effective" is not a term which appears in the GATT. An important question, given the context of the provision, is how "equitable or effective" is interpreted for the purposes of taxation measures. Moreover, if there is a widely shared understanding of how this term is defined with respect to tax measures, is this suitable as criteria for determining the scope of measures covered by paragraph (d)?

Article XIV:e

6. Are there measures which should be covered by Article XIV:e that might not be captured by the requirement that they must result from "an agreement relating to the avoidance of double taxation"?

It has been noted that there are other types of agreements which obligate a Member to take tax measures and which should be considered acceptable in the context of Article XIV:e. It has also been noted that even if the requirement that the agreements concerned must relate to double taxation was removed, such measures would remain subject to the criteria contained in the chapeau of Article XIV. Would it be preferable to associate the requirement "relating to the avoidance of double taxation" to the measures concerned rather than to the type of agreement? In this manner, double taxation measures resulting from agreements which may contain related provisions, but which are not devoted only to double taxation, would be covered.

Some measures relating to the avoidance of double taxation may be applied on an autonomous, often reciprocal, basis (e.g. authorized in accordance with domestic legislation) rather than as a result of a bilateral agreement. Is it appropriate for paragraph (e) to cover such measures as well?

7. How is the term "international agreement" to be interpreted in the context of Article XIV:e?

36P-10-6

F-TX

0105

The term "treaty" is generally used to refer to an agreement between two or more States in written form and governed by international law (c.f. Article 2 of the Vienna Convention on the Law of Treaties). The term "agreement" has a broader meaning. It is used to refer to any exchange of promises or mutual understanding in any form and includes exchanges of promises not meant to be legally binding.

Article XXII:3 - Consultation

8. Is the intention of Article XXII:3 clear?

It has been suggested that the intentions of Article XXII:3 could be clarified if Article XIV provided a "carve out" with respect to the application of Article XVII (National Treatment) as between parties to tax agreements containing a non-discrimination provision (see Attachment I). Under this approach, it would, in all instances, be the non-discrimination provisions of the tax agreement that would prevail, rather than the GATS provisions, for the parties to such an agreement.

Article XIV: Possible additional language

It has been brought to the secretariat's attention that certain tax conventions contain references to tax measures related to the civil or family status of residents (see Attachment II). Such language appears in paragraph 4 of Article 24 (Non-discrimination) of the OECD Model Double Taxation Convention which states:

"The taxation on a permanent establishment which an enterprise of a Contracting State has in the other Contracting State shall not be less favourably levied in that other State than the taxation levied on enterprises of that other State carrying on the same activities. This provision shall not be construed as obliging a Contracting State to

36P-10-7

F-TX

0106

grant to residents of the other Contracting Sate any personal allowances, reliefs and reductions for taxation purposes on account of civil status or family responsibilities which it grants to its own residents."

The first sentence obligates a party to provide "no less favourable treatment" for tax purposes to enterprises of the other party with permanent establishment in the first party. The second sentence serves to clarify that this obligation is not intended to apply to any personal allowances, reliefs and reductions granted on account of civil status or family responsibilities to individuals associated with such an enterprise, but who are not residents of that party. Similar wording also appears in the 1980 U.N. Model Double Taxation Convention Between Developed and Developing Countries. Does this have relevance in the context of Article XIV?

36P-10-8

F-TX

0107

DRAFT

EC

ATTACHMENT I

Article XIV

General Exceptions

(f) Inconsistent with Article XVII, provided that there is an international agreement between the Parties concerned, relating to the avoidance of double taxation and containing a non-discrimination provision or equivalent provision affecting the measure concerned.[1]

---

[1]This replaces Article XXII:3, by placing a breach of national treatment outside the scope of the GATS, providing that it is consistent with the provisions of the bilateral Double Tax Agreement (DTA) (if it is not, then the DTA is the place to solve it) and providing it is not a measure adopted for spurious tax reasons (i.e. not consistent with the Article XIV chapeau).

36p-1--p

F-TX

DRAFT

Sweden

ATTACHMENT II

Article XIV

General Exceptions

Nothing in this Agreement shall be construed as obliging a Party to grant to residents of another Party any personal allowances, reliefs and reductions for taxation purposes on account of civil status or family responsibilities which it grants to its own residents.

361-10-10

F-TX

0109

0|시

외 무 부

종 별 :

번 호 : GVW-1179 일 시 : 92 0615 0900

수 신 : 장 관(통기, 통삼,경기원,재무부,상공부,교통부,항만청)

발 신 : 주 제네바 대사

제 목 : UR/서비스 협상

연: GVW-1131

1. 당관에 전달된 스위스의 대 아국 서비스 분야 REQUEST 를 별첨 송부함.

2. 6.22 주 양자 협상과 관련 지금까지 스위스로 부터양자 협상 개최 요청은 없었으며, 다만 6.26(금)오전 핀랜드와의 양자 협상이 추가 되었음.(총9개국)

첨부: 스위스의 REQUEST 1 부.(GVW(F)-378) 끝

(대사 박수길-국장)

통상국 통상국 교통부 재무부 상공부 해항정 경기원

PAGE 1 92.06.15 23:39 DG

외신 1과 통제관

0110

주 제 네 바 대 표 부

번 호 : GVW(F) - 0378 년월일 : 20615 시간 : 0P00

수 신 : 장 관(통기, 통상, 경기원, 재무부, 상공부, 법무부, 항만청)

발 신 : 주 제네바대사

제 목 : UR/서비스협상

보 안	
통 제	

총 7 매(표지포함)

외신국	
통 제	

378-7-1

0111

Le Chef
de la Délégation Suisse
près
l'AELE et le GATT

Geneva, June 5, 1992

GATT-Uruguay Round: bilateral negotiations on initial commitments on trade in services

Dear Ambassador Park

Switzerland has always been emphasizing the importance of commitments on market access and national treatment to be taken in the field of services. During the process of bilateral negotiations we have transmitted to your delegation orally and in writing several requests to be included in your national schedule to the General Agreement on Trade in Services (GATS). In discussions with your delegation we have received some useful, preliminary information on your position in respect to our requests which we appreciate.

As for financial services, we have taken note of some positive, however in general still modest, developments on individual commitments since last December. Switzerland herewith wishes to restate its position following which it will assess the adequacy of commitments on the basis of a limited number of key criteria to be applied taking into account the importance of the respective financial markets. The Swiss negotiators remain both interested and ready to pursue the bilateral discussions on commitments.

We would like to seize this occasion to remind you of our requests, which we are expecting to be duly reflected in your schedule. In the attachement you will find a compilation of all our specific requests transmitted to your country in the GNS-process up to now.

Yours sincerely,

William Rossier
Ambassador

H.E. Mr. Soo Gil Park
Ambassador
Permanent Representative of Korea to GATT
Geneva

0112

GATS: Compilation of Specific Initial Requests by Switzerland: REPUBLIC OF KOREA

In non financial services area:

- Complete liberalization of the access for foreign companies to the Korean distribution market and ensure during the liberalization phase a transparent and stable transitory regime
- Remove restrictions on freight forwarding services in land transport and maritime transport and take commitments on provision of freight forwarding services in air transport
- Remove need test condition on:
  - distribution services
  - transport services

Requests in the financial services area:

The requests in the financial services area are listed on the following pages which are an integral part of this request list.

373-7-7

BANKING AND OTHER FINANCIAL SERVI—

Country REPUBLIC OF KOREA

			Market Access		Remarks
1.	Acceptance of deposits and other repayable funds from the public.	R	EB, ES	NT	
2.	Lending of all types, including, inter alia, consumer credit, mortgage credit, factoring and financing of commercial transactions.	R	EB, ES, CB	NT	Financing of commercial transactions only
3.	Financial leasing.				
4.	All payment and money transmission services.	R	EB, ES	NT	
5.	Guarantees and commitments.	R	EB, ES, CB	NT	
6.	Trading for own account or for account of customers, whether on an exchange, in an over the counter market or otherwise, the following:				
	(a) money market instruments (cheques, bills, certificates of deposits, etc).	R	EB, ES	NT	
	(b) foreign exchange.	R	EB, ES	NT	
	(c) derivative products including, but not limited to, futures and options.	R	EB, ES	NT	
	(d) exchange rate and interest rate instruments, including products such as swaps, forward rate agreements, etc.	R	EB, ES	NT	
	(e) transferable securities.				
	(f) other negotiable instruments and financial assets, including bullion.				
7.	Participation in issues of all kinds of securities, including underwriting and placement as agent (whether publicly or privately), and provision of services related to such issues.	R	ES	NT	
8.	Money broking.	R	EB, ES	NT	
9.	Asset management, such as cash or portfolio management, all forms of collective investment management, pension fund management, custodial depository and trust services.	R	ES	NT	
10.	Settlement and clearing services for financial assets, including securities, derivative products, and other negotiable instruments.				
11.	Advisory and other auxiliary financial services on all the activities listed in Article 15 of this Annex, including credit reference and analysis, investment and portfolio research and advice, advice on acquisitions and on corporate restructuring and strategy.	R	EB, ES, CB	NT	
12.	Provision and transfer of financial information, and financial data processing and related software by providers of other financial services.	R	EB, ES, CB	NT	

R : Liberalisation of transaction requested
EB: Commercial presence in form of branch
ES: Commercial presence in form of subsidiary
CB: Cross-border provision
NT: National treatment requested

379-외-4

0114

BANKING AND OTHER FINANCIAL SERVICES

Specific obstacles

Country: REPUBLIC OF KOREA

- Quantitative limits concerning the attribution of licences, be it rep. office or branch ones. The same applies for additional branches of already established foreign banks;
- Foreign banks are not allowed to establish banking subsidiaries;
- Financial participation of foreign banks in existing banks' equity is limited de facto to 10 %;
- Discriminatory restrictions for foreign banks wishing to establish or take financial participation in non-bank financial institutions;
- Each branch of a foreign bank has to be capitalized separately; the lending capacity of the branch of a foreign bank is determined by its local capital;
- Foreign banks do not have direct access to the clearing system;
- Regulations and administrative procedures are not transparent;
- Foreign banks have not the same access to rediscount facilities as domestic banks;
- Foreign banks have limited access to local funds; they suffer a disadvantage on the call market in terms of interest rates;
- The qualification of foreign banks for trust banking licences is subject to hard conditions and burdensome procedures;
- Funding possibilities for foreign banks are not adequate due to interest rate regulation, specific rules for the calculation of limits on CD issuance and the lack of an efficient interbank market;
- Very restrictive conditions severely limit the possibilities of foreign financial service providers to establish or acquire a commercial presence on the Korean Securities' market;
- Korean investors are not allowed to purchase foreign investment products;
- Foreign investors have only indirect access to Korean Securities through investment funds;

378-8-5

0115

INSURANCE SERVICES

Country : REPUBLIC OF KOREA

		MARKET ACCESS		REMARKS
CROSS-BORDER OPERATIONS				
(1) insurance of risks relating to maritime shipping and commercial aviation covering both vehicles, goods and liability arising therefrom or either of them, and insurance of risks relating to goods in international transit;	R	CB	NT	
(2) reinsurance and retrocession and the services auxiliary to insurance as defined in paragraph 1.A.4. of the Definitions;	R	CB	NT	

		MARKET ACCESS		REMARKS
COMMERCIAL PRESENCE				
1. Direct insurance (including co-insurance) (i) life ——————————— (ii) non-life	R	EB, ES	NT	
2. Reinsurance and retrocession				
3. Insurance intermediation, such as brokerage and agency	R	EB	NT	
4. Services auxiliary to insurance, such as consultancy, actuarial, risk assessment and claim settlement services	R	EB, ES	NT	

R : Liberalisation of transaction requested
EB : Commercial presence in form of branch
ES : Commercial presence in form of subsidiary
CB : Cross-border provision
NT : National treatment requested

3 7 8-13-6

0116

INSURANCE SERVICES

Specific obstacles

Country: REPUBLIC OF KOREA

- Quantitative limits concerning the authorisation of foreign insurers;
- Licensing conditions are severe;
- No cross-border insurance business is allowed;
- Reinsurance is not liberalized. Obligation of priority reinsurance cession to domestic insurers;
- Foreign insurance brokers are only permitted to represent an exclusive agent for domestic and foreign non-life insurance companies operating in Korea;
- In life insurance, foreign brokers access is exclusively permitted to foreign corporations operating in Korea and to foreigners;
- Foreign-invested companies are unable to allocate a portion of their investable funds for real estate;
- An insurance broker has to incorporate 100 Millions won or more and deposit 10 Million won or 10 % of the paid-in capital with a banking institution designated by the Ministry;

0117

3 79-8-7

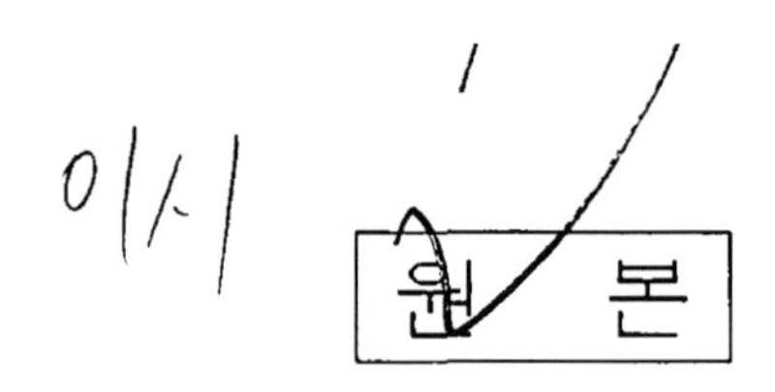

외 무 부

종 별 :

번 호 : GVW-1192 일 시 : 92 0615 1830

수 신 : 장 관(수신처참조)

발 신 : 주 제네바대사

제 목 : UN/GNS 비공식 협의(3)

수신처: (통기, 경기원, 재무부, 법무부, 농림수산부, 상공부, 문화부, 건설부, 교통부, 체신부, 보사부, 과기처, 공보처, 항만청)

6.12 (금) 속개된 표제협의 내용을 하기 보고함.

1. SCHEDULING (6.12 오전, CARLISLE 사무차장 주재)

가. 협의 개요

0 사무국에서 작성한 5.29 자 문서(6.2 기송부)를 기초로 토의하였는 바, 사무국에서 답변을 제시한 1항-10항중 제 6항(차별적 보조금의 SCHEDULING 여부)을 제외하고는 별다른 이견없이 사무국안대로 합의함.

나. 협의 내용

I) 차별적 보조금의 SCHEDULING 여부(제 6항)

0 보조금의 구체적 정의는 필요치 않으며 오직 보조성격의 조치중 내.외국인 서비스 공급자간 차별적인 조치는 제 17조(내국민 대우) 위반으로 기재되어야 한다는 사무국의 해석에 대하여 대부분의 나라가 지지하였으나

0 미국, 카나다, 멕시코는 다음과 같은 이유를 들어 강력한 반대 입장을 표시하였으며, 특히 미국은 동 조항이 TRACK 4 에서 다루어질 필요가 있다고 함.

- 보조금의 정의가 없는 상태에서 구체적으로 의미있는 SCHEDULING 이 어려움(카나다)

- 연방국가의 경우 주정부 차원에서 많은 INCENTIVE 제도가 있는바 동 제도들은분야별로 특정화되어 있지 않으며(실제로 대부분 제조업분야에 대한 지원임) 국내에설립된 외국공급자도 수혜대상이 되는지 여부에 대하여 명문규정이 없기 때문에 이를분류하여 SCHEDULING 하는데에는 엄청난 행정부담이 수반됨.(미국)

- 현존 보조금은 SCHEDULING 대상이 될수 있으나 미래의 보조금은 SCHEDULING

통상국 법무부 보사부 문화부 교통부 체신부 경기원 재무부 상공부
건설부 과기처 해항청 공보처 농수부

PAGE 1 92.06.16 08:31 WH

외신 1과 통제관

0118

할수 없으므로 국가정책 수단이 제한됨.(멕시코, 미국)

0 이에 대하여 인도, 뉴질랜드등은 서비스 분야의 보조금은 대부분 내국민 대우원칙하에 지급되기 때문에 별다른 문제가 없으며, 미래의 보조금도 내국민 대우 원칙하에 운용하면 될 것이라고 함.

0 EC 는 사무국의 해석에 동의하는 한편 서로 다른 형태로 서비스를 공급하는 서비스 공급자간 차별(예: 한 체약국내에 상업적 주재를 하고 있는 모든 서비스 공급자에게 무차별적으로 보조금이 지급되나 국경 밖에서 서비스를 공급하는 외국서비스 공급자에게는 지급되지 않음)도 문제될 가능성에 대하여 우려를 표명하였는바 사무국은 그와 같은 경우까지 포함하는 것은 아니라고 함.

II) 한 서비스에 대한 SPECIFIC COMMITMENTS 가 동서비스에 INPUT 서비스에 미치는 효력(6 페이지 1항)

0 다음 사항에 대하여 참가국간 견해가 일치함.

- SPECIFIC COMMITMENTS 는 당해 서비스에 한하여 효력을 가지며 기타 전.후방 서비스와는 전혀 관계가 없음.

- INPUT 서비스의 개념 자체가 모호함.

- INFRASTRUCTURE 서비스에의 접근 문제와는 전혀 별개이며 접근 문제는 통신망부속서 및 제34조등에 의하여 규율될 것임.

III) 기타

0 91.12.20 최종 의정서안에는 없었으나 법제화그룹 토의시 사무국 작성 초안에삽입된 NATIONALSCHEDULE 양식과 관련 다음과 같이 의견이 대립됨.

- 동 양식은 실수에 의하여 누락된 것이며, 법제화그룹 초안 양식과 같이 모든 국가가 MODE OF DELIVERY를 구분하여 SCHEDULE 을 작성하여야 COMMITMENTS내용이 명확하게 됨.(EC, 인도)

- 최종 의정서안에 동양식이 누락된 경위는 정확히 아무도 모르며 동 양식이 일반협정 조문도 아니고 부속서도 아니기 때문에 그 법적 지위도 불분명함. MODE OF DELIVERY 를 구분하지 않는것이 SCHEDULE 작성에 용이함.(미국, 일본,카나다)

0 기타 카나다는 SCHEDULE 에 기재되어야 할 수평적 조치, SCHEDULING 에 관한 사무국의 EXPLANATORYNOTE 에 대한 토의 필요성을 제기함.

2. 제 34조: 용어의 정의(6.12 오후)

가. 협의 개요

0. 6.10(수) 토의에 이어 H) 항 부터 토의하였는바 34조 H 항(자연인의 정의)과 J) 항 (법인의 소유권 및 운영권의 정의)에 대하여 대체적 합의를 형성하였으며, 제 1조 2항(서비스 공급형태의 정의)에 대하여도 합의를 도출함.

0 34조 I) 항(타 체약국 법인의 정의)과 제31조(원산지에 따른 혜택 부여거부)는상호 연계된 사항인바 사무국 및 각국의 기본적 이해가 서로 상이하여 토의가 진전되지 못함.

나. 협의 내용

I) 자연인의 정의(34조 H 항)

0 인도는 H). II) 항의 한체약국이 선언할 경우 당해 국내의 영주권자도 동국 국민으로 간주하는 조항과 관련 A, B 국가간 인력시장 통합의 경우 A 국가가 B 국가 국민 모두에게 영주권을 부여한다면 B 국가 국민 모두가 A국내에서 내국민 대우를 받게 될 것이나 A국 NATIONAL SCHEDULE 내국민 대우란에 제한사항이 있다면 B 국가 이외국가 국민과 차별대우가 허용되므로 MFN 적용이 배제된다는 문제를 제기하였으나 동조항의 취지는 개별적 이민에 의하여 실제 영주하고 있는 사람에 관한 것이므로 이를 명백히 할수 있도록 문안을 재작성하기로 함.

0 아국은 A 국이 외국인 투자에 대한 인센티브제도를 운영하는 경우 B 국 국민과B 국에 영주하고 있는 A 국 국민과의 차별 문제가 제기될 수 있다고 지적함.

II) 타 체약국 법인의 정의(34조 I 항 I)

0 일본은 동 조항의 '한 체약국내에서 실질적 영업 활동을 하고 있을 것'이라는조건은 제31조와 연계 검토되어야 한다고 유보 입장을 표명함.

III) 협정 적용 배제 대상 서비스(1조 3항 B)

0 정부 기능 수행 과정의 서비스 관련 사무국수정안에 대하여 다음과 같이 각국의견이 대립함.

- 미국은 정부 고유의 서비스라 하더라도 협정 제 2부의 각종 의무 조항을 적용하는데 아무 문제가 없고 제 3부의 SPECIFIC COMMITMENT 는 각국이 약속한 범위내에서만 부담하는 것이므로 현재는 정부가 수행하는 서비스라 하더라도 장기적으로 개방할수 있도록 정부기능 관련 부분을 모두 삭제하고 모든 서비스를 협정 대상으로 할것을 제의함.

- 카나다는 사무국 수정안의 GEVERNMENTAL AUTHORITY보다 원안의 GOVERNMENTAL FUNCTION 이 보다 중립적이라고 하였으나 사무국 및 기타 대부분의 국가는

GOVERNMENTAL AUTHORITY 를 보다 좁은 개념이라고 지지함.

- 사무국 수정안중 추가 부분에 대하여 스웨덴은 통일된 해석이 어렵다는 이유를들어 'ON ACOMMERCIAL BASIS OR '를 삭제하자고 한 반면 EC는 정부가 독점적으로 운영한다 하더라도 상업적으로 운영되는 서비스는 포함되도록 ' OR INCOMPETITION WITH ONE OR MORE SERVICE SUPPLIERS '를삭제하자고 함.

3. 표제협의는 6.17(수) 속개될 예정이며, 6.16(화)에는 EC 초청으로 해운분야에대한 13개국 비공식 협의(91.12.15 자 사무국 문서 토의)가 열릴 예정임. 끝

(대사 박수길-국장)

-이서

원 본

외 무 부

종 별 :

번 호 : GVW-1200 일 시 : 92 0616 1800

수 신 : 장관(통기,경기원,교통부,항만청)

발 신 : 주 제네바 대사

제 목 : UR/서비스 비공식 협의(해운분야)

②강회시

6.16(화) EC 주관으로 개최된 해운분야에 대한 13개국(알젠틴, 호주, 브라질, 카나다, 홍콩, 일본,아국, 뉴질랜드, 말련, 노르웨이, 폴란드, 스웨덴 참석, 미국은 초청되었으나 불참) 비공식 협의내용을 하기 보고함.

1. 협상 현황 평가 및 추진 전략

0 EC 는 지난 3월 미국이 해운분야에 대한 MFN완전 일탈을 제기한 이후 미. EC 간 양자협의에서도 서비스는 별로 논의되지 않았으며,특히 해운 분야가 거론된적도 없으나 3월 GNS회의시 미국이 MFN 완전 일탈을 신청한 주요서비스 분야(당시 YERXA 대사는 금융 및 통신을예로 언급)에 대하여 협상 용의가 있다고 언급한점이 긍정적 요인이라고 전제하고 해운 분야 사무국문서(91.12.15 자) 상의 '결정적 다수국가(CRITICALMASS OF COUNTRIES)에 의한 자유화 약속' 개념을 재생 시켜야 할 것이라고 하고각국의 의견을 문의함.

0 이에 대하여 카나다, 북구, 호주, 뉴질랜드등은 EC입장을 지지하면서 협상 최종 단계에 가서는 시간이 부족하게 되므로 기술적 작업을 진행시켜야한다고 하였으나

0 일본, 아국, 홍콩, 알젠틴등은 기술적 작업추진 필요성은 인정하나 해운 분야협상 전망이 불투명한 상태에서 해운 분야 전문가를 개입시키기에 어려움이 있다는점, 미국이 참석하지않은 가운데 협의 진행이 생산적이지 못하다는점등을 지적하여 6.25(목) 오전 미국 참여 조건하에 재회합하기로 함.

2. 기술적 과제

0 한편 EC 는 자국이 작성한 해운분야 MODELSCHEDULE (별첨 FAX 송부)을 배부하고 동 문서는 DRAFT SCHEDULE 이 아니라 기술적 문제 해결을 위한 토의 문서라고 함.(예: 국제 해운분야의 상업적 주재에 있어서 국적선사 설립과 기타선사의 설립 구분)

0 동 문서는 향후 기술적 문제 토론의 기초가 될 전망인바 내주 협의에 대비하여

통상국 2차보 교통부 경기원 해항청

PAGE 1 92.06.17 07:34 DQ

외신 1과 통제관

0122

상기 국적선사의 구분 해운 보조서비스의 분류방법, 각 보조 서비스의 포괄범위등과 관련 기술적 사항을 검토 회시바람.

(동 문서 시장접근란과 내국민 대우란의 약속내용은 고려 불요)

첨부: EC 의 MODEL SCHEDULE 1부. 끝

(대사 박수길-국장)

0123

주 제 네 바 대 표 부

번 호 : GVW(F) - 0383 년월일 : 20616 시간 : 1820

수 신 : 장 관 (통기, 경기원, 교통부, 항만청)

발 신 : 주 제네바대사

제 목 : UR/서비스 양자협의 (해운분야) GVW-1200

보 안 통 제	720

외신국 통 제	

총 6 매(표지포함)

383-6-1

0124

16-JUN-1992 19:10 KOREAN MISSION GENEVA 2 022 791 0525 P.01

Sector or Sub-Sector	Limitations on Market Access	Limitations on National Treatment	Additional Commitments
TRANSPORT SERVICES			
MARITIME TRANSPORT SERVICES			
- International Transport	1) a) Liner Shipping:	1) a)	p.m. access to and use of port facilities
	b) bulk, tramp, and other international shipping, including passenger transportation :	b)	
	2) None	2) None	
	3) a) establishment of registered company for the purpose of operating a fleet under the national flag of the Member State of establishment : unbound	3) a) Unbound Subsidy [National flag vessels / National sea men	
	b) other forms of commercial presence : none	b) None	
	4) a) ships crews : unbound ?	4) a) Unbound	
	b) shore personnel : none	b) None	

0125

3.23-6-2

Sector or Sub-Sector	Limitations on Market Access	Limitations on National Treatment	Additional Commitments
MARITIME AUXILIARY SERVICES (*)	pilotage, towing 등은 [illegible]		
- Maritime Cargo Handling Services CPC 74110 and 74190 as amended (see descriptive notice attached)	1) Unbound (**) 2) None 3) None 4) None → Head Note 의 commitments 관련을 중 key personnel 관하고 [illegible]	1) Unbound (**) 2) None 3) None 4) None	
- S[illegible]e and Ware-h[illegible]g Services CPC Section 742 as amended	1) Unbound (**) 2) None 3) None 4) None	1) Unbound (**) 2) None 3) None 4) None	
- Freight Transport Agency Services CPC Section 748 as amended	1) None 2) None 3) None 4) None	1) None 2) None 3) None 4) None	
- Other Supporting a[illegible]xiliary Services CPC Section 74900 as amended	1) None 2) None 3) None 4) None	1) None 2) None 3) None 4) None	

(**) A commitment on this mode of delivery is not feasible.

0126

283-6-3

7420 74290 Other storage or warehousing services

Descriptive notice

(AMENDED) "CARGO-HANDLING SERVICES" - Section 741 CPC

7411 74110 Container handling services

Cargo handling services provided by container terminal operators, stevedore or other freight terminal operators for freight in special containers. Included are services of freight terminal facilities [on a fee or contract basis] for ~~all modes of~~ maritime transport, including stevedoring services (i.e. organising/supervising the loading, unloading and discharging of vessels containerized freight, at ports). This does not include direct services provided by dockers/longshoremen.

7419 74190 Other cargo handling services

Cargo handling services provided by freight terminal operators or stevedores for non-containerized freight or for passenger baggage. Included are services of freight terminal facilities [on a fee or contract basis] for all mode of maritime transport, including stevedoring services (i.e. organising/supervising the loading, unloading and discharging of vessels' non-containerized, at ports), and cargo handling services incidental to freight transport, not elsewhere classified. ~~Also included are baggage handling services at airports, and at bus, rail or highway vehicle terminals.~~ This does not include direct services provided by dockers/longshoremen.

Exclusions : Other supporting and auxiliary transport services linked to a specific mode of transport are classified in subclass 74300 for railway transport, subclass 74490 for road transport, subclass 74590 for water transport and subclass 74680 for air transport.

(AMENDED) "STORAGE AND WAREHOUSE SERVICES" provided for maritime transport - Section 742 CPC

7421 74210 Storage services of frozen or refrigerated goods

Storage and warehousing services of frozen or refrigerated goods, including perishable food products.

7422 74220 Bulk storage services of liquids or gases

Bulk storage and warehousing services of liquids and gases.

0127

Sector or Sub-Sector	Limitations on Market Access	Limitations on National Treatment	Additional Commitments

* explanatory note for transparency purposes : the different elements of "Attachment A" to the "Carlisle paper" on maritime are covered by in the following fashion :

- "loading/unloading", "cargo handling" and "stevedoring" are covered by "maritime cargo handling services" and "other supporting and auxiliary services";

- warehousing and storage are directly covered;

clearing cargo with customs etc. is covered by "freight transport agency services" and "other supporting and auxiliary services";

onward transport on a through bill of lading is covered by "freight transport agency services" and "other forms of commercial presence" for shipping companies;

"marketing and sales etc." is also covered by "other forms of commercial presence" and "freight transport agency services", as well as "establishment of information services", which is also covered by "other supporting services".

0128

283-6-6

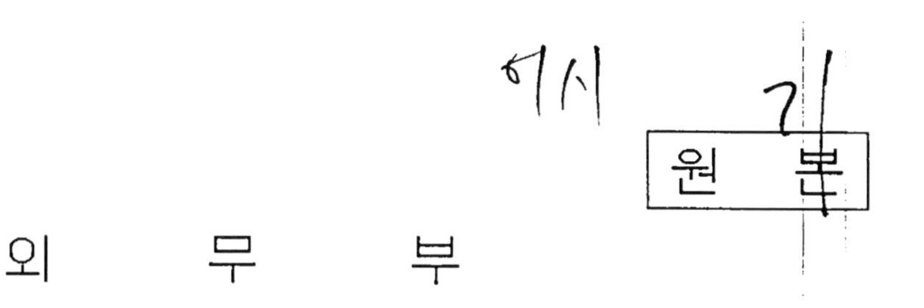

외 무 부

종 별 :

번 호 : GVW-1221 일 시 : 92 0618 1900

수 신 : 장관(수신처 참조)

발 신 : 주 제네바 대사

제 목 : UR/GNS 비공식 협의(4)

(수신처:통기, 경기원, 재무부, 법무부, 농림수산부, 상공부, 문화부, 건설부, 교통부, 체신부, 보사부, 과기처, 공보처, 항만청)

6.17(수) 속개된 표제협의는 SAMPSON 서비스 국장주재로 조세문제에 대하여 협의하였는바, 주요내용 하기 보고함.

1. 협의 개요

0 6.11 토의에 이어 사무국 문서 6항 - 9항까지 토의 하였는바 MFN 적용배제대상이 되는 이중과세 방지를 위한 조치의 범위(6항, 7항)에대하여는 합의하였으나 기타 사 항은 합의점을 도출하지 못하고 추후 재론키로 함.

2. 협의 내용

가. MFN 적용 배제 대상이 되는 이중과세 방지를 위한 조치의 범위(사무국 문서 6항, 7항)

0 카나다는 14조 E 항과 관련 어떤 조치가 이중과세 방지를 위한 목적이라면 국가간 협정에 기초한 조치뿐만 아니라 국내법규에 의한조치(일방적 또는 상호주의 조치)도 MFN 적용 배제대상에 포함되어야 한다고 주장 하였으나 기타모든 국가는 MFN 배제범위를 너무 넓히게된다고 반대입장을 견지함.

0 그러나 국가간 협정의 제목이 꼭 이중과세 방지협정이 아니라 하더라도 이중과세 방지에 관한규정이 있는 기타 협정도 14조 E 항에 포함 된다는데 합의 하였으며, 다 만 INTERNATIONALAGREEMENTS 라는 용어가 모든 형태의 협정을 포함하므로 그 범위를 한정할 필요가 있다는 점에서 체약국이 법률적으로 기속 되는 국제협정에 기초한 조치에 한하여 MFN 적용예외가 인정되도록 14조 E 항 문안을 수정 키로함.

나. 내국민 대우 조항 관련 GATS 분쟁해결절차 원용 배제 여부(8항)

0 EC 는 현 협정초안 22조 3항(국가간 조세관련협정에 내국민 대우 조항이

통상국	보사부	문화부	교통부	체신부	경기원	재무부	농수부	상공부
건설부	과기처	해항청	공보처	법무부				

 92.06.19 05:43 FE

외신 1과 통제관

0129

있는경우 내국민대우 관련 분쟁은 당해협정이 우선하고 동협정에 의한 해결이 불가능할경우에만 GATS분쟁해결 절차 원용가능)을 제 14조(예외)로옮기는 하편 내국민 대우조항이 있는 조세협정체약국간 내국민 대우 관련 분쟁에 대하여 GATS 분쟁해결 절차를 완전 배제할 것을 제의 하였는바 카나다는 GATS 분쟁해결 절차원용 배제는 지지하나 동 조항은 그대로 22조에 규정하는 것이 바람직 하다고 함.

0 반면 기타 모든 국가는 EC 제안에 의할 경우서비스 협정하의 권리를 완전 박탈하게 된다는점을 들어 반대입장을 견지함.

다. 개인적 가계지출에 대한 조세 감면등의 거주자,비거주자간 차별 조치의 내국민 대우 예외 허용 여부

0 스웨덴은 서비스 협정의 기본성격상(무역에관한 협정임) 당연히 개인적 가계지출에 대한조세 감면등은 서비스 협정 적용 대상이 아니라고 전제하고 이를 명시하는 문귀를 14조 D)항에 추가 반영하거나 INTERPRETATIVE NOTE 에 포함할것을 제의하였으나 현 14조 D) 항의 포괄 범위와관련 각국의 이해가 상이하여 추후 재론키로 함.

0 갓트 법률국은 현 14조 D)항은 비거주자인 SERVICE SUPPLIERS 에 대한 공평하고 효과적인 과세 목적의 차별조치만 예외대상으로 규정하고 있으므로 스웨덴의 제안은 SERVICE SUPPLIER 의고용원에 대한 차별적 과세를 예외 대상으로 추가할 뿐만 아니라 동 차별 조치의 목적여부(공평하고 효과적인 과세)를 불문하고예외 대상으로 하는 두가 지 새로운 요소를 담고있다고 언급함.

2. 표제 협의는 6.22(월) 속개하여 제21조(양허수정)에 대하여 협의할 예정임.끝

(대사 박수길-국장)

110-760 서울 종로구 세종로 77번지 / (02)720-2188 / (02)725-1737 (FAX)

문서번호 통기 20644-

시행일자 1992. 6.18.( )

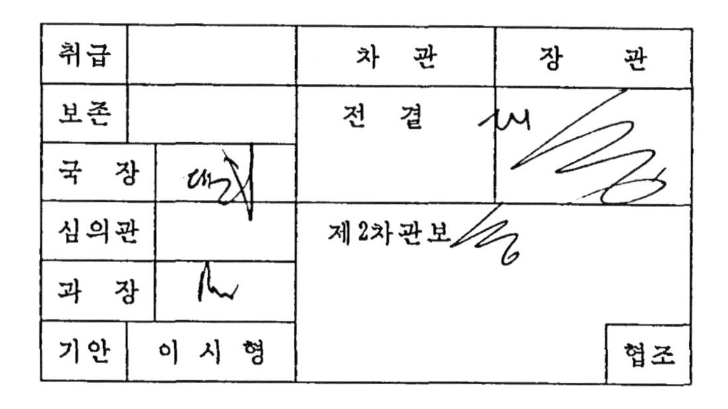

취급		차 관	장 관
보존		전 결	
국 장			
심의관		제2차관보	
과 장			
기안	이 시 형		협조

수신 내부결재

참조

제목 UR/서비스 협상 정부대표 임명

92.6.23-26간 제네바에서 개최되는 UR/서비스 양허협상에 참가할 정부대표단을 "정부대표 및 특별사절의 임명과 권한에 관한 법률"에 의거 아래와 같이 임명코자 건의하오니 재가하여 주시기 바랍니다.

- 아 래 -

1. 회 의 명 : UR/서비스 양허협상

2. 회의 개최기간 및 장소 : 92.6.23-26, 스위스 제네바

3. 정부대표 :

o 수석대표 : 경제기획원 제2협력관 이윤재

o 대 표 : 경제기획원 통상조정3과장 장항석

통상조정3과 사무관 김영모

통상조정1과 사무관 주형환

재 무 부 국제금융과 사무관 최희남

주 제네바 대표부 관계관

o 자 문 : KDI 연구위원 김지홍

0131

4. 협상일정 (양자협상 대상국)

o 6.23(화) 09:00 : 미 국

15:00 : 카나다

o 6.24(수) 09:30 : E C

15:00 : 호 주

17:00 : 뉴질랜드

o 6.25(목) 09:30 : 놀웨이

11:00 : 스웨덴

15:00 : 일 본

o 6.26(금) 09:00 : 핀랜드

11:00 : 스위스

5. 출장기간 : 6.21-6.28 (예산 : 해당부처 소관예산)

6. 훈 령

o 금번 협상에서는 각국간에 실질적인 양허교환 및 주요쟁점에서의 의견접근은 곤란할 것으로 예상되는바, 아래 기본입장으로 대응함.

- 한국은 그동안 서비스 협상에 적극적으로 참여하여 왔으며 동 협상의 조속한 타결을 위하여 최선의 협조와 노력을 다할 것임을 강조

- 업종별 양허범위에 있어서는 기본적으로 2.17 제출한 수정양허 계획표의 범위내에서, 쟁점별로는 기존의 입장을 견지하는 선에서 대응하고 MFN 일탈 문제, 통신등 협상 주요쟁점에 대한 각국의 동향 파악에 주력

- 다만, 그간 각국이 우리에게 계속적으로 양허하기를 요구해온 분야로서 최종양허표 제출시 추가 양허가 가능한 인력이동등 분야는 긍정적으로 검토하고 있음을 시사. 끝.

0132

경 제 기 획 원

우 427-760 / 경기도 과천시 중앙동1 정부제2청사 / 전화 503-9149 / 전송 503-9141

문서번호 통조삼 10502-102
시행일자 1992. 6.17.

수신 외무부장관
참조 통상국장

선결			지시		
접수	일자 시간	. . :	결재·공람		
	번호				
처리과					
담당자					

제목 : UR/서비스 양허협상 참석

1. 스위스 제네바에서 개최되는 UR/서비스 양허협상에 다음과 같이 참석코자 하니 협조하여 주기 바랍니다.

- 다 음 -

가. 출장자

- 수석대표 : 경제기획원 제2협력관 이윤재
  통상조정3과장 장항석
- 대 표 : 경제기획원 통상조정3과 사무관 김영모
  통상조정1과 사무관 주형환
- 자 문 관 : KDI 연구위원 김지홍

나. 출장기간 : '92. 6.21~6.28
다. 출 장 지 : 스위스 제네바
라. 경비부담 : 경제기획원, KDI

첨부 : 출장일정 1부.

경 제 기 획 원 장

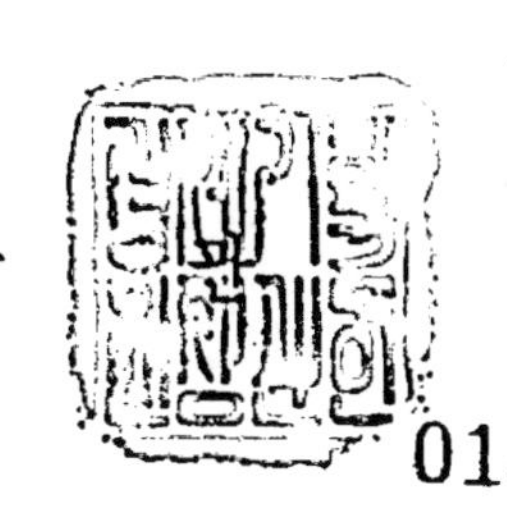

0133

出張日程(暫定)

'92. 6. 21(日)	12:55	서울 발 (KE 901)
	19:10	파리 착
	20:45	〃 발 (SR 729)
	21:50	제네바 착
6. 23(火) ~ 6. 26(金)		UR/서비스 讓許協商
'92. 6. 27(土)	18:45	제네바 발 (SR 544)
	20:05	Frankfurt 착
	21:10	〃 발 (KE 906)
6. 28(日)	16:35	서울 착

0134

재 무 부

우 427-760 경기도 과천시 중앙동 1 / 전화 (02)503-9266 / 전송 503-9324

문서번호 국금 22251-172
시행일자 '92. 6. 18 ( )

수신 외무부장관

참조

선결			지시		
접수	일자 시간	92.6.19	결재·공람		
	번호	22296			
처리과					
담당자		이시형			

제목 UR 금융서비스 양자협상 참석

UR 금융서비스 협상과 관련 스위스 제네바에서 '92. 6.22~26간 개최되는 양자협상에 참여할 당부대표를 아래와 같이 파견코자 하오니 필요한 조치를 취하여 주시기 바랍니다.

아 래

소 속	성 명
제네바 대표부 재무관	엄 낙 용
국제금융과 사무관	최 희 남

- 출장기간 : '92. 6.21~28. 끝.

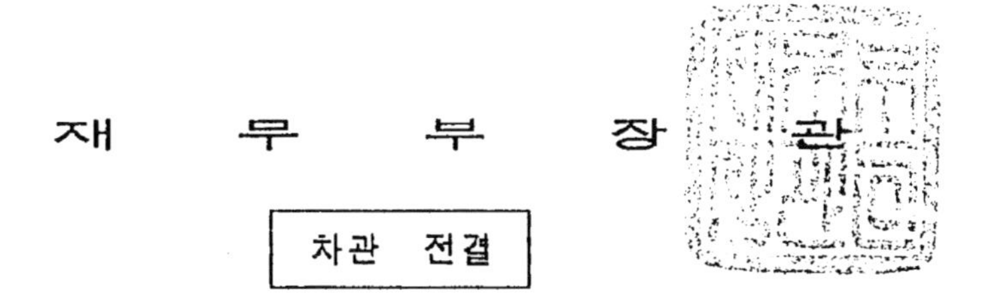

재 무 부 장 관

차관 전결

2-2

0135

외 무 부

110-760 서울 종로구 세종로 77번지 / (02)720-2188 / (02)725-1737 (FAX)

문서번호 통기 20644-214
시행일자 1992. 6.19.( )

취급		장 관
보존		
국 장	전 결	
심의관		
과 장		
기안	이 시 형	협조

수신 경제기획원장관, 재무부장관
참조

제목 UR/서비스 협상 정부대표 임명 통보

1. 92.6.23-26간 제네바에서 개최되는 UR/서비스 양허협상에 참가할 정부대표단이 "정부대표 및 특별사절의 임명과 권한에 관한 법률"에 의거 아래와 같이 임명 되었음을 통보합니다.

- 아 래 -

가. 회 의 명 : UR/서비스 양허협상

나. 회의 개최기간 및 장소 : 92.6.23-26, 스위스 제네바

다. 정부대표 :

o 수석대표 : 경제기획원 제2협력관 이윤재

o 대 표 : 경제기획원 통상조정3과장 장항석
통상조정3과 사무관 김영모
통상조정1과 사무관 주형환
재 무 부 국제금융과 사무관 최희남
주 제네바 대표부 관계관

o 자 문 : KDI 연구위원 김지홍

0136

라. 출장기간 : 6.21-28

마. 소요예산 : 해당부처 소관예산

2. 출장 결과 보고서는 귀국후 2주일이내 당부로 송부하여 주시기 바랍니다.

끝.

외 무 부 장 관

0137

	분류번호	보존기간

발 신 전 보

번 호 : WGV-0942 920619 1708 WG 종별 : 암호송신

수 신 : 주 제네바 대사. 총영사//

발 신 : 장 관 (통 기)

제 목 : UR/GNS 양허협상

92.6.23-26간 귀지에서 개최되는 UR/GNS 양허협상에 참가할 정부대표단이 아래 임명 되었으니 귀관 관계관과 함께 참석토록 조치바람.

1. 정부대표

o 수석대표 : 경제기획원 제2협력관 이윤재

o 대 표 : 경제기획원 통상조정3과장 장항석

통상조정3과 사무관 김영모

통상조정1과 사무관 주형환

재 무 부 국제금융과 사무관 최희남

o 자 문 : KDI 연구위원 김지홍

2. 출장기간 : 6.21(일)-6.28(일)

/계속/

보 안 통 제	

앙 고 재	92년 6월 19일	통기 과	기안자 성명		과 장		국 장		차 관	장 관
			이시환				전결			

외신과통제

0138

3. 훈 령

o 금번 협상에서는 각국간에 실질적인 양허교환 및 주요쟁점에서의 의견접근은 곤란할 것으로 예상되는바, 아래 기본입장으로 대응함.

- 한국은 그동안 서비스 협상에 적극적으로 참여하여 왔으며 동 협상의 조속한 타결을 위하여 최선의 협조와 노력을 다할 것임을 강조
- 업종별 양허범위에 있어서는 기본적으로 2.17 제출한 수정 양허계획표의 범위내에서, 쟁점별로는 기존의 입장을 견지하는 선에서 대응하고 MFN 일탈 문제, 통신등 협상 주요쟁점에 대한 각국의 동향 파악에 주력
- 다만, 그간 각국이 우리에게 계속적으로 양허하기를 요구해온 분야로서 최종양허표 제출시 추가 양허가 가능한 인력이동등 분야는 긍정적으로 검토하고 있음을 시사. 끝.

대리 박상기
(통상국장 ~~김 용 규~~)

0139

MULTILATERAL TRADE NEGOTIATIONS
THE URUGUAY ROUND

RESTRICTED
MTN.TNC/W/65/Rev.1/Corr.1
19 June 1992
Special Distribution

0141

Trade Negotiations Committee

Original: English

COMMUNICATION FROM SINGAPORE

Revised Conditional Offer of the Republic of Singapore
Initial Commitments on Services

Corrigendum

At the request of the permanent delegation of Singapore the following pages should replace pages 1 to 3 of document MTN.TNC/W/65/Rev.1 dated 27 April 1992.

---

1. Singapore presented its conditional offer concerning initial commitments on 3 February 1991 in the document MTN.TNC/W/65. Singapore hereby submits a revised conditional offer which is based on the Draft Final Act text of the General Agreement on Trade in Services of 20 December 1991 (document MTN.TNC/W/FA), reflecting the content of the relevant articles in the Framework Agreement.

2. The conditions attached to Singapore's preliminary offer remain valid. Singapore's offer is conditional upon mutually acceptable offers from other Parties and the final text of the Services Agreement, including the Financial Services Annex and Air Services Annex. Singapore reserves its right to modify, extend, reduce or withdraw this offer at any time prior to conclusion of the Services negotiations, depending on:

(i) The degree to which other Parties provide satisfactory and mutually acceptable offers;

(ii) The extent of exemption from the most-favoured-nation discipline sought by other Parties and the significance of such exemptions;

(iii) Satisfactory outcome for Singapore in the Uruguay Round negotiations.

3. Singapore further reserves the right to make technical changes to its offer and to correct omissions and inaccuracies.

4. The following general conditions and qualifications would apply even where "no limitations" are stated for the individual sub-sectors in Singapore's conditional offer:

GATT SECRETARIAT
UR-92-0091

0140

(i) Market access for any of the four modes of delivery is subject to compliance with any other legislation, rules and regulations which may be applicable at any time within the territory of Singapore. This includes Immigration and Work Permit regulations and procedures;

(ii) Consideration of national security and public policy objectives;

(iii) Commercial presence or right of establishment and movement of juridical persons in all service sectors and sub-sectors are subject to the provisions of the Companies Act and the Business Registration Act;

(iv) The procurement and disposal of real estate properties related to commercial presence in this offer is subject to the rules and regulations governing the sale and purchase of real estate properties in Singapore;

(v) Measures for prudential reasons, including those for the protection of investors, depositors, or persons to whom a fiduciary duty is owed by a financial service provider;

(vi) Measures to safeguard the integrity and stability of the financial system, including those in line with monetary and exchange rate policies.

5. The Singapore offer is also premised on the following:

Non-discriminatory qualitative measures pertaining to technical standards, licensing, prudential considerations, professional qualifications and competency requirements have not been listed as conditions or limitation to market access and national treatment. Where relevant, such information has been provided for transparency and clarification.

6. This revised submission comprises the following:

Part I: Schedule of Specific Commitments on Sectors other than Financial Services.

Part II: Schedule of Specific Commitments on Financial Services.

PART I

Revised Conditional Offer of Singapore Concerning Initial Commitments on Trade in Services

Sector or Sub-sector	Limitations on Market Access	Limitations on National Treatment
All Sectors	Temporary movement of skilled & unskilled personnel/presence of natural persons. Unbound Movement of consumers/consumption of services abroad is subject to the provisions of the National Service (Enlistment) Act. Market access in any sector or sub-sector, through any mode of delivery, shall not be construed as permission to provide any form of financial services in Singapore. Market access for all forms of financial and related services is subject to separate approval procedures administered by the Ministry of Finance and the Monetary Authority of Singapore.	

0142

경 제 기 획 원

우 427-760 / 경기도 과천시 중앙동1 정부제2청사 / 전화 503-9149 / 전송 503-9141

문서번호 통조삼 10502-103
시행일자 1992. 6. 20
(경유)
수신 수신처참조
참조

선결			지시		
접수	일자 시간	92. 6. 22	결재·공람		
	번호	22601			
처리과					
담당자		이시형			

제목 UR대책 서비스 실무소위원회 결과통보

1992년 6월 18일 개최된 제4차 UR 서비스 양허협상 대책회의 결과를 별첨과 같이 통보하니 업무에 참고하기 바랍니다.

첨부 : UR대책 실무소위원회 회의결과 1부. 끝.

경 제 기 획 원 장

제 2협력관 전결

수신처 : 외무부장관, 내무부장관, 재무부장관, 법무부장관, 문화부장관, 상공부장관, 건설부장관, 교통부장관, 노동부장관, 체신부장관, 과학기술처장관, 환경처장관, 해운항만청장,

0143

UR對策 實務小委員會 會議結果

Ⅰ. 會議槪要

- 日時 및 場所 : '92.6.18(木), 15:00~16:00
  經濟企劃院 大會議室

- 參席者 : 경제기획원 제2협력관(회의주재), 통상조정3과장
  외무부, 내무부, 재무부, 법무부, 문화부, 상공부,
  건설부, 교통부, 노동부, 체신부, 과학기술처,
  환경처, 해운항만청 담당관, KIEP, KDI 자문관

Ⅱ. 會議結果

가. 이번 協商('92.6.23~26)에는 다음의 基本立場으로 대응

- 同 協商의 조속한 타결을 위하여 최선의 協調와 努力을 다할 것임을 강조

- 業種別 讓許範圍에 있어서는 2.17 제출한 修正讓許計劃表의 범위내에서, 爭點別로는 기존의 입장을 견지하는 선에서 대응하되, 最終讓許表 提出時 추가양허가 가능한 人力移動등 몇몇 분야는 肯定的으로 檢討하고 있음을 시사

  o MFN 逸脫問題와 관련해서는 各國의 動向把握에 주력하되 몇몇분야에서 MFN逸脫與否를 구체적으로 검토중임을 언급

  o 人力移動分野는 4.14 UR實務委에서 결정한 바와 같이 서비스 판매자는 最終讓許表 提出時 양허할 것이라는 입장을 표명

0144

o 通信分野는 미국의 기본장거리 통신시장 개방관련 多者間 協商要求에 대해서는 기존입장(協商參與不可)을 견지하되 MFN일탈불가, 쌍무협상배제등 協商參與의 前提條件에 대한 美側反應 타진

- 스웨덴 提案에 대해서는 검토의 대상이 될 수 있다는 肯定的 意思 표명

o 金融分野는 기존의 입장을 견지하고 우리의 현행 offer 수준 및 현재 진행중인 blueprint 作業計劃을 자세히 설명

o 會計서비스 affiliation 관련해서는 광범위하고 불명확한 International affiliation 개념의 수용이 곤란하다는 기존입장 견지하고 公式讓許를 요구하는 미측의도 파악

- 法務서비스도 既存立場 堅持

o 서비스業 外國人 土地取得 許容問題는 국내적 고려요인을 보다 상세히 설명하는 등 일단 既存立場으로 대응

o 海運·航空分野에 대해서는 交通部 및 海運港灣廳과 별도 협의한 입장으로 대응

o 會議錄 作成關聯 美側要求에 대해서는 동 회의록이 추후 拘束力을 갖지 않도록 한다는 전제하에 肯定的으로 對應

0145

나. UR서비스 협상관련 다음의 主要爭點事項에 대해서는 추후 협상에 대비, 關係部處에서 보다 집중적으로 검토

- 우리나라에 대한 각국의 追加 Request 및 각국의 수정 offer중 部處別 所管事項에 대한 검토

- 外國人 土地所有關聯制度의 명료화등 개선과제추진

- 通信分野의 스웨덴 제안 및 미측제안에 대한 各國의 反應 및 立場把握

- 金融分野 offer에의 blueprint내용 反映要求에 대한 對應問題

- 旣 配布한 우리 양허계획표상의 業種包括範圍 註釋書(案)에 대한 확인

0146

관리 번호	92-445

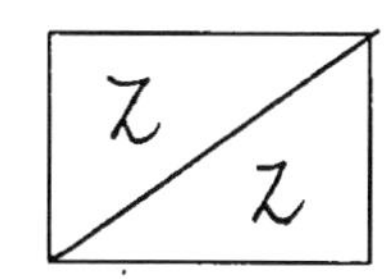

체 신 부

110-777 서울 종로구 세종로 100번지 /(02)750-2360 /Fax (02)750-2915

문서번호 통협 34475-

시행일자 1992. 6.24 ( )

(경 유)

수 신 수신처참조

참 조

선결			지시	① 경기원 의견, 수교차 통상 확인 ② 통상 협의, 경제 기획
접수	일자 시간	1992.6.26	결재·공람	
	번호	22195		
처리과				
담당자		이시형		

제 목 UR통신서비스 협상추진 상황과 대응방안 및 스웨덴의 협상제안에 대한 검토의견

1. 관련

가. 경제기획원 통조이 10520-37('92.5.13)

나. GVW-0931('92.5.25)

2. UR통신서비스 협상추진에 있어서 미국의 기본통신사업 개방요구와 이에대한 스웨덴의 협상제안에 대하여 우리부의 입장을 붙임과 같이 송부하오니 참고하시기 바랍니다.

붙 임 : UR통신서비스 협상추진상황 및 대응방안 1부. 끝.

첨부물에서 분리되면일반문서로재분류

재분류기. 92. 12. 31.

체 신 부 장 관

수신처 : 경제기획원장관, 외무부장관.

0147

관리 번호	92-4815

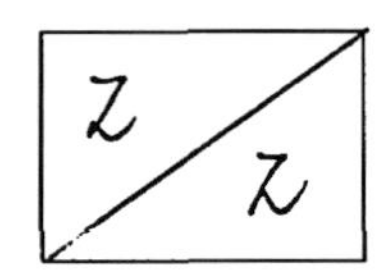

재분류 92.12.31.

UR통신서비스협상 추진상황 및 대응방안

1992. 6

체 신 부

0148

1. UR 협상개요

가. UR의 출범

o 86.9 우루과이 각료선언에 의해 다자간교역 협상 출범
  - UR로 명명

o 출범목적
  - 기존 GATT체제에서 제외된 새로운 의제의 협상 추진
    . 농산물, 지적소유권, 서비스분야
  - 기존 GATT체제에 의한 교역제도의 추가자유화 협상 추진
    . 관세인하 및 비관세장벽 완화

나. UR의 협상체제

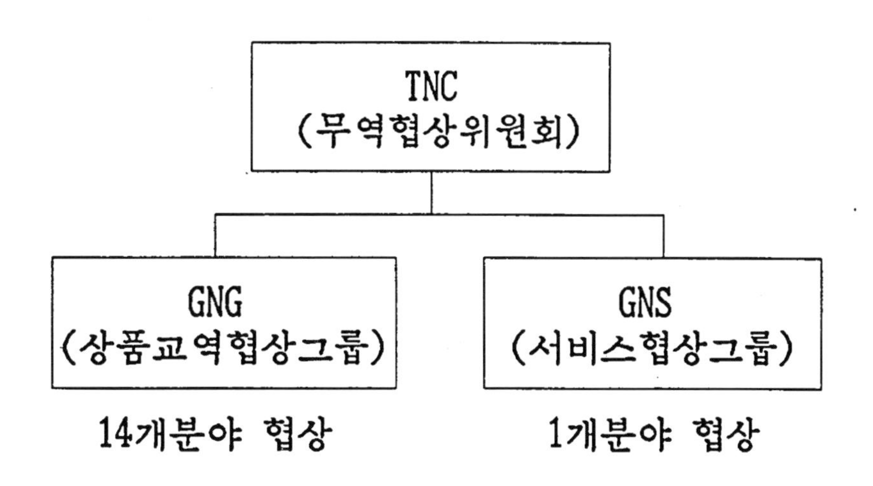

o 무역협상위원회(TNC : Trade Negotiations Committee)
  - 무역협상전체를 주관하는 각료급 회의

0149

o 상품교역협상그룹(GNG : Group of Negotiations on Goods)

- 일반사항 : 관세, 비관세분야

- 세부사항 : 천연자원, 섬유(MFA), 농산물, 열대산품분야

- GATT개선 : GATT조문 개선, 최혜국대우(MFN협정), 긴급수입규제조치, 보조금 및 상계관세, 지적소유권, 무역관련 투자시책분야

- GATT강화 : 분쟁해결절차, GATT기능 강화분야

o GNS : 서비스협상그룹(Group of Negotiations on Services)

- 서비스일반협정(GATS)제정

다. 통신분야 서비스협상의 진행

o 통신부속서 제정 협상

- 서비스협상그룹회의와 통신전문가회의에서 진행

o 통신분야 양허협상

- 서비스협상그룹에 참여하는 국가간에 Offer/Request방식으로 타 서비스 분야의 양허협상과 동시에 진행

라. UR의 전반적 현황

o '86.9 UR출범

- '90년말까지 협상종료 목표로 추진
- 농산물분야에서의 이견대립 등으로 협상이 종료되지 못함

o '91.2 UR협상을 재개하기 위한 TNC개최

- '91.12 까지 협상기간을 연장하여 UR협상 재개
- MFN 적용배제, 시장접근 및 내국인 대우, 국내 규제 제도, 시장개방계획서 작성 방식 등 기술적 사항을 중심으로 협상 진행

o '91.12 GATT사무총장 Dunkel이 그간의 협상결과를 종합하여 UR협상안을 제출

- 각국의 관세 인하계획 제출, 시장개방 양허협상 등 분야별 협상 추진

o '92.3 각국이 MFN일탈을 희망하는 분야의 list를 GATT 사무국에 제출

- 농산물분야 : 미.일.EC간 이견 여전
- 서비스분야 : MFN적용배제문제 등 미해결

o '92.5.21 EC역내 농산물보조금 삭감계획 합의

- UR 진전을 위한 계기 마련
-'92년내 UR타결 전망은 아직 불투명

0151

2. 통신분야 서비스협상의 진행상황

가. 통신부속서 협상과정

o '89. 6　　기본협정(안)의 통신서비스분야 적용 검토
o '90. 3　　미국의 통신부속서안 제출
o '90. 5　　GNS에서 통신분야 부속서제정을 위한 통신전문가 회의개최 합의
o '90. 6　　한국, EC, 일본, 4개 개도국이 통신부속서안 제출
o '90. 6~11　통신전문가 공식회의(4회) 및 비공식회의(2회)
o '90.11　　통신부속서 의장안 제출
o '90.12　　미국 기본통신분야 부속서 별도 제출
o '91. 7　　GNS에서 통신부속서 논의 재개
o '91. 9　　미국 통신부속서 수정안 제출
o '91. 9~10　GNS에서 통신부속서 협상
o '91.12　　통신분야 부속서 Dunkel안 제출

나. 통신분야 양허협상 진행과정

o '90. 12 ~　　미국 등 각국이 통신분야 Offer List 제출 (한국은 '91.1 제출)
o '91. 5　　통신분야 Offer List 협의 위한 통신전문가 회의
o '91. 7　　서비스분야 양자협의 시작
o '91.11~'92.3　서비스분야 양허협상 (통신분야는 미국, EC, 캐나다, 호주, 뉴질랜드, 일본, 북구3국과 협상진행)
o '92. 3　　서비스분야 MFN 일탈 List 제출 (미국이 기본통신분야에 대한 조건부 MFN일탈 표명)

0152

- 4 -

3. 서비스일반협정(안)의 통신관련 주요 내용

가. 서비스 일반협정(Dunkel)안의 구조

o 서비스 기본협정(Framework Agreement) : 총 35조항

o 부속서(Annex) : 총 6개 부속서
- 금융, 통신, 해운, 항공, 노동력 이동, MFN 적용 배제

o 자유화 일정(National Schedule) : 국별 개방일정 및 범위
- 각국의 서비스분야 개방범위 및 자유화일정(양허계획) 제시

나. 서비스기본협정(Dunkel안)의 주요내용

o 국내 규제제도의 투명성(3조)

- 서비스일반협정(GATS) 체약국은 모든 관련법, 규제조치, 행정지도, 판결등에 대한 정보를 신속하게 일반대중에게 제공할 의무
- 서비스교역에 영향을 미치는 새로운 규제조치의 내용을 정기적으로 타 체약국에게 통지

o 국내 규제제도(4조)

- 시장개방이 약속된 분야의 규제조치는 합리적, 객관적, 공정하게 운영
- 서비스제공관련 분쟁을 공정하고 객관적으로 해결할 수 있는 제도적 장치(기구/절차)를 마련
- 시장개방계획서에 별도로 기재되지 않는 규제는
  . 객관적, 투명한 기준에 따라 운영되어야 함
  . 서비스의 질을 보장하는데 필요한 이상의 번거러움을 사업자에게 주어서는 안됨
  . 인.허가제도가 서비스제공의 제약이 되어서는 안됨

o 독점적 또는 배타적 서비스 공급업자(8조)

- 독점적.배타적 사업자의 지위를 남용하는 영업행위 금지

o 서비스 공급업자의 영업행위(9조)

- 서비스 교역에 장애로 작용하는 경쟁저해 행위 금지
- 분쟁해결 위한 체약국간의 협의에 응할 의무
- 영업비밀에 해당하지 않는 자료의 제출 협조

o 예외 사항(14조)

- 체약국은 자의적으로 국가간 차별 하지않는 범위내에서 국가안보, 공서양속 보호, 공공질서 유지 등의 이유로 서비스교역의 규제가능

o 시장접근(16조)

- 외국 사업자 및 서비스에 대하여 시장접근 제한사항으로 기재된 것보다 불리하지 않은 대우 보장
- 시장접근이 허용된 서비스분야에 대하여 양허계획서에 명기되지 않는 한
  . 수량제한 또는 사업자의 수 제한 금지
  . 총 거래액 또는 자산액 제한 금지
  . 제공가능한 서비스 회수 제한 금지
  . 고용인 수 제한 금지
  . 서비스제공가능한 법적형태(예:합작투자)의 제한 금지
  . 외자 제한 금지

o 내국인 대우(17조)

- 시장접근이 허용된 분야의 서비스제공에 영향을 끼치는 모든 조치에 대하여 외국 사업자에게 내국민 대우 보장

0154

o 추가적 약속(18조)

- 시장접근, 내국인 대우와 관련하여 양허표에 기재대상이 아닌 부분(자격요건, 표준, 인.허가등)에 대하여 국가간 협상가능

o 양허표의 수정(21조)

- GATS발효 3년 이후, 양허표의 수정을 원하는 체약국은 그 내용을 타 체약국에게 통지한 후 협상 통해 수정가능

o 분쟁해결 등 제도적 장치(22조~27조)

다. 통신부속서(Dunkel안)의 주요 내용

o 통신부속서의 적용범위

- PTTN/PTTS에의 접근 및 이용에 영향을 미치는 체약국의 모든 조치
  . PTTN : Public Telecommunications Transport Networks
  . PTTS : Public Telecommunications Transport Services

o PTTS의 정의

- 체약국이 명시적으로 또는 실질적으로 공중일반에게 제공하도록 요구한 모든 통신전송서비스
- 고객이 제공한 정보를 end-to-end간에 내용 또는 형태의 변경없이 실시간(Real time)으로 제공하는 서비스 (예 : 전화, 전신, 전보, 데이터전송서비스)

o 기업내 통신의 범위

- 각국이 국내법으로 정하도록 규정

0155

o 공개주의

- PTTN/PTTS에의 접근 및 이용에 영향을 미치는 조치에 대한 정보 공개
- 예시
  . PTTS의 요금 및 기타 이용조건,
  . PTTN/PTTS간의 interface의 규격
  . PTTN/PTTS에의 접근 및 이용에 영향을 끼치는 표준제정 기구에 대한 정보
  . 단말장비 부착 조건
  . 신고 등록 또는 허가조건등

o PTTN/PTTS에의 접근 및 이용

- PTTN/PTTS의 합리적.비차별적 제공
- PTTN/PTTS 요금은 원가지향하도록 노력
- 체약국은 PTTN/PTTS의 접근 및 이용에 대한 규제가능 사항
  . PTTN/PTTS제공자에 대한 공중서비스제공 의무부과
  . PTTN/PTTS의 기술적 통합성 보호
  . 시장개방이 허용되지 않은 서비스의 제공금지
- 외국 사업자에 대한 권리 보장
  . 단말기 또는 기타 장비의 구입/임대 및 통신망 부착
  . 사설망과 PTTN/PTTS와의 상호접속
  . 사업자의 고유 operating protocol 사용
- 정보의 국경내, 국경간 이동 위한 PTTN/PTTS의 이용보장
  . 정보의 이동에는 기업내통신을 포함
  . 이용에 중대한 영향을 미치는 조치를 제.개정하는 경우 기본협정의 관련규정에 따라 통보 및 협의의무 (단, 사생활 보호를 위한 규제조치 가능)

0156

- 8 -

4. 통신분야 양허협상 현황

가. 통신서비스분야 양허계획 제출 현황

o '92.3현재 미국, EC, 일본, 한국, 캐나다, 북구3국 등 27개국이 통신분야 OFFER LIST제출
  - 대부분의 국가가 VAN서비스를 양허대상 서비스로 제시

o 주요 국가의 양허계획 제시안

- 한국
  . 양허대상 : 부가통신사업
  . 제한사항 : 외국인지분이 50%이내로 제한 (1994.1부터 폐지)

- 미국
  . 양허대상 : 기본통신서비스와 고도서비스
  . 제한사항 : 없음 (단, 기본통신의 경우 최혜국대우(MFN)일탈)

- 일본
  . 양허대상 : 국내통신서비스(전화제외)와 부가통신서비스
  . 제한사항 : 없음 (단, 국내 전용회선을 공중교환망에 접속하여 제공하는 음성전송서비스는 제외)

- EC
  . 양허대상 : 전화.전신.전보를 제외한 부가통신서비스 및 데이타전송서비스
  . 제한사항
    - 부가통신서비스 : '92.1부터 제한없음
    - 데이타전송서비스 : '96.1부터 제한없음

0157

나. 기본통신 양허협상 현황

o 미국의 양허계획에 대한 타국의 이의제기

- 미국 양허계획중 문제내용

. 기본통신서비스의 개방은 기본통신서비스시장을 제한없이 개방하기로 서명한 국가에만 적용(최혜국대우(MFN) 일탈)

- 이의제기 국가 : 한국, 일본, EC, 스위스, 호주, 스웨덴 등 대부분의 국가

- 타국의 이의제기 내용

. 미국의 기본통신서비스시장은 자국의 전기통신사정에 의해 이미 개방되어 있음
. 최혜국대우(MFN)원칙은 다자간 교역을 활성화하기 위한 가장 기본적인 원칙임
. 최혜국대우의 일탈은 오랜 관행 또는 물리적 제한등에 의하여 쌍무협상에 의한 협정이 불가피한 서비스분야(해운, 항만 및 항공운항서비스 등)에서는 인정됨
. 그러나, 통신서비스분야는 세계적으로 자유화조치에 대한 오랜 관행이 있었던 사실이 없으며, 물리적 제한사항도 없으므로 통신서비스분야는 MFN일탈의 적용분야가 아님
. 미국도 타국의 기본통신사업에 이미 참여하고 있음
. 그러므로, 미국은 기본통신서비스시장에 대한 최혜국대우(MFN)의 일탈을 철회하여야 함
. 기본통신서비스의 개방은 GATS체제내의 다자간협상에 의하여 다루어져야 함

0158

o 미국의 기본통신사업 개방요구내용('92.3.25)

- 대상국가 : 12개국가
  . 캐나다, 멕시코
  . EC, 스웨덴, 노르웨이, 핀란드, 스위스
  . 한국, 일본, 홍콩, 싱가폴, 호주

- 요구내용
  . 기본통신(국제전화 및 시외전화)사업자 수의 제한 폐지
  . 외국인사업자에 대한 기본통신사업 참여 허용
  (설비를 구축하거나 회선을 임차하여 서비스 제공)
  . 외국인의 투자허용
  . 기본통신서비스의 원가에 근거한 비차별적 제공 보장
  . 독립규제기관에 의한 통신사업의 공정한 규제제도 확립

o 미국의 요구배경

- '90.9이전 미국의 기본입장
  . 기본통신서비스에 대하여 예외없이 최혜국대우원칙 적용
- '90.10 AT&T등 장거리회사들이 정계에 로비
  . 외국 기본통신시장은 폐쇄된 반면, 미국 기본통신시장은 대외경쟁에 개방된 상태
  . 새로운 외국통신사업자의 미국시장 진출 반대
- '90.11 미국은 기본통신사업의 최혜국대우 일탈 표명
- '90.12~ EC, 일본, 한국, 호주, 스웨덴 등 대부분의 국가가 미국의 기본통신분야 최혜국대우 일탈에 반대입장 표명
- '92.3 미국이 12개국가에 기본통신사업시장의 개방요구
  . 12개국이 요구조건을 모두 받아들이는 경우 기본통신사업 시장에 대한 최혜국대우 일탈의 철회 표명

o 기본통신사업 개방협상에 대한 주요 국가들의 입장

분 류	국가	UR/통신사업 개방 제안내용	비 고
반대하는 국가	한국	- 부가통신사업 (외자제한 '94.1 폐지)	- 이동통신사업 외자참여 제한적 허용 (1/3)
	일본	- 국내 기본통신사업 (전화제외) - 부가통신사업	- 이동통신 및 국제통신등 제한적 외자참여 허용(1/3) - NTT, KDD에 제한적 외자참여(1/5) . 개정안 국회 제출중 - '92.4 USTR 대표와 우정대신 회담 . 기본통신사업 개방등 협의
	E C	- 부가통신사업 - 데이타전송.교환사업 ('96.1부터) - 이동통신사업(위성포함) 추후 개방 검토	- '92년중 전화사업의 경쟁도입 여부 검토
찬성하는 국가	스웨덴	- 전체전기통신사업 개방 . 허가제도 운영 . 주파수할당제한 . 공중서비스 의무등 부과	- 기본통신사업 개방협상을 위한 중재안 제안('92.5.8)
	뉴질랜드	- 기본통신사업 (외자제한 :49.9%이내) - 부가통신사업	
	핀란드	- 기본통신사업 - 부가통신사업	
	호주	- 기본통신사업 ('97.6이후) - 부가통신사업	

0160

분 류	국가	UR/통신사업 개방 제안내용	비 고
사태관망 국가	노르웨이	- 기본통신사업 (전용회선 및 데이타교환 서비스는 독점) - 부가통신사업	
	캐나다	- 부가통신사업	
	멕시코	- 기본통신사업 (외자제한 : 30%) - 부가통신사업 (외자제한 : 30%)	
	스위스	- 음성전화사업(독점)을 제외한 모든 통신사업	
	홍콩	- 부가통신사업	
	싱가폴	- 부가통신사업	

o 스웨덴의 기본통신서비스 개방협상에 관한 제안내용('92.5.8)

- 기본통신분야의 개방을 목표로 UR이 종료되기 이전 GATS 체제내에서 다자간협상 추진
  . 개방협상의 범위 : 제한없음
  . 국가별 개방정도 : 국가사정에 따라 균형있게 개방
  (국가간 상호대칭적 개방을 뜻하지 않음)

- 기본통신 개방협상 종료전까지 기본통신에 대한 최혜국대우 (MFN) 일탈 불가

- 이러한 취지에 동의하는 국가들은 스웨덴이 제안한 양해각서 (MOU)에 서명한 후 협상에 참여

0161

5. 통신서비스협상 관련 문제점

가. 서비스일반협정(GATS) Dunkel안 관련

세부사항	현 황	문 제 점
o 기본협정(안) (framework Agreement)	- 대부분의 국가가 동의 * 농산물분야 협상의 결렬 및 서비스분야 MFN 일탈 문제에 대한 이견으로 합의 보류상태	- 협정안대로 타결시 통신분야 문제점 없음
o 통신부속서(안)	- 대부분의 국가가 동의 * 인도 및 아프리카지역 저개발국가등에서 비용을 감안한 서비스 요금책정 원칙에 반대	- 협정안대로 타결시 문제점 없음

나. 통신분야 자유화(양허)계획 관련

현 황	문 제 점
- 대부분의 국가가 부가통신사업만을 개방 - 미국의 경우 기본통신사업을 개방하였으나 MFN일탈조건 제시	- 협정안대로 타결시 미국의 기본통신 사업 진출 불가 * 한국의 경우 상당기간 미국서비스시장 진출이 어려울 전망 - 협정안대로 타결시 실질적 영향은 없음

0162

다. 미국의 기본통신 개방요구 관련

<table>
<tr><th>미 국 요 구</th><th>현 황</th><th>문 제 점</th></tr>
<tr>
<td>o 기본통신(국제 전화 및 시외 전화)사업자 수의 제한 폐지</td>
<td>- 기본통신사업자(일반통신사업자)의 지정
. 체신부장관이 전기통신사업의 건전한 발전 및 공공이익등을 종합적으로 고려하여
. 통신위원회 심의를 거쳐 지정

- 일반통신사업자 지정 현황
. 국제전화 : 한국통신, DACOM
* DACOM은 '91.12월부터 사업 개시
. 시외전화 : 한국통신
* '96년까지 1개업체 추가지정검토 계획

- 국제전화 및 시외전화사업 시장 전망
단위 : 억원
<table>
<tr><th>구분</th><th>`91</th><th>`92</th><th>`93</th><th>`95</th><th>2000</th></tr>
<tr><td>국제전화</td><td>4,544</td><td>5,349</td><td>6,380</td><td>8,299</td><td>11,395</td></tr>
<tr><td>시외전화</td><td>15,746</td><td>19,547</td><td>21,572</td><td>26,525</td><td>36,000</td></tr>
</table>
</td>
<td>- 국내법상 기본통신사업자 수를 제한하는 구체적 규정은 없음

- 기본통신사업을 국가통제하에 두지 않는한 국가통신 정책목표(모든 경제활동과 국민생활의 기본요소인 통신서비스의 보편성 확보) 달성 곤란

- 시외전화사업자 경쟁도입시 전국단일전화요금계획의 변경 필요</td>
</tr>
<tr>
<td></td>
<td>- KT 국제 및 시외전화사업의 이윤규모 ('91)
· 국제전화 : 약 3,500억원
· 시외전화 : 약 5,000억원

* 이윤은 시내전화사업의 적자보전 및 정보통신연구개발사업, 국가기간통신망 현대화사업등에 대부분 사용</td>
<td>- 시내전화 적자의 보전 및 정보통신연구개발, 국가기간 정보통신망 구축을 위한 재원확보방안 강구 필요 (현재로선 시내전화요금 인상 불가피)</td>
</tr>
</table>

0163

미국요구	현　　　황	문제점
o 외국사업자의 기본통신사업 참여 허용	- 외국인의 사업자 참여가 법적으로 제한되어 있음	- 모든 국민생활과 경제활동의 기본인 통신은 공공서비스의 성격이 강하므로 민간 및 외국사업자간 완전자유경쟁에 맡기기보다 제한적 경쟁이 바람직 - 자유경쟁 허용시 이윤원리에 따라 농어촌.산간지역.일반 거주자에 대한 기본통신수요가 과소 공급되어 양질의 보편서비스 제공이 어려워짐
o 외국인 부자허용	- 외국인 지분소유의 법적금지 * 한전.포철등에 제한적 허용 추진	- 완전허용에 대하여는 국민적 공감대가 형성되어 있지 않음 * 점진적으로 외국인 부자지분의 제한완화를 추진하는 것이 바람직함 - 부자허용시 관련법 개정 불가피
o 기본통신에 대한 공평한 접근보장 - 원가에 근거한 서비스 제공	- 전기통신기본법/사업법에 반영 - 장기정책 방향과는 부합됨	- 문제점 없음 - 수용시 현 전화요금구조의 대폭 변경 필요 · 시내전화요금의 대폭 인상 · 시외 및 국제전화요금의인하
o 통신사업 독립규제기관 설립.운영	- 통신위원회 설립.운영 (비상설기구로 운영)	- 통신위원회의 상설기구화에 의한 독립성 보장 필요

0164

라. 스웨덴의 기본통신사업 개방 다자화협상 제안관련

세 부 사 항	현 황	문 제 점
o 기본통신 개방을 위한 다자간협상 추진	- 미국 : 입장 불명확 . 쌍무협상을 선호 . 국내 기본통신사업자들이 기본통신개방에 반대 - 일본 : 미온적 입장 . 미국이 강력히 요구하는 경우 추진의사 표시 . 국제 및 장거리사업에 이미 경쟁도입 . NTT, KDD주식의 외국인 소유 (1/5) 허용 추진 - EC : 미온적 입장 . '92년중 전화사업 경쟁여부 검토	- 우리나라는 아직 기본통신을 개방할 단계가 아님 - 다자간 협상을 추진하는 경우 국내 기본통신시장의 개방요구가 더욱 강력해 질 우려가 있음 - 일본.EC가 미국의 다자간협상 요구에 응하는 경우 한국만이 불참정책 고수하기는 어려움 - 한국이 다자간 협상에 불참한 상태에서 협상이 타결되거나 뒤늦게 협상에 참여하는 경우 타국의 무리한 개방요구를 감수해야 할 가능성도 배제할 수 없음
o 협상기간중 기본통신분야의 MFN 일탈 불가능	- 미국이외의 대부분 국가의 의견이 반영됨	- 문제점 없음
o 협상내용	- 범위 : 모든 기본통신서비스 - 국별 개방정도 : 국가별 실정에 따라 균형있게 개방하는 것을 원칙 - 협상 진행방법등 구체적 사항은 미규정	- 문제점 없음 * 협상방법.개방정도등에 대한 구체성 결여로 우리나라에 유리하게 작용할 수 있음 (협상기간의 장기화 및 협상과정에서 우리의 입장반영에 유리함)

* 한국이 스웨덴 제안에 동의하여 다자간협상을 지지하는 경우, 미국이 역으로 우리나라 기본통신시장의 개방을 위한 쌍무 협상을 요구할 우려가 있음
* 한국이 기본통신분야의 개방준비가 안된 상태에서 기본통신개방을 위한 다자간협상에 조속히 응함으로써 얻는 실익은 없음

6. 기본통신개방요구에 대한 대응방안

가. 기본방침

o 국내 기본통신사업시장의 개방 불가입장 고수
  - 아직 기본통신사업을 개방할 단계가 아님
  - 미국등이 쌍무협상을 요구하는 경우 단호히 거부

o 기본통신사업 개방을 위한 다자간 협상의 참여
  - 다자간 협상의 결성과정에는 미온적 입장 유지
    . 스웨덴의 제안에 대하여 찬성입장을 유보하되
    . 다자간협상의 결성과정에는 계속적으로 참여
  - 다자간협상의 추진이 불가피한 경우에는 한국도 초기단계부터 적극 참여
    . 협상타결후 또는 협상도중 참여로 인하여 우리측이 감수해야할지 모르는 불이익의 여지를 사전에 제거
    . 가능한 한 협상기간의 지연 구사
    . 협상과정에서 우리나라 입장을 극대화 반영

o 다자간 협상타결이 불가피해지는 경우
  - 7차 경제사회개발5개년계획이 끝나는 '96년까지 기본통신사업의 개방을 검토하는 선으로 제안
  - 특정통신사업등 이미 경쟁이 도입된 분야를 양허계획으로 제출 검토

o 기본통신사업에 대한 국내 경쟁도입계획을 조속 수립
  - 대외개방이전에 국내 경쟁준비체제의 확보 추진
  - 시장개방으로 인한 사회.경제적 충격이 적은 분야부터 점진적으로 개방

나. 단계별 대응계획

o 제1단계

- 미국의 기본통신사업에 대한 MFN일탈 반대

- 기본통신개방을 위한 스웨덴의 제안에 대하여 찬성입장 유보

- 미국을 포함한 여타국가가 기본통신개방을 위한 다자간 협상을 요구할 경우 서비스무역일반협정(GATS)안 제21조에 의거 GATS체제 발효3년후 제안되어져야 한다고 주장

o 제2단계

- 기본통신사업에 대한 다자간협상이 불가피한 경우

. MFN일탈 배제 및 쌍무협상배제를 전제로 일단 다자간 협상에 참여의사 표명

. 협상추진과정에서 개방방식, 범위, 시기등에 대하여 한국의 입장을 적극 반영

. 협상이 한국에게 불리하게 진행되는 경우 협상에서 빠져나올 가능성 유보

- 미국의 기본통신사업에 대한 MFN일탈이 불가피한 경우

. 적절한 시기에 미국의 MFN 일탈을 허용하되

. 미국이 요구하는 쌍무협상에는 불응

다. 대응논리

o 국제전화, 장거리전화등 기본통신서비스에 대한 양허협상은 GATS 제19조 2항에 의거 각국의 정책목표와 발전수준을 고려하여야 함

o 한국은 보편서비스인 기본통신서비스의 균형있는 발전 및 확대 공급이 통신정책의 가장 중요한 목표중 하나임

- 이를 위해 기본통신서비스에 대한 시장진입 및 시장경쟁에 대하여 정부가 규제하고 있음
- 또한, 시내전화사업부문의 적자를 국제전화사업 및 장거리 전화사업부문에서 보전하고 있음

o 한국은

- '92.2 미국과의 쌍무협상을 통하여 부가통신사업에 대하여 '94.1부터 자유화하기로 합의한 정도의 통신수준 국가임

o 일본의 경우를 보면,

- '91년도에 일본의 100인당 전화보급율은 55대 수준에 이르렀으나 아직도 기본통신시장을 미국이 요구하는 수준으로 개방하지 못하고 있음

o 만약, 기본통신서비스의 개방이 이루어지는 경우에는

- 인구밀집지역과 대기업을 중심으로 한 기본통신 수요만 경쟁적으로 공급되고
  · 농어촌지역 및 일반거주자에 대한 기본통신 수요는 충족시키지 못하게 되므로
  · 기본통신서비스의 균형있는 발전 및 확대공급 목표를 달성할 수 없게 됨

0168

- 또한 국가정보통신연구개발의 추진 및 종합정보통신망의 구축에 소요되는 재원을 확보할 수 없게됨

- 시내전화사업의 적자를 국제 및 시외전화사업부문에서 보전하기가 어렵게 되므로 시내전화요금의 대폭인상이 불가피하게 됨

o 반면, 국내 통신사업자의 경우

- 자본과 기술축적면에서 통신사업의 해외진출기반이 미약할 뿐만 아니라

- 기존 시외전화 및 국제전화사업시장의 상당부분을 자본 및 기술축적면에서 앞선 선진국의 통신사업자에게 빼앗기게 됨

o 이와 같이

- 한국은 아직 기본통신사업을 개방할 단계가 아니며

- 기본통신서비스의 개방으로 인한 국가적 실익은 기대할 수 없으므로

- 당분간 국내 기본통신사업시장의 개방은 고려하지 않을 계획임

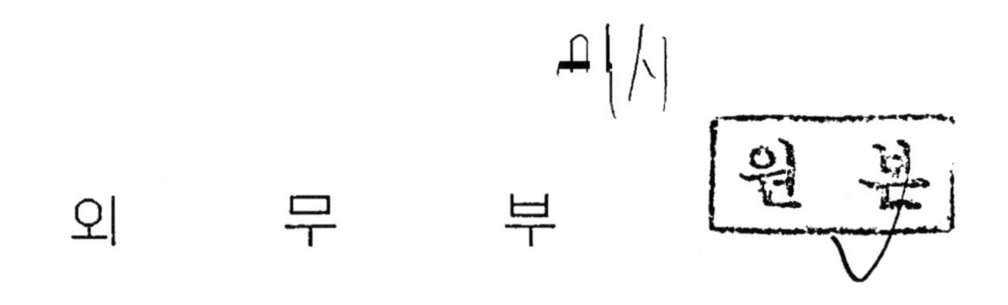

외 무 부

종 별 :

번 호 : GVW-1284 일 시 : 92 0626 1930

수 신 : 장 관(수신처 참조)

발 신 : 주 제네바대사

제 목 : UR/서비스 양자협상

6.23(화)-6.25(목)간 개최된 미국, 카나다, EC, 호주, 뉴질랜드, 스웨덴, 일본과의표제양 자 협상 내용을 하기 보고함.(노르웨이 및 핀란드는 양측 협상 일정 중복으로취소됨)

1. 협의개요

- 각국 공통으로 인력이동, MFN, 서비스 분야 분류,해운 및 기본통신 분야의 PLURILATERAL NEGOTIATION 추진 문제등에 관한 의견교환과 아국의 금융자유화 BLUE PRINT OFFER 에 반영하여 BINDING하는 문제에 많은 시간이 할애되었으며 분야별 구체적 REQUEST 는 과거 논의사항중 일부가 반복되었으나 새로이 제기된 사항도 있음.

2. 각국 공통 논의 사항

가. 인력사항

- 아국은 미국, EC, 카나다등에 대하여 아국 OFFER에 SERVICES SALES PERSON 을포함할 계획임을 밝히는 한편 미국의 금융분야 수정 OFFER에 동범주의 인력이 제외된이유를 질의한바 미측은 인력이동에 관하 미국 OFFER 는 금융포함 모든분야에 적용되는 것이나 전체 OFFER 와 금융분야 OFFER 를 미처 조정하지 못한 때문이라고 하고 추후 수정할 계획이라고 함.

- 한편 상업적 주재의 설립 준비를 위한 대표인력의 입국에 대한 COMMITMENTS 와관련 카나다는 INTRA-CORPORATE TRANSTEREE 에 포함된다고 하였으며 미국은 동범주의 인력을 추가 하겠다고함.

0 일본역시 동범주의 인력을 제외할 의도는 없으나 고려중이라고 하는 한편 SERVICES SELLERS 에 포함하는 것이 더 적당하다고 함.

나. MFN

- 아국은 미국의 주요분야(해운, 항공, 금융, 기본통신)에 대한 MFN완전

통상국	통상국	통상국	통상국	법무부	보사부	문화부	교통부	체신부
경기원	재무부	상공부	건설부	과기처	해항정	공보처		

PAGE 1 92.06.27 10:52 WH

외신 1과 통제관

0170

일탈등방대한 MFN 일탈 계획에 대하여 강한 우려를 전달하는 한편 아국도 MFN일탈 범위 확대문제를 고려하고 있다고 함

- EC는 아국의 CRS MFN 일탈 계획에 대하여 자국이 미국에 확인한 바, 한국이 미국에 부여한 혜택을 다자화 하더라도 미국이 동 혜택과 교환으로 부여한 운수권을 철회하지 않을 것이라고 하면서 CRS MFN 일탈은 서비스 협정의 취지에 어긋나는 것이라고 함.

- 한편, 일본은 지난 5월 GNS 비공식 협의에서 각국이 시장접근 및 내국민 대우에 대하여 OFFER한 사항은 모든 체약국에 혜택이 부여되어야 하는 최소한의 기준이며그 이상의 혜택에 한하여 국가간 차별적인 경우 MFN 일탈 대상이 된다고 합의된 것과관련 자국 OFFER 에 COMMITMENT하는 한편 MFN 일탈도 신청한 다음 3개사항에 대하여재고하고 있다고 함.

0 외국변호사의 외국법 자문, 인력이동에 있어서 상호주의, 외국인 토지취득 허가시 상호주의

- 아국은 기신청한 2개분야에 일부 분야에 있어서 추가 일탈 신청을 고려중(일본에 불이익 암시)이며 현재로서는 그이상의 언급은 할수 없다고 함.

다. 서비스분야 분류 및 OFFER 재수정

- EC 및 호주는 자국 OFFER 를 재수정하고 있으며 서비스 분야별로 CPC 번호를 기재할 예정이라고 하면서 아국 OFFER 상의 서비스분야에 대한 CPC 번호제공을 요청하였는바 아국은 현재 작업중이며 작업완료시 고려하겠다고 함.

라. 해운분야의 PLURILATERAL NEGOTIATION

- EC, 카나다, 호주등은 주요 해운국가들이 의미있는 수준의 COMMON COMMITMENTS(각국의 COMMITMENTS수준은 서로 다르게됨)를 달성하고 이에 미국의 참여(미국의 MFN 일탈 배제)를 유도하는 접근방법의 중요성을 강조하는 한편 EC가 작성배부한 MODEL SCHEDULE(기송부)에 대한 의견을 문의한바 아국은 해운보조 서비스와 관련 동초안상의 보조서비스(특히 CARGO HANDLING SERVICES)분류를 따르기에 어려움(동 서비스를세분하더라도 각국의 규제체계와 일치하지 않음)이 있다고 하는 한편, 동 접근 방식이모든 보조서비스 분야를 스케쥴에 등재하는 것을 의미해서는 안된다고 함.

마. 기본통신 분야의 PLURILATERAL NEGOTIATION

- 미국은 기본통신 분야와 관련 유럽의 여러나라(EC 이외의 북구등으로 예상)와많은 협의를 하였음을 밝히는 한편 이미 기본통신분야를 OFFER 한 북구, 호주,

뉴질랜드 뿐만아니라 일본도 신축성을 보였다고 하고 94년까지 계속 협상을 하고 96.1부터 협상결과를 시행하기를 희망한다고 함.

- 미국외에 카나다,호주,스웨덴등도 아국의 의사를 타진하여 왔는바 아국은 기본통신분야의 자유화를 의미하는 협상에는 참여할 수 없다고 밝힘.

바. 아국 금융자유화 계획의 BINDING 문제

- 미국 및 EC, 호주는 아국의 금융자유화 BLUEPRINT 와 관련 2단계 자유화 조치까지는 OFFER에 BINDING 하는데 문제가 없을 것이라고 하면서 동 계획의 COMMITMENTS를 강력히 요구하는 한편 BINDING 하지 않은 자유화 조치에 대해서는 CREDIT 을 부여할수 없다고 함.

- 아국은 3단계 자유화 계획이 금년말에 완료될 계획인바, 1,2단계 계획과 3단계계획이 상호밀접히 연계되어 있기 때문에 전체 팩키지중 일부만을 독립시켜 BINDING 하기는 어렵다고 함.

사. 외국인 부동산 취득

- 미국은 지금까지 부동산 문제를 제기하지 않았으나 아주중요한 문제라고 하면서 보험사의 부자자산 운용을 위한 부동산 취득허용을 거론하였으며 현재 아국이 첨단산업분야에 있어서 외국인 토지 취득을 허가하고 있는바 이를 OFFER 에 반영할 용의가 없는지 질의함.

- 일본 역시 자국은 외국인 토지 취득이 완전히 자유롭다는 점과 시장접근 COMMITMENT 에 있어서 토지문제의 중요성을 강조하면서 아국의 외국인토지 취득 규제(서비스 산업 종사자의 주거 포함)에 대하여 문의하였는바 아국은 외국인 토지취득이 금지되나 임차, 사용은 제한이 없기때문에 사업활동에는 별다른 지장이 없다고 답변함.

3. 분야별 논의사항

가. 미국

- 미국은 회계, 법률분야의 AFFILIATION 허용에 대한 강도 높은 관심을 계속 표명하였는바, 아국이 회계분야에 허용하고 있는 업무 제휴의 성격 및범위, 미국이 요구하는 INTERNATIONAL PARTNERSHIP 의 명확한 성격 및 스케쥴링방법과 이에 관한 아국의 해외투자 규제제도등을 상호 추가 검토한 이후 재론키로 함.

- 금융보험 분야에 있어서는 과거 미국의 REQUEST에 대하여 항목별로 질의 답변하였으며 특히 미국은 보험분야의 ECONOMIC NEED TEST 가 미국 보험업자의

시장진입을저지하는 수단으로 이용되는 것은 수용할 수 없다고 강조함.

0 미국은 한편 유선방송(CABLE NETWORK)의 OFFER 용의가 있는지 질의한 바, 아국은 없다고 답변함.

- 아국은 미국의 금융분야 수정 OFFER 에 대한 질의 및 논평을 서면으로 전달하는 한편 양국 금융전문가가 별도 회합하여 이를 토론함.

나. 카나다

- 카나다는 농업관련 서비스와 광업관련 써비스의 OFFER 를 희망한다고 하였으나아국은 수정 OFFER 작성시 최선을 다하였기 때문에 추가할 여지가 없다고 답변

- 금융분야와 관련 카나다는 카나다 은행지점에 신탁업 허용, 원화자금 조달 기회 확대, 중소기업 의무대출 비율 및 동일인에 대한 대출한도 제한 폐지, 복수지점 설치인가 기준의명료화등을 제기하였는바 아국은 신탁업취급허용 기준, 지금까지의 CD발행한도 확대조치, 국내은행에도 동일하게 또는 보다 불리하게 적용되는 여신관리제도의 취지등을 설명함.

- 아국의 금융분야 REQUEST 에 대하여 카나다는 외국은행자산한도(총 은행자산의12 퍼센트이내)는 80년대 중반에 확대된 것으로서 실질적장애가 되지 않고 있으며 해외자금조달제한(50퍼센트 이내)은 '91년 중반에 폐지되었고, 본점으로 부터 과다차입에 따른 이자 지급에 대한 비용산정 불인정은 탈세방지 목적의 조치이며 본점에 대한 대출제한은 금융감독 규제로서 변경할 여지가 없다고 함.

다. EC

- EC 는 자국의 기존 REQUEST 외에 다음사항을 특히 강조함.

0 금융분야 한국 OFFER 의 포괄 범위가 부족하며 인가기준(특히 ECONOMIC NEEDS TEST) 의 명료성이 결여됨

- 금융분야에 STANDSTILL 약속이 매우 중요함

0 회계분야의 AFFILIATION 허용, 광고분야의 해외광고물 반입시 주무장관 추천 폐지, 무역업의 OFFER 추가요

라. 호주

- 호주는 아국 OFFER 에 모든 부가가치 통신 서비스가 포함되기를 바란다고 하는한편 이동통신 서비스에 대하여 많은 관심을 표명함.

또한 항공기 수선 및 CRS 공급에 관심이 많다고 하였으며 아국 보험시장이

추가진출 여지가 많다고 보나 ECONOMIC NEED TEST 등 시장접근가능성이 불확실하다고함. - 아국 REQUEST(외국 증권사 지점의 증권 거래소회원 가입허용)에 대하여 호주는자국증권 거래소정관의 관련규정(사실상 지점은 가입불가)을 서면으로 제시하였으며 증권거래소 회원 가입허용시 상호주의에 대한 MFN 일탈은 카나다, 일본, EC 일부회원국으로부터 자국증권사회원 가입 보장을 얻게 되면 철회 예정이라 함.

마. 뉴질랜드

- 뉴질랜드는 농업 임업관련 서비스와 교육서비스(해외로 유학생 파견 및 아국내학원설립)에 계속 관심을 갖고 있다고 하였으나 아국은 동 분야들이 민감한 분야이기 때문에 OFFER 할수 없다고 함. 뉴질랜드 역시 항공기수선 서비스와 CRS 공급에 관심을 표명함.

바. 스웨덴

- 아국 금융분야 OFFER 에 누락된 사항들이 있으며 제한조치의 포괄적 표현으로명료성이 결여되었다고 하면서 수정 OFFER 제출용의를 문의하였는바 아국은 OFFER 를재 수정할 계획은 없다고 함.

사. 일본

- 일본은 건설업 면허제도(매 3년) 및 면허갱신제도에 ECONOMIC NEED TEST 요소가 없는지 질의하는 한편 도급한도세의 폐지를 요구하였는바 아국은 면허 및 갱신제도에 ECONOMIC NEED TEST요소는 없다고 하였으며 도급한도제는 아국에사전 입찰 심사제도(P.Q 제도)가 없기 때문에 동제도 개발시까지 유지되어야 한다고 함.

0 해운 분야와 관련 일본은 자국 REQUEST 6개항목중 2개(WAIVER 제도, 차별적 항만수수료)는 해결되었으나 국제해운 분야의 부자제한, 해운대리점의 영업범위제한,지 정화물제도, 해상화물 운송주선업 부자제한등은 계속 유효하다고 함.

- 아국은 유동업 조정절차 필요 치소점포 면적(500M2 이상)을 확대 해줄것과 조정절차가 너무 복잡하고 소요시간이 과다(12개월 소요)하여 보호주의적인 제한조치가되고 있으므로 개선해줄것을 요청하였으며 일본은 관련 법규가 '92.1에야 시행된 것이기 때문에 변경이 어렵다고 함.끝

(대사 박수길-국장)

수신처:통기,통일,통이,통삼,경기원,재무부,법무부,상공부,건설부,보사부,문화부,교통부,체신부,과기처,공보처,항만청

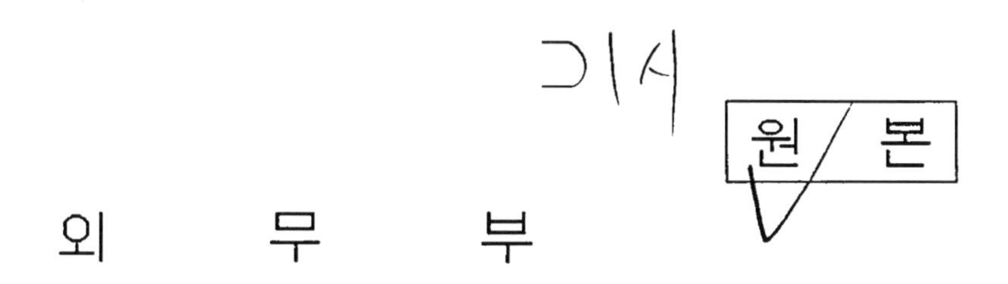

외 무 부

종 별 :

번 호 : GVW-1285 일 시 : 92 0626 1930

수 신 : 장관(수신처 참조) 사본:주미(본부중계요),주이씨대사(직송필)

발 신 : 주 제네바 대사

제 목 : UR/서비스 비공식협의및 갓트 사무차장 면담

수신처:통기,경기원,재무부,법무부,상공부,건설부,문화부,보사부,노동부,교통부,체신부,과기처,공보처,항만청)

6.25(목) 개최된 표제 비공식 협의 및 서비스 협상관련 갓트 사무차장과 본직 면담 내용을 하기보고함.

1. 카알라일 사무차장 면담(6.25 08:30-09:10)

- 카알라일 사무차장은 서비스 서비스 협상 현황평가를 위하여 일련의 개별 면담또는 그룹(ASEAN 등) 면담을 가지고 있다고 하고 UR전체 협상에 대한 자신의 견해를 아래와 같이 피력하면서 서비스 협상 현황에 대한 아국의 견해를 문의함.

0 지금까지의 UR 협상 추세는 별로 희망적이지 못하여 G-7 정상회담 전후에도 어떤 돌파구를 기대하기 어려운 상태임. 금년 가을에도 이런 상황이 계속된다면 협상타결은 어렵게될 것임.

0 앞으로의 대안은 (1) 공식적으로 협상 실패를 선언하거나 (2) 현재와 같이 미.EC 간 합의도출시까지 시장접근과 서비스 분야의 협상 계속 (3) 미.EC 간 합의시까지 다자간 협상을 계속하는 방법등 세가지 대안을 고려해 볼수있으나 문제는 각 대안을 어떻게 추진할 것인지 이행에 어려움이 많음.

- 본직은 서비스 협정초안을 균형된 안으로 평가하며 기술적 문제에 대한 협의가 진행되고있으나 이는 큰문제가 아니라고 하는 한편

0 INITIAL COMMITMENTS 에 대한 양자 협상과 관련 2월까지의 협상은 비교적 진전이 있었으나 3월협상은 실망스러운 것이었다고 평가하고 아국은 충실한 내용의 OFFER를 하였으며, 실질적인 협상을 계속할 용의가 있으나 현재 상황으로 볼때 본격적인양허 교환에 진입하기에는 이르다고 언급함.

- 동 사무차장은 아국 OFFER 의 양허수준을 높일 용의가 있는지 문의한바

통상국 2차보 법무부 보사부 문화부 교통부 체신부 경기원 재무부
상공부 건설부 노동부 과기처 해항청 공보처

PAGE 1 92.06.27 08:15 DQ

외신 1과 통제관

0175

본직은아국 수정 OFFER가 최선의 노력을 기울여 작성된 것이나 최종결과는 협상에 달린 것이 라고 하는 한편 아국 금융분야의 자유화 실적과 BLUE PRINT 에 대하여 상세하게설명함.

0 한편 동 차장은 해운 분야가 제외될 경우 도미노현상이 일어날 것이라고 하면서 금일 오후 EC주최로 개최되는 비공식협의에 미국이 참여하는것만도 긍정적이라고 언급함.

2. 해운분야 비공식 협의(6.25 10:00-13:00, EC 주최)

가. 참석국가(13개국)

- 알젠틴, 호주, 브라질, 카나다, 홍콩, 일본, 한국, 뉴질랜드, 노르웨이, 루마니아, 싱가폴, 스웨덴, 미국(말레이지아 및 폴란드는 초청되었으나 불참)

나. 협의 개요

- EC 가 작성 배부한 MODEL SCHEDULE (기송부)에 대한 의문사항이나 추가 보완 사항등 기술적문제에 한정한 토의

다. MODEL SCHEDULE 의 성격

- 해운 및 해운 보조 서비스중 주요 해운국가들이 자유화 약속을 하는데 큰 어려움이 없는 분야만을 선별, 통일된 양식에 따라 동 국가들이 공동으로 자유화 약속을하도록 하기 위한 IDEAL SCHEDULE임.(각국의 구체적인 자유화 약속은 서로 다르게됨.)

0 따라서 동 SCHEDULE 은 91.12.15 자 사무국문서상의 모든 ACTIVITIES 가 다 포함된 것은 아니며 일부 분야가 제외(예: 해운중 CABOTAGE, 보조 서비스중 PILOGATE, 항만시설 운영)되어있으나 나라에 따라서는 동 제외된 분야에 대한 자유화 약속을 할수도 있음.

0 왜냐하면 주요 보조 서비스는 CPC 상의 보조서비스중 일부만으로도 해결되기 때문임.(예: 화물서비스에 있어서 해운업자가 원하는 것은 노동자를 고용하여 직접 처리하는 전통적인 STEVEDORING 이 아니라 다만 관리, 감독할수 있도록 투자하기를 원하는 것임. 뿐만 아니라 전통적인 STEVEDORING은 모든 나라가 자유화 하는데 어려움이 있음)

라. 협의 내용(제기된 사항)

- DEFINITION 문제: CARGO-HANDLING SERVICES 의 정의 (예: 관리만을 위한 투자의 개념 불명확) ON-LAND TRANSPORT 서비스(육상 트럭킹)의 분류 및 SCHEDULING

방법,해운선사의 자사 직접 보조서비스(SELF-SUPPORTING SERVICES)의 분류(국제운송분야의 기타 형태의 상업적 주재에 포함되는지, 기타 보조 서비스에 포함되는지)

- 실제적 문제: LINER CODE 등 국제해운분야의 MFN 일탈문제를 어떻게 처리할 것인지,선박의 국제문제 (A 국 소유의 선박이 B국국기를 게양할 경우 동 선박의 국적), 폐쇄동맹은 그 운영의 성격상 시장접근을 크게 제약하는바 PRIVATE ENTITY 인 이를 어떻게 규율하고 어떻게 SCHEDULING 할 것인지 (사무국문서의 경우 3-C 항)

마. 향후 계획

- DEFINITION 문제 사무국이 각국의 의견을 취합하여 작업문서 작성 EC 주최하에9월(잠정)에 재회합 논의

- 실질문제: 각국이 계속 검토하되 가급적 비공식 작업문서 제출

3. 기본 통신분야 비공식 협의(6.25 18:30-20:00스웨덴 주최)

가. 참석국가 (14개국)

- 오지리, 호주, 카나다, EC, 핀랜드, 홍콩,아이슬란드, 일본, 한국, 뉴질랜드,노르웨이,싱가폴, 스위스, 미국(체코는 초청되었으나 불참)

나. 협의 개요

- 스웨덴이 작성 배부한 비공식 협상문서(별도 FAX 송부)에 대한 의문사항이나 추가 보완사항등 기술문제를 협의하기 위한 것이었으나 일부국가는 동 문서에 대한 자국입장을 밝힘.

다. 협상문서의 성격

- 주요 통신 시장을 갖고 있는 국가들이 합의 서명할 경우 UR 최종 의정서에 추가포함되는 법적 문서가 되기는 어려울 것으로 예상되나 서명국을 정치적으로 구속하는 문서가 될 전망임.

라. 협의 내용

- 각국이 제기한 사항

0 기본 통신에 관한 복수국간 협상 기간동안 MFN 적용 여부

0 기본통신분야를 타 분야로 부터 분리시킬 경우 UR종료시 국가간 양허 균형평가및 기본 통신에관한 협상 종료시 양허 균형 평가, 달성문제

0 협상 시한

0 협상 대상분야의 범위(참가국의 관심분야는 모두 협상 대상이 되어야 함)

0 협상 참가국의 구성(모든 국가에 개방되어야 함)

- 각국의 기본입장

0 반대입장을 표명한 국가: EC, 오지리, 스위스

0 지지입장을 표명한 국가 모두가 협상 기간동안 MFN 적용의 중요성을 강조하였으나 미국은 서비스 협정 구조상 MFN 원칙의 중요성이 과장되어서는 안된다고 함)

0 아국은 추후 검토하겠다고 하고 구체적 입장표명은 유보함(기타 국가는 발언하지 않음)

바. 향후 계획

- 각국이 본부에서 검토 작업을 한후 가을에 재회합하기로 함.

4. 기타

- 6.26(금) 당관 이경협관이 일본 초청 오찬(인니,말레이지아, 필리핀, 아국 참석, 홍콩, 싱가폴,태국은 초청되었으나 불참)에 참석 탐문한바 6.23(화) 카알라일 사무차장이 ASEAN 과의 면담시 일본의 자금지원하에 일본과 ASEAN 간의 서비스분야(SCHEDULING 에 관한 기술적 문제에 대한 토의와 UR 전체의 정책 방향에 대한 세미나개최를 제의함에 따라 8월 중순경 ASEAN 중 한나라에서 약 2일간 세미나 개최를 추진중이라고함.

(일본이 추진중이나 ASEAN 의 공식 입장은 미정)

첨부: 기본 통신에 관한 스웨덴의 비공식 문서1부. 끝

(GVW(F)-400)

(대사 박수길-국장)

주 제 네 바 대 표 부

번 호 : GVW(F) - 400　　　　년월일 : 20612　　　시간 : 1800

수 신 : 장 관 (통기, 경기원, 체신부)

발 신 : 주 제네바대사

제 목 : UR/서비스 비공식협의

(GVW-1285 관련)

보 안	
통 제	

총 2 매(표지포함)

외신과	
통 제	

0179

400-2-1

'92.6.23 조세인

MEMORANDUM OF UNDERSTANDING

The Signatories to this Memorandum of Understanding,

acknowledging that the largest potential for further liberalization of trade in telecommunications services relates to basic services, while

recognizing the complexity of factors that influence domestic policy objectives for basic telecommunications services and have determined existing regulatory regimes, and

taking into account the limited time available for further negotiations during the Uruguay Round,

have decided to enter into negotiations on the progressive further liberalization of trade in basic telecommunications services.

기본통신자유화를 위한 추가협상

UR 이후 GATS 체제하 계속

Negotiations will be launched as soon as possible and will continue under the auspices of the GATS after the conclusion of the Uruguay Round, in order to ensure liberalization on a multilateral basis.

Negotiations will be comprehensive in scope, with no basic telecommunications services a priori excluded. The objective will be to achieve liberalization of measures affecting trade in as wide a range of such services as possible through a balanced, but not necessarily symmetrical, set of commitments aimed at creating comparable competitive conditions for the supply of services. The commitments will be recorded as alterations to national schedules and implemented in accordance with GATS rules.

The negotiations will be conducted in an efficient manner and will conclude no later than ... .

All Uruguay Round participants that are prepared to engage in negotiations on the further liberalization of trade in basic telecommunications services are invited to participate on the basis of this Memorandum of Understanding.

Signed:

0180

=01시 원 본

외 무 부

종 별 :

번 호 : GVW-1292 일 시 : 92 0629 1830

수 신 : 장관(수신처참조)

발 신 : 주 제네바 대사

제 목 : UR/GNS 비공식 협의

연: GVW-1285

6.26(금) 오전 향후 협상 계획에 관한 40개국비공식 협의가 개최된바 아래 카알라일 사무차장제의에 대하여 아무 이견없이 합의하고 곧바로 종료됨.

0 7월에 양자 협상은 개최하지 않음. 다만 GNS 회의 개최 가능성은 배제하지 않음.

0 9월 협상 계획은 타분야의 진전 상황을 보아 7월에 토의 결정함. 끝

(대사 박수길-국장)

수신처:통기,과기처,공보처,항만청 이하생략

통상국	법무부	보사부	문화부	체신부	재무부	상공부	건설부	노동부
과기처	해항청	공보처						

PAGE 1 92.06.30 04:01 ED

외신 1과 통제관

0181

정 리 보 존 문 서 목 록					
기록물종류	일반공문서철	등록번호	2020030071	등록일자	2020-03-10
분류번호	764.51	국가코드		보존기간	영구
명 칭	UR(우루과이라운드) / 서비스 분야 양허협상, 1992. 전6권				
생 산 과	통상기구과	생산년도	1992~1992	담당그룹	
권 차 명	V.4 7-10월				
내용목차					

0001

92-466

이

1/20

재 무 부

우 427-760 경기도 과천시 중앙동 1 / 전화 503-9266 / 전송 503-9324

문서번호 국금 22251- 140
시행일자 '92. 7. 7 ( )

수신 외무부장관
참조 통상국장

선결			지시		
접수	일자 시간	92.7.8	결재·공람		
	번호	23532			
처 리 과					
담 당 자					

제목 UR 금융협상 관련 Request 보완

1. 우루과이라운드 서비스 협상과 관련 금년중 개최된 금융분야 양자협상에서 아국이 제기한 Request에 대한 주요국과의 협의 결과를 별첨과 같이 정리하였습니다.

2. 금년 하반기부터 재개될 실질적인 양허협상에 대비하여(시중은행 해외점포를 통하여) 아국 request 에 대한 보완작업을 '92. 8.10까지 완료되도록 요청하였는 바, 동 보완작업이 재무관 책임하에 충실하게 진행될 수 있도록 아래와 같은 재무관에게 별첨자료를 통보하여 주시기 바랍니다.

첨부물에서 분리되면 일반문서로 재분류

아 래

- 주뉴욕 재무관, 주영국 재무관, 주프랑스 재무관, 주프랑크프루트 재무관, 주제네바 대표부 재무관, 주일본 재무관

첨부 : UR 금융협상 관련 우리 Request 보완 7부(사본번호 1/20~7/20). 끝.

재 무 부 장 관

국제금융국장 전결

0002

관리 번호	92-466

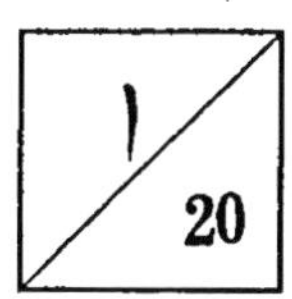

UR 금융협상관련 우리 Request 보완

1992. 7

재무부 국제금융국

0003

I. 양자협상 추진 현황

- 양자협상 개요

o 일시 : '92. 1.27~31, 2.24~28, 3.18~20, 6.22~26

o 장소 : GATT

o 협상대상국 : 미국, EC, 일본, 카나다, 호주, 스위스, 핀랜드, 스웨덴, 중국

- 양자협상 결과

o 협상과정에서 아국의 '91말 자유화 수준인 수정양허계획표 (revised offer list) 범위내에서 대응하였고 추가적인 자유화 약속은 곤란함을 표명

o 아국의 개방요구(request list)에 대해서 일부 국가들이 개방계획을 제시

· 미국 : NY주의 Broker-Dealer 등록시 차별요건 철폐

· EC : 본점차입에 대한 지급이자 손비인정 검토(영국), 여신규제에 대한 예외인정(프랑스)

· 카나다 : 최초 5년간 은행면허 갱신의무 폐지, 해외로부터 50%이내 영업자금 조달제한 폐지, 본점차입금에 대한 손비인정범위 확대 검토, 단일 회계감사기관 선정 허용

· 호주 : 외국은행 현지법인을 통한 소매금융 허용 및 지점을 통한 도매금융 허용, 본점차입에 대한 손비인정 범위 확대

29-1

0004

II. UR 협상 전망 및 대응

- 지금까지의 UR 협상 추세는 별로 희망적이지 못하였으며 G-7 정상회담 전후에 어떤 돌파구를 기대하고 있으나 전망은 불투명함.

  o 따라서 현재와 같이 미·EC간에 농산물에 관한 합의가 도출될 때까지 시장접근(관세 및 비관세)과 서비스분야 협상을 실무적으로 계속 추진할 것임.

- 다만 금년말 또는 내년초를 협상타결을 전제로 하는 경우 금년 하반기부터 시작될 서비스 양자협상은 실질적인 양허협상이 될 될 것으로 전망

- 아국의 경우 금융시장 개방 및 자율화 조치(Blueprint)에 따라 추가적인 개방조치가 있었는 바, 실질적인 양허협상에 대비 이를 협상 상대국에 대하여 제한조치 철폐를 요구하는 협상 leverage로 활용

  o 이를 위하여 아국 request list중 critical item을 선정하고 신규 request list를 발굴할 필요가 있음.

Ⅲ. 우리 Request 보완 대책

- 협상 대상국

  o 미국, EC, 일본, 카나다, 호주, 스위스, ASEAN(태국, 인니, 말련, 싱가폴)

- 아국 Request 보완

  o 아국 Request에 대한 상대국 대응에 대한 사실 확인, 반박 논리 및 새로운 사례 제시

  o 아국 request 중 국별 아국은행의 최우선 순위 제시

    · A : 아국은행에 직접적인 영향을 미치며 제한조치 철폐가 시급

    · B : 일반적인 규제로 제한조치 완화 및 철폐 필요

    · C : 아국 은행영업에 직접적인 영향이 없으나 장기적으로 철폐 필요

- 추가 Request List 발굴

  o 선진국에 대한 request 중 추가 request list 제시

  o ASEAN 국가에 대한 신규 request list 제시

    · 당초 ASEAN 국가에 대해서는 UR 금융협상 공동 대처라는 차원에서 request를 자제하였으나 국익확보 차원에서 추가 request 제시 예정

29-3

0006

- 향후 추진계획

o '92. 7. 7 : 시중은행과의 대책회의

o '92. 8. 10 : 관련은행으로부터 Request 보완자료 취합

o '92. 8. 30 : 국별 협상대책 수립

o '92. 9~12 : UR 금융분야 양자협상 참여

* Request List 보완 양식 (예)

가. 독일어 구사능력

< 현 황 >

-

< 독일 대응 >

-

< 독일대응 검토 및 사례 >

- 은행 임원의 독일어 구사능력 요구는 감독당국의 판단에 의할 것이 아니라 은행 자체의 필요성에 의해서 스스로 독일어를 구사할 수 있는 임직원을 파견하도록 하는 것이 바람직

  o 독일어 구사능력 요구는 은행 인사권에 대한 제약임.

- OO은행의 경우 독일어 구사능력을 이유로 임원 발령을 못내고 전임자와 계속 같이 근무

< 아국 관심순위 > : A

29-5

0008

* 신규 Request List 작성 양식(예)

7. 태국

< 요구사항 >

- 지점 및 현지법인 형태의 은행설립 허용

< 현 황 >

- 사무소설립은 용이하나 지점설치는 1972년 이래 엄격히 제한하고 있으며 '88년 하반기부터 외은지점 추가설치를 추진하고 있으나 국내정치사정으로 보류

< 사 례 >

- △△은행은 1970년 사무소 개설이래 지점승격을 추진하여 왔으나 태국정부 외국은행 지점허용 제한정책에 의해 지점 승격을 못하고 있음.

< 아국관심 순위 > : A

IV. UR 금융협상 관련 Request 협상 결과

1. 미 국

가. 인가절차의 간소화

< 현 황 >

- 미국내 신규 영업점 개설시 인가 심사과정이 장기간 소요되고 까다로운 실정임.

< 미국 대응 >

- 은행 인가 절차는 미국은행과 동일하며, 인가 소요기간은 감독 당국이 요구하는 정보 제공 여부에 달려 있음.
  - o 현재 인가절차를 단순화, 통합화 하려는 의도로 조만간 Financial Bank Supervision Enhancement Act를 개정할 계획이며,
  - o 모든 규제를 동 법 개정시 검토할 것이며, 이때 한국의 요구사항을 고려하겠음.

나. 지역은행 협정에 의한 차별 철폐

< 현 황 >

- 지역은행 협정에 의해서 일부주에서는 외국은행의 은행 인수를 금지하고 있으며,
  - o 지역협정에 따라서 주간업무를 총예금의 상당부분을 협정 지역내에서 수취하고 있는 은행 지주회사로 한정하여 외국은행의 주간업무를 사실상 제한

29-7

0010

< 미국 대응 >

- 2월초 금융개혁법안이 제출되었으며, 동 법안에 의하면 외국 은행에 대한 차별이 3년 이내에 폐지될 것임.

다. 은행 진출형태 제한 철폐

< 현 황 >

- 일부 주에서는 외국은행에 대하여 예금 수취가 제한된 Agency 형태의 진출만 허용

< 미국 대응 >

- 2월초 제출된 금융개혁법안에 외국은행의 진출형태에 대한 제한 철폐가 포함되어 있음.

  o 현재 외국은행에 대하여 진출을 제한하고 있는 주는 전체 50% 미만이며 중요한 주는 아님. (Texas, Florida 등)

  o 뉴욕, 일리노이, 캘리포니아 등 금융중심지에서는 지점, 자회사 등 모든 형태의 영업이 가능함.

- Home state 이외의 주에서 branch 설립을 금지하는 제한은 미국은행에도 동일하게 적용되고 있음.

라. CD 등 적격 유가증권 인정

< 현 황 >

- S & L 이 투자 가능한 적격자산의 범위를 FDIC에 가입한 은행 예금으로 한정되어 있어 FDIC에 가입하지 않은 외국은행 발행 CD에 S & L 이 투자할 수 없음.

< 미국 대응 >

- 외국은행의 자산이 대부분 외국에 있어 S & L 보유자산의 건전성 유지를 위해 FDIC에 미가입한 외국은행 CD 취득을 제한하고 있으나,
  - o 이는 Prudential reason이며, 외국은행 영업에 중요한 장애요인이 아님.
- 다만, 외국은행 형태를 Agency로 제한하여 FDIC 가입 필요성이 없는데다 CD 투자대상 제한이라는 2중규제는 다시 검토해 보겠음.

마. 재보험 신용장 발행제한 철폐

< 현 황 >

- 외국보험사가 재보험 취급시 은행의 SB L/C가 필요하나,
  - o 외국은행이 FRB 가맹은행이 아니므로 미국은행 해외지점이 발행한 L/C 이용을 강요
  - o NY 주의 경우 외국은행에 L/C 발급을 허용하나, 외국은행에 대하여 미국은행보다 높은 신용등급을 요구

29-9

0012

< 미국 대응 >

- 재보험 신용장 발행제한이 폐지된 것으로 알고 있으나, 추후 확인해 보겠음.

- NY 주의 경우 외국은행이 지점이므로 국내은행보다 높은 신용등급을 요구하는 것임.

바. Broker-Dealer 등록시 차별요건 철폐

< 현 황 >

- NY 주에서 외국은행이 Broker-Dealer 등록시 국내은행과 차별적인 의무가 부과됨.

< 미국 대응 >

- '91.10 NY주 증권관리위원회에서 외국은행도 국내은행과 동등하게 Broker-Dealer 등록 요건을 적용키로 결정

사. Pledged Asset 예치의무 완화

< 현 황 >

- FDIC에 가입하지 않은 외국은행 지점은 10만불 이상 또는 Total Eligible Liabilities의 5% 이상을 항상 Pledged Asset을 예치해야 함.

< 미국 대응 >

- 은행법에 의거 외국은행은 TB나 Cash로 지준을 쌓거나 FDIC 가입은행에 예치해야 함.

  o 이는 은행 청산·파산시 담보역할을 하는 prudential measures임.

아. Fed Wire 이용시 Daylight Overdraft Cap 범위 완화

< 현 황 >

- Fed Wire 이용시 FRB가 각 은행에 제공하는 당좌대월한도 (Daylight Overdraft Cap)가 외국은행에 대해서는 본점 자본금이 아닌 Capital Equivalency에 의거하고 있으므로 이를 본점자본금을 기준으로 변경할 것을 요구

< 미국 대응 >

- 외국은행은 자산이 대부분 외국에 있어서 이러한 제한이 불가피하며,

  o 최근 BIS rule 채택국가 은행에 대해서는 당좌대월한도를 본점자본금의 10%로 완화하였음.

  o 한국도 BIS rule을 채택하는 경우 수혜 가능

29-11

0014

자. Visa 발급 완화

< 현 황 >

- Home Staff의 미국 근무에 따른 Visa 발급시 과다한 서류 요구 및 장기간이 소요

< 미국 대응 >

- L-1 Visa의 경우 요건 충족시 허용되고 있으며, E-1, E-2 Visa는 한·미 우호통상조약에 의하여 특별히 허용되고 있는 것으로 UR 서비스협상 대상이 아님.

차. 외국은행 감독 일원화

< 현 황 >

- State licensed인 외국은행은 총자산이 10억불 이상인 경우 FRB에 대한 보고의무가 있으며, FRB의 감독을 받아야 함.

< 미국 대응 >

- 외국은행에 대한 감독은 작년 BCCI 사건 이후 강화되고 있으며,

  o 총자산이 10억불 이상인 은행은 국내외은행 동일하게 FRB와 주정부의 2중 감독을 받고 있음.

카. Chicago Loop Zone 완화

< 현 황 >

- 시카고에 진출한 외국은행은 시카고내 중심부의 일정구역 (Chicago Loop Zone)으로 제한되어 있어 한국계 은행의 경우 교민 밀집지역인 Lawrence, Lincoln 가의 진출이 불가

< 미국 대응 >

- 이러한 은행 설립지역 제한은 State Licensed Bank에만 적용되며, Federal Licensed Bank에는 진출지역 제한이 없음.
  - o 이는 Federal Licensed Bank보다는 State Licensed Bank가 설립이 용이하고 비용이 절감되는 혜택이 있으나, Chicago Loop Zone과 같은 제한이 있음.

2. E C

A. 영 국

가. 영란은행의 창구지도 범위 축소

< 현 황 >

- 영란은행의 창구지도가 은행 경영의 건전성 지도 차원보다 지나치게 세부적인 사항까지 관여

< 영국 대응 >

- 영란은행의 창구지도는 예금자 보호 및 통화정책 수행을 위한 것으로 무차별적으로 적용됨.
  - o 외국은행에 대한 대출제한은 개별은행의 정상적 영업에 관한 사항으로 debt service capacity를 uniform하고 무차별적으로 하려하는 것임.
  - o Home country lending 규제는 국가별로 다르나, 이는 prudential needs에 따른 것으로 대출에 따른 잠재적 위험을 줄이기 위한 것이며, 개별은행의 여러요소(자산의 위험성, 개별은행 상황)를 고려하며 필요한 경우 해당 은행에 대출 portfolio를 조정할 충분한 시간을 부여하고 있음.

나. 본점 차입에 대한 지급이자 손비 인정

< 현 황 >

- 영국 국세청은 외국은행 지점에 대해 영업규모에 따라 적정 자본금에 해당하는 금액을 Free Capital로 산정하고, 동 Free Capital의 시장이자율 금액을 지점이 본점에 지급하는 배당금으로 간주, 비용으로 불인정

< 영국 대응 >

- 지점과 현지법인간에 공평한 과세를 위한 것으로 현재 외국 은행과 영국 조세당국간에 동 문제를 논의하고 있음.

  o 그러나, 공평한 과세를 위한 차별조치는 서비스협정 제14조에 의하여 인정되고 있음.

B. 독 일

가. 자본금 축소 인정 완화

< 현 황 >

- 지점의 영업기금을 책임자본금이라 규정하고 책임자본금 계산시 본지점 차변잔(지점의 본점에 대한 대출)을 차감하고, 대변잔(지점의 본점으로부터의 차입)은 책임자본금으로 인정하지 않고 있음.

29—15

0018

< 독일 대응 >

- 본지점 차입과 대출을 상계한 잔액만 책임자본금으로 인정

나. 본점 차입에 대한 지준부과 철폐

< 현 황 >

- 지점의 본점으로부터 차입시 비거주자의 요구불 예금으로 간주하여 최고 지준율인 12.1% 적용

< 독일 대응 >

- 모든 금융기관의 4년 이내의 국내 또는 국외차입에 대해 무차별적으로 지준의무가 부과되고 있음.

다. 외국은행 지점의 증권업무 제한 완화

< 현 황 >

- 외은지점은 장기국채 발행시 연방채권 인수단에 참여할 수 없음.

< 독일 대응 >

- 현지법인의 경우 연방채권 인수단 참여가 가능하나, 지점은 국공채 발행에 참여할 수 없음.

라. 복수점포장제도 폐지

< 현 황 >

- 은행법상 독일에 주소를 둔 최소 2명의 지점장을 임명해야 함.

< 독일 대응 >

- 예금자 보호를 위해 부과된 것으로 큰 문제가 없음.

  o 복수점포장중 1명은 German Banker License (3년간 근무 경험, 독일내 credit department에서 leading position에 있어야 함)가 있어야 하며, 나머지 1인은 독일내 1년간 근무경험이 있어야 함.

  o 국적요건이 없으므로 한국인에 의한 복수점포장이 가능 하며, 이 제도는 근무경험을 요구하고 있어 단지 시간이 소요될 뿐이며 외국은행에게 큰 문제는 아님.

마. 독일어 구사능력 요구 철폐

< 현 황 >

- 은행 임원에 대해 독일어를 충분히 구사할 것을 요구

29－17

0020

< 독일 대응 >

- 독일어 구사능력 요구는 prudential reason에 의한 것임.

  o 독일 연방감독청 담당자가 외국은행을 방문하여 독일어로 은행에 대한 일반적인 토의를 하는 것으로 임원의 은행 관리능력을 보는 것임.

  o 특히, 은행업무와 관련 부채, 유동성 관리에 문제가 있는 경우 이런 사정을 감독 당국과 얘기할 필요가 있기 때문임.

- 현재까지 독일어 구사능력을 이유로 은행 임원 취임이 거부된 경우는 없음.

C. 프랑스

가. 여신한도 규제 완화

< 현 황 >

- 한국계 은행에 대해서도 여신한도 규제에 대한 예외 적용이 안되고 있음.

< 프랑스 대응 >

- 영업기금 증액 조건으로 동일한 여신한도 면제 특인 인정

3. 일 본

가. 일본은행(BOJ)의 재할인 한도 확대

< 현 황 >

- 일본은행은 대출과목별로 금융기관에 대한 대출한도를 설정하고 총 한도내에서 국별, 은행별로 대출한도를 자의적으로 부여하고 있음.

  o 현재 일본은행의 재할인 한도 계산기준은 개별은행의 영업성과(business performance)를 고려한다고 되어 있어 명확한 기준이 없음.

< 일본 대응 >

- 이를 BOJ에 전달하겠으나 이는 시장접근이나 내국민대우와는 무관한 문제로서 UR 협상범위를 벗어난 문제임.

  o 특히, BOJ의 재할인 한도는 통화정책의 문제로서 transparent한 기준마련이 어려운 실정이나 불필요한 제한 조치는 제거할 것임.

나. 일본은행의 거치 담보대출 확대

< 현 황 >

- 국공채를 담보로 차입할 수 있으나 담보종류가 한정되어 있어 공여한도가 증가해도 실효가 없으며, 때로는 보유 국공채에 비해 한도가 부족한 경우도 있음.

29-19

0022

< 일본 대응 >

- BOJ의 적격어음 제한은 Prudential Reason 이며, 무차별 조치임.

다. 신탁업무 취급허용

< 현 황 >

- 은행·신탁 분리주의 및 전문은행제도에 따라 일반은행의 신탁업무 취급이 제한되고 있음.

< 일본 대응 >

- 1980년대 외국은행으로부터 신탁업 허용요구를 신청받아 9개 은행에 허용하였으며, 그 당시 한국계 은행의 신청은 없었음.

- 신탁업 허용문제는 최근 논의되고 있는 금융기관 업무영역 조정과 관련하여 결정될 것이며, 동 결과에 따라 한국계 은행이 신탁업 인가조건을 충족시킨다면 무차별적으로 허용할 것임.

라. 금융공동전산망

< 현 황 >

- 금융기관이 온·라인 처리업무 제휴를 위해서는 대장성의 인가가 필요함.

< 일본 대응 >

- 전산망 가입은 당해 은행간의 사적 계약으로 당사자간에 합의하면 가입이 가능함.

  o 최근 미국 Citi 은행이 도시은행 전산망인 BANCS에 가입하였으며, 한국계 은행도 가입조건을 충족하면 가입할 수 있음.

마. Call 시장 통합

< 현 황 >

- Call 시장은 담보, 무담보 시장으로 이원화되어 있음.

  o 담보로 쓰이는 적격어음이 부족한 외국은행들은 금리조건이 불리한 무담보 Call 자금에 대부분 의존하고 있으며, 중기자금(3~6개월)의 차입 곤란

< 일본 대응 >

- Call 시장의 2원화는 담보력이 부족한 외국은행을 위한 조치임.

29-21

0024

4. 카나다

가. 지점형태의 외국은행 진출 허용

< 현 황 >

- 지점형태의 영업을 금지하고 현지법인 형태의 영업 허용으로 은행 영업상의 제약요인이 됨.

< 카나다 대응 >

- Prudential measures의 일환으로 현지법인 형태로만 진출을 허용하고 있음.
  - o 모은행의 문제 때문에 발생할 수 있는 국내예금자의 피해 방지, 외은지점에 대한 파산시 청산법의 적용을 둘러싼 불확실성 등의 이유가 있음.

나. 외국은행 인가시 인가과정의 불투명성

< 현 황 >

- 은행 면허를 받기 위한 과정이 복잡하고 불명확하여 장시간 소요
  - o 특히, 관행에 의해 은행면허 검토시 캐나다에 생기는 이익 제시 요구 및 불필요한 정보와 자료제출 요구
  - o 또한, 일부 경우는 추후 영업과 투자에 관한 특정 의무를 부과함.

29－22

0025

< 카나다 대응 >

- 인가절차는 공개된 기준(published guide)이 있으며, 이로 인한 특별한 문제는 없음.

  o 인가 기간은 신청은행이 감독당국이 요구하는 자료제출 시간에 따라 달라짐.

다. 외국은행의 카나다 자산 보유한도 규제 철폐

< 현 황 >

- 외국은행의 카나다내 자산 보유한도를 국내 총자산의 12%로 제한하고,

  o 개별 외국은행의 총자산을 당해 외국은행 의제자본금 (Deemed Authorized Capital)의 12.5배 이내로 제한

< 카나다 대응 >

- 이 제한은 카나다 금융시장 개방에 대한 불확실성(uncertanity regarding the effect of liberalization on Canadian markets)으로 인해 부과된 것임.

  o 1984년에 한도가 8%에서 16%로 배가되었으나, 1989년 자유무역협정에 의거 미국에 제공된 면제를 고려하여 12%로 조정

- 자산보유한도 확대 신청시 허용되고 있으며 아직까지 한도 여유가 많아 실제로 제한조치로서 작용하고 있지 않음.

라. 은행 진출형태 제한 철폐

< 현 황 >

- 외국은행의 진출을 Schedule B 은행으로만 허용함에 따라서 다음과 같은 제약을 받음.

  o 최초 5년간 은행 면허를 갱신해야 하며,

  o 개별 외국은행의 총자산을 당해 외국은행 의제자본금의 12.5배로 제한하는 한도 규제가 적용되며,

  o 해외로부터의 영업자금조달액을 전체 자금조달액의 50% 이내로 제한

< 카나다 대응 >

- 새 은행법에 따라 감독원은 국내외 은행의 사업 개시와 운영 승인을 위하여 "order of indeterminate"을 발급(국내은행과 차별 없음)함에 따라 최초 5년간 면허갱신 의무가 폐지 되었음.

- 새 은행법에는 외국은행의 의제자본금에 대한 자본 비율은 은행법에 반영되지 않았으나, 외국은행의 평균 국내자산 한도를 재무부령에 의하여 정하도록 하였음.

- 해외로부터의 영업자금 조달 제한(총 조달액의 50% 이내)은 '91년중에 폐지되어 실제 적용되지 않고 있음.

마. Upstream lending 제한 완화

< 현 황 >

- 외국계 은행의 모행 또는 계열기업에 대한 대출, 보증 및 예금을 금지

  o 단, 유동성 관리상 30일 이내의 일시 예치 및 납입자본금의 20%이내인 경우는 예외 인정

< 카나다 대응 >

- Prudential reason임.

  o 단, 감독원이 인정한 경우 정상적인 업무수행에 따른 관련 금융기관에 대한 자산이전은 가능함.

바. 본점차입에 대한 손비 인정 범위 확대

< 현 황 >

- 은행에 대한 지급이자 일부를 손비로 인정 안함.

  o 모은행으로부터의 차입이 자본금(잉여금 포함)의 3배를 초과하는 경우 지급이자 일부를 손비로 인정하지 않음. (Thin Capitalization)

< 카나다 대응 >

- 이는 외국회사(은행 또는 기업)에 적용되는 조세문제로 적정한 tax base를 유지하려는 것임.

  o 또 이에 대한 각국의 request가 많아 이를 재검토 중에 있음.

29-25

0028

사. 인사상 제한 완화

< 현 황 >

- 재직이사의 50%는 카나다 거주 시민권자이어야 함.

  o 이사 선임에 대한 인사권 제한을 초래

< 카나다 대응 >

- 회사의 활동을 책임질 수 있는 카나다인이 필요하기 때문에 부과되는 제한임. (prudential reason)

아. 복수회계 감사기관 선정 폐지

< 현 황 >

- 은행 규모에 관계없이 복수회계 감사기관을 선정토록 되어 있음.

< 카나다 대응 >

- 새 은행법에 따라서 단일 회계 감사기관 선정이 가능함.

5. 호 주

가. Trading Banks 진출 허용

< 현 황 >

- 1985년 이후 상업은행 진출을 제한하고 있으며, Finance Company 형태로만 허용

< 호주 대응 >

- 외국은행의 현지법인 설립 및 소매금융 허용, 지점을 통한 도매금융 허용, 국내은행 인수 등 대폭적인 금융개방 조치를 조만간 취할 예정임.

나. 본점 차입에 대한 손비인정 범위 확대

< 현 황 >

- 본점 차입이 자기자본의 6배 이내인 경우에만 동 차입이자를 손비로 인정

< 호주 대응 >

- 이는 지나친 차입을 막기 위한 것으로 일반기업은 자기자본의 3배, 금융기관은 6배 이내로 제한
  - o 그러나, 30일 이내 단기거래는 제외되며, 차입금액 계산 방식을 변경하는 등 제도개선을 추진하고 있음.

29－27

0030

6. 스위스

가. 이사회 구성 요건 완화

< 현 황 >

- 현지법인 이사회 구성시 이사의 과반수 이상이 스위스 국적 거주자라야 함.

< 스위스 대응 >

- 이는 Horizontal 문제로 금융산업뿐만 아니라 모든 산업에 적용되며, 앞으로 상당기간 유지할 방침임.

나. 증권발행 차별 철폐

< 현 황 >

- 외국은행의 증권발행(issues of securities)의 경우 스위스 발행자에게 우선권을 주는 priority system이 재무부 승인 과정에 존재

< 스위스 대응 >

- 동 제도는 이미 철폐되었음.

다. 증권부문 제한 철폐

< 현 황 >

- 외국증권사에 대한 모든 주문은 스위스은행을 중개인 (intermediary)으로 해서 이루어지는 신사협정(gentleman's agreements)이 존재

< 스위스 대응 >

- 증권거래소 회원 은행을 통해서 주식거래를 하는 것은 당연하며,

  o 외국은행도 증권거래소 회원에 가입할 수 있으며, 증권주문시 스위스 은행을 통해서 해야 하는 신사협정은 없음.

29－29

0032

서기 1992년 7 월 6 일 20 부 발간	
발간업체명 : 주식회사 신진상사 과천지사 전화 503-7154~8	
주　　소 : 경기도 과천시 중앙동 40-7	
대 표 자 명 : 대표이사 서 정 의	
인 가 근 거 : 경기 총무 02302-64154(1991. 10. 21)	
참 여 자	재 무 부 국 제 금 융 과
	6 급 김 관 주

0033

외 무 부

110-760 서울 종로구 세종로 77번지 / (02)720-2188 / (02)725-1737 (FAX)

문서번호 통기 20644-1796
시행일자 1992. 7.10.( )

취급		장 관
보존		
국 장	전 결	
심의관		
과 장		
기안	이 시 형	협조

수신 수신처 참조
참조

제목 UR 서비스협상(금융) 관련 Request 보완

1. 금년 상반기에 개최된 UR 서비스 협상의 금융분야 양자협상에서 아국이 제기한 Request 에 대하여 주요국과 협의한 결과를 별첨 송부합니다.

2. 금년중 금융서비스분야의 실질적인 양허 협상이 재개되는 경우에 대비, 재무부에서는 시중은행에 대하여 해외 점포를 통하여 아국 Request 에 대한 보완 작업에 필요한 의견 및 자료를 92.8.10 한 제출토록 요청하였는 바, 동 작업이 충실히 진행될 수 있도록 귀관 재무관으로 하여금 협조토록 조치 바랍니다.

첨 부 : UR 금융협상 관련 우리 Request 보완 1부. 끝.

외 무 부 장 관

수신처 : 주 일, 영, 불, 제네바 대사, 주 뉴욕, 프랑크푸르트 총영사.

0034

경 제 기 획 원

우 427-760 / 경기도 과천시 중앙동1 정부제2청사 / 전화 503-9149 / 전송 503-9141

문서번호 통조삼 10502-109
시행일자 1992. 7. 16
(경유)
수신 수신처참조
참조

선결			지시	
접수	일자 시간	92. 7. 18	결재·공람	
	번호	26079		
처리과				
담당자				

제목 UR/서비스 양자협상결과 및 검토과제 통보

1. 통조삼 10502-103('92.6.20) 관련입니다.

2. 당원 제2협력관을 수석대표로 하여 경제기획원, 재무부, KDI 자문관 및 현지 대표부 관계관으로 구성된 정부대표단은 '92.6.23~6.25기간중 스위스 제네바에서 미, EC, 일본, 캐나다, 호주, 뉴질랜드, 스웨덴등 7개국과 제4차 UR/서비스 국별자유화 약속에 관한 양허협상을 가진 바 있습니다.

3. 이번 협상과정에서 각국은 주로 우리의 금융자율화 계획등과 관련한 금융분야, 최혜국대우(MFN)원칙 일탈문제, 해운 및 기본통신분야의 다자간협상 추진문제등에 많은 시간을 할애하였으며 인력이동 허용범위 확대문제, 외국인 토지취득문제등도 중요한 의제로 제기한 바 있습니다.

4. 이에 대응하여 정부대표단은 6.18일자 UR대책 서비스 실무소위원회 결과에 의거 각국의 요구사항 및 동향에 대한 정확한 파악에 활동의 중점을 두었고 지난 2월 GATT에 제출한 수정양허표의 입장을 기본적으로 견지하였읍니다.

5. 향후 협상일정과 관련해서는 7월중 양허협상은 개최하지 아니하고 각국이 서비스협상전반에 대한 내부적인 검토를 한 후 금년 9월부터 실질적인 협상노력을 기울인다는 것에 각국이 대체로 합의를 한 바, 9월부터 최종협상에 대비한 각국간의 양허협상이 본격화될 것으로 예상됩니다.

6. 따라서 우리로서도 그동안 양허협상 과정에서 제기되거나 새로이 제기된 주요한 쟁점에 대하여 최종검토를 할 단계라고 판단됩니다. 이에 금번 협상회의록

0035

우 427-760 / 경기도 과천시 중앙동1 정부제2청사 / 전화 503-9149 / 전송 503-9141

및 주요검토과제를 별첨과 같이 송부하니 이를 참고하여 귀부(처, 청) 소관사항에 대한 검토의견을 8.1(토)까지 당원으로 송부하여 주기 바랍니다. 아울러 각국의 양허계획표(offer list)를 검토하여 상대국에 대한 추가요구사항(request)을 발굴하여 통보해 주시기 바랍니다.

첨부 : UR/서비스 제4차 양자협상회의록, UR/서비스협상 분야별 검토과제 각1부.
끝.

경 제 기 획 원 장

제 2협력관 전결

수신처 : 외무부장관, 내무부장관, 재무부장관, 법무부장관, 교육부장관, 문화부장관, 농림수산부장관, 상공부장관, 보건사회부장관, 건설부장관, 교통부장관, 노동부장관, 동력자원부장관, 체신부장관, 과학기술처장관, 환경처장관, 공보처장관, 특허청장, 해운항만청장, 한국개발연구원장, 대외경제정책연구원장,

0036

UR/서비스協商 分野別 檢討課題

檢 討 課 題	要求國家	所管部處
1. 共通適用事項		
(1) 外國人投資		
- 自由化·制限·禁止業種과 같이 분야별로 자유화 수준을 달리하는 정책적기준 및 논리	日本	財務部
(ex) 建設分野 50%미만은 신고제, 50%이상은 허가제로 하는 rationale		
- 外國人投資 追加自由化를 발표한 서비스업종을 대외적으로 binding하는 문제		
(2) 外國人 土地取得		內務部
- 개방서비스 업종에 대한 外國人 土地取得 허용	美國, 日本	
o 외국인 토지취득 제한논리 재점검		
o 외국인 토지취득 허용 확대계획(법개정계획 포함)		
- 外國人 土地取得 신규 허용업종 binding요구	美國, 日本	
- 외국인의 個人 또는 社員用住宅 취득허용여부	日本	
(3) 人力移動		法務部, 勞動部, 財務部
- Service Seller 양허문구 확정 및 양허분야 확정 (全分野 또는 金融除外)	EC, 美國 카나다등	
* 金融分野에도 미·일등 대부분의 국가가 讓許하고 있음이 확인됨.		
- 代表人力(종전의 Sole Representative) 양허여부 확정	EC, 美國등	
* 美·日·카등 대부분의 나라가 양허예정임이 확인되었음.		
2. MFN 逸脫措置		
(1) MFN逸脫 追加申請業種 확정문제에 대한 관계부처 의견		經濟企劃院, 內務部, 財務部, 文化部, 商工部, 海運港灣廳

0037

檢 討 課 題	要求國家	所 管 部 處
- 業種 ○ 視聽覺分野 ○ 해운 Waiver제도의 韓·日航路 대체문제 ○ 무역업 對日 MFN逸脫 ○ 외국인 토지취득 상호주의 ○ 金融分野 방어적 일탈 - MFN逸脫 최소화라는 기존입장과의 상충문제등 分野別 MFN逸脫 논리제시 (2) MFN逸脫申請 時点 (3) MFN逸脫申請 영문화 작업		
3. 金融分野	美·EC등	財務部
(1) 金融自律化 blueprint 내용중 시장접근, 내국민대우 관련사항의 파악 및 미, EC등 각국의 offer 반영요구에 대한 立場 再點檢 (2) 미·EC등의 우리 金融 offer에 standstill 명기 요구에 대한 우리입장		
(3) 金融 offer중 "certain"과 같은 불명확한 부분의 具體的內容 및 구체적으로 기재할 수 있는 사항 파악	스웨덴	
4. 保險	美·濠洲등	財務部
(1) 미국등이 7월 발표한 保險 自由化計劃에 대해 9월 양자협의 主 議題의 하나로 요구하고 있는바 - 금번 계획에서 미측 요구반영정도, 미반영 요구의 경우 미반영 이유 (2) Leveling the playing field - 외국보험사의 不動産取得에 있어서의 내국민대우 - 보험모집인 제도상의 具體的 制限內容 및 自由化計劃		
5. 事業서비스		
(1) 會計서비스		財務部
- 國際的會計 consolidated affiliated network(EC) 또는 worldwide international organization(美國)에 membership가입의 가능여부	美, EC	

0038

檢 討 課 題	要求國家	所管部處
ㅇ 組織加入이 가능한 경우 국내적으로 허용가능한 조직가입의 법적양태(예: partnership으로 가입 가능여부) · 가입법적양태에 따른 國內規制가 있는지 여부 ㅇ 組織加入에 따른 fee등 부담가능한 경비의 범위 등 외환상의 규제여부 ㅇ Partnership이 가능하다면 외국에서 국내로 들어오는 법인간의 partnership 또는 financial link는 허용 않으면서 국내에서 밖으로 나가는 것은 허용하는 논리 · 밖으로 나가는(즉 member가 되는) 경우 許容業務範圍에 제한이 있는지 여부 (즉 안으로 들어오는 financial link와의 業務範圍등 실질적차이 여부 ㅇ Affiliation 허용관련 擔當部署, 節次등 제도 체계		
- 會計서비스 field experience요건의 구체적내용 및 offer 기재사항인지 여부확인	EC	
- 外國 CPA진입 숫자제한 유무	美國	
(2) 法務서비스 외국법 자문 허용요구에 대한 입장 및 대응논리 재검토	濠洲등	法務部
(3) TV광고 air-time 配分制度의 구체적내용 및 대외 차별적 요소유무에 대한 재점검	EC, 美國	公報處
(4) 農林業 附隨서비스(CPC 881) 허용요구	카나다	農林水産部
- 농림 consulting, 엔지니어링의 國境間供給등 가능여부	뉴질랜드	
(5) 鑛業附隨서비스(CPC 883) 허용요구	카나다	動力資源部
(6) 觀光關聯 국내규제 재점검 및 외국의 tourism 개방요구 관련 한·일 협조요청에 대한 의견	日本	交通部
6. 通信		遞信部
(1) 기본통신개방 多者間協商 參與要求에 대한 입장 재점검 - 스웨덴 修正 proposal에 대한 재검토		

0039

<table>
<tr><th>檢 討 課 題</th><th>要求國家</th><th>所 管 部 處</th></tr>
<tr><td>- 만약 基本通信 참여한다면
① 參與의 전제조건
② (i) 基本通信에 관한 복수국간 협상기간동안 MFN 적용여부 (ii) 기본통신분야를 他分野로 부터 분리시킬 경우 UR종료시 국가간 양허균형 평가 및 기본통신에 관한 협상종료시 양허균형 평가, 달성문제 (iii) 協商時限 (iv) 협상 대상분야의 範圍(참가국의 관심분야는 모두 協商對象이 되어야 한다는 의견에 대한 입장) (v) 協商參加國의 구성(모든 국가에 개방 되어야 한다는 외견에 대한 입장)</td><td></td><td></td></tr>
<tr><td>(2) 基本通信範圍 및 通信서비스 분류기준</td><td>스웨덴</td><td></td></tr>
<tr><td>- Satellite 서비스 소속 및 성격파악</td><td>〃</td><td></td></tr>
<tr><td>○ Fixed, frequency network의 정의 · 분류</td><td></td><td></td></tr>
<tr><td>- 移動通信 외국회사 진출실적</td><td>濠洲</td><td></td></tr>
<tr><td>7. 海運</td><td></td><td>海運港灣廳<(4)는 關稅廳意見 포함></td></tr>
<tr><td>(1) 우리측 해운 세부업종별 규제현황등 일람표 작성
<table>
<tr><th>細部 業種</th><th>外國人投資 自由化與否</th><th>制限 內容</th><th>自由化 計 劃</th><th>備 考</th></tr>
<tr><td></td><td></td><td></td><td></td><td>- 우리 Offer와의 關係
- KSIC上 包括範圍 및 CPC Code와의 일치문제</td></tr>
</table></td><td></td><td></td></tr>
<tr><td>(2) 해운서비스 분류방법 검토
- 우리 분류, 사무국문서, EC model 스케쥴의 업종 분류방법 및 그 포괄범위(각 업종의 정의가 가능한 경우 이를 명시) 비교 또는 차이점 도출
○ 그에 대한 우리입장 정립
- 이와관련 특히 海運關聯 事務局文書 및 EC Model 스케쥴과 관련 6.25 海運 非公式協議에서 제기된 definition 및 실질문제에 대한 우리입장 정립</td><td></td><td></td></tr>
</table>

檢 討 課 題	要求國家	所管部處
○ Definition 問題 : ① cargo-handling services의 정의 및 그 포괄 범위내의 개별분야의 구체적정의와 상호구분 (예 : Stevedoring과 loading, unloading의 차이등) * 관리만을 위한 투자의 개념 성립여부 ② on-land transport 서비스(육상 트럭킹)의 분류 및 scheduling 방법 · 운송서비스의 운송수단별 구분 및 그 포괄범위 · door to door(複合運送) 개념파악 및 그 현황 및 자유화계획 ③ 海運船社의 자사직접 보조서비스(self-supporting services)의 분류 · 국제운송분야의 기타형태의 商業的駐在에 포함되는지, 기타보조서비스에 포함되는지 ○ 實質的 問題 : ① Liner code등 國際海運分野의 MFN 일탈문제를 어떻게 처리할 것인지 · Liner Code성격, 가입현황파악 포함 ② 선박의 국적문제(A국소유의 선박이 B국 국기를 게양할 경우 同 船舶의 국적) ③ 閉鎖同盟은 그 운영의 성격상 시장접근을 크게 제약하는 바 private entity인 이를 어떻게 규율하고 어떻게 scheduling할 것인지(事務局 文書의 경우 3-C항) · 閉鎖同盟 현황파악 포함		
(3) 國際海運, 海運支社, 海運代理店, 指定貨物制度, 海運貨物 運送周旋業에 대한 제한철폐 - 각 업종별 제한사항 구체적 파악 및 향후 철폐 계획 점검 - 일본이 海運周旋業을 상호주의를 이유로 MFN일탈할 경우 우리 業界에 미치는 영향 파악	日本, 카나다	
(4) 貨物運送 周旋業者가 通關仲介 서비스도 할 수 있도록 허용해 달라는 요구 또는 韓國關稅士를 고용할 수 있도록 해 달라는 요구에 대한 우리 입장 재검토	EC등	

檢 討 課 題	要求國家	所管部處
(5) Container station services 開放與否	EC	
(6) 港灣施設에 대한 접근허용	카나다	
(7) Inter-port 서비스관련 우리제도 현황, 개선계획		
- 海運代理店의 등록 수리조건으로서의 inter-port 금지가 '91.9부터 부과되지 않는다는데 이것이 MFN basis인가 확인	日本	
8. 陸運		
- 鐵道運送事業 확대계획 여부	스웨덴	交通部
○ 육상트럭킹 구역확대문제 확인		
9. 航空		交通部
- 航空附屬書에 대한 입장확정		
- CRS MFN逸脫申請 철회요구	EC	
○ 대부분의 주요국가와 雙務協定이 기 체결된 상황에서 MFN일탈 유지 실익여부 검토		
- 항공기수선 海外消費制限 유무	濠洲	
○ 國內社 優先制度 유무 ○ ENT 基準의 구체화		
10. 流通		
(1) 小賣業		商工部
- 賣場面積 확대요구	美國	
○ 流通業 開放 3단계 開放計劃 점검		
- ENT의 具體的 내용적시	美國	
(2) 貿易業		商工部
- 韓·EC 雙務協議時 무역업 인가관련 이행조건 철폐문제 논의상황 확인	EC	
- 금번 貿易業 改善措置 binding 여부	EC, 日本	

0042

檢 討 課 題	要求國家	所 管 部 處
11. 카나다의 環境關聯 書面提案에 대한 입장정리	카나다	環境處
12. 建設		建設部
(1) 매 3년 新規免許 發給制度 개선 추진상황 및 철폐요구에 대한 입장 재점검	日本	
(2) 都給限度制 철폐요구	日本	
- 韓國의 P.Q 導入計劃 및 P.Q制度의 경우 일반적으로 민간공사에 적용안되는데, P.Q도입시 그 대상 및 적용방법 검토		
13. 우리 讓許業種의 CPC code와의 일치화 최종점검 및 영문화		各部處, 經濟企劃院

0043

경 제 기 획 원

우 427-760 / 경기도 과천시 중앙동1 정부제2청사 / 전화 503-9149 / 전송 503-9141

문서번호 통조삼 10502-///

시행일자 1992. 7. 22

(경유)

수신 외무부장관

참조 통상국장

선결			지시		
접수	일자 시간	92 . 7 . 23	결재·공람		
	번호	26762			
처리과					
담당자		이시형			

제목 일본 외무성 문화교류부장과의 협의자료 요청

일본영화의 수입문제는 현재 진행중인 UR/서비스 양허협상에서 한·일 양국간의 중요한 쟁점이 되고 있으며 UR대책 실무위원회는 동 사항의 최혜국대우(MFN)원칙 일탈 신청의 필요성 여부를 검토하고 있습니다. 동 검토와 관련하여 귀부(문화협력국장)가 '92.7.7~8간 일본측과 협의한 내용을 참고하고자 하니 동 협의내용 및 귀부가 문화부에 검토 요청한 공문사본을 조속히 송부해 주시기 바랍니다. 끝.

경 제 기 획 원 장

제 2협력관 전결

0044

법 무 부

우 : 427-760 경기 과천시 중앙동 1 / 전화 : (02)503-9505 / 전송 : (02)504-1378

문서번호 국심 10502-40
시행일자 1992. 7.22.
(경 유)
수 신 외무부장관
참 조 제2협력관

선결			지시	
접수	일자 시간	92.7.23	결재·공람	
	번호	26760		
처리과				
담당자		이시형		

제 목 UR/서비스 양자협상 결과에 대한 검토의견

UR/서비스 양자협상 결과와 관련하여 법무서비스분야에 대하여는 기존 입장과 동일하게 양허불가함이 상당하다고 생각하며 그 논리에 관하여는 '91.12.과 '92.2.에 기송부된 법무서비스대책 자료를 참조하여 주시기 바랍니다. 끝.

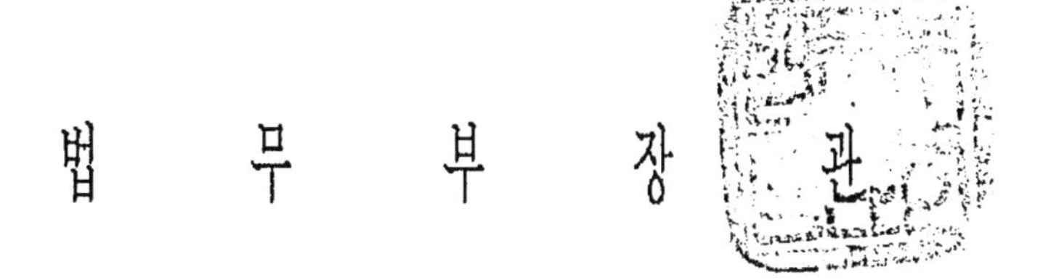

법 무 부 장 관

0045

이시

원 본

외 무 부

종 별 :

번 호 : GVW-1455 일 시 : 92 0724 1830

수 신 : 장관(통기,경기원,재무부,법무부,농수산부,상공부,문화부,건설부,

발 신 : 주 제네바 대사 체신부,보사부,과기처,항만청,공보처

제 목 : UR/GNS 비공식 협의

7.24(금) 오전카알라일사무차장 주재로 35개국 비공식 협의가 개최되어하기 휴가이후 협상 계획에 대하여논의하였는바 동 협의 결과 하기 보고함.(김대사,한경협관보 참석)

- 카알라일 사무차장은 지난 6월 회의시 7월중에9월 협상 계획을 결정키로 한 점을 상기하는한편 아직도 기술적 과제와 실질 양허협상에있어서 많은 작업 과제가 남아 있고, 정치적으로민감한 분야에서 지금부터 가을까지 어떤 결정을기대하기 어려운 상황이나 앞으로 남은 시간이제한되어 있다는 점을 고려하여 다음과 같이제의한다고 한바 동 제의에 대하여 아무 이의 없이합의함.

0 10. 5 시작주부터 2주간 양자협상 개최(본국으로부터의 협상 대표 참여)

0 동 기간중 SCHEDULING을 포함한 기술적 과제에대한 소그룹 회의 개최 (상기 협상 방식은 '92상반기와 동일한 것임) 끝.

(대사 박수길 - 국장)

통상국		청와대	보사부	문화부	체신부	경기원	재무부	농수부
상공부	건설부	과기처	해항청	공보처				

PAGE 1 92.07.25 06:14 EG

외신 1과 통제관

0046

관리번호 92-517

외 무 부

110-760 서울 종로구 세종로 77번지 / (02)720-2188 / (02)725-1737 (FAX)

문서번호 통기 20644-1855
시행일자 1992. 7.28.( )

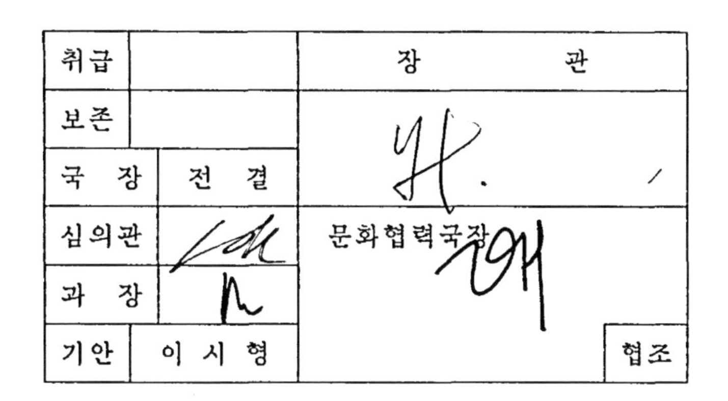

취급		장 관
보존		
국 장	전 결	
심의관		문화협력국장
과 장		
기안	이 시 형	협조

수신 경제기획원장관
참조 제 2협력관

제목 일본 외무성 문화교류부장 면담

1. 귀부 통조삼 10502-111 관련입니다.

2. 1992.7.7-8간 방한한 「기무라 다카유키」 일본 외무성 문화교류부장은 우리부 문화협력국장을 면담, 양국간 문화협력에 관해 협의하는 가운데 아래와 같은 이유로 일본영화의 한국내 상업적상영 제한을 재검토해 줄것을 요청한 바 있습니다.
   - o 여타국 영화는 상영허용 하면서 일본영화에 대해서만 상영금지 하는 것은 형평의 원칙에 어긋남.
   - o 우수 일본영화까지도 상영이 금지되고 있는데 일부 저질 일본영화가 한국내 불법 유통되고있어, 상호이해를 통한 관계 심화라는 관점에서 바람직 하지 못함.

3. 상기 일본측의 요청에 대하여는 문화부의 검토를 요청하였는 바, 귀원에서도 UR 서비스 협상 대책 마련시 위 일본측 요청 논리를 참고하시기 바랍니다. 끝.

외 무 부 장 관

0047

(이시)

한.EC통신협의
출장 결과보고

(92.7.28-29, 브뤼셀)

1992. 8. 1.

통상기구과장:

공람	통상3과	년 월 일	담 당	과 장	심의관	국 장	차관보	차 관	장 관
			전비호						

보고자 : 통상3과 사무관 전 비 호

0048

Ⅰ. 회의개요

o 회의기간 및 장소 : 92.7.28-29, 브뤼셀

o 주요 토의사항 : - 한국의 통신분야 정부조달제도
- 한.미 통신협상 결과
- UR 통신분야 서비스 협상
- 표준화, 인증제도

Ⅱ. 대표단 명단

(아 측)

o 수석대표 : 체 신 부 통신협력단 과장 노 희 도

o 대 표 : 외 무 부 통상3과 사무관 전 비 호
체 신 부 통신협력단 사무관 석 제 범
주EC 대표부 과학관 최 건 모

o 자 문 : 통신개발연구원 연구위원 최 병 일
한국통신연구소 브뤼셀 사무소실장 정 희 창

(EC측)

o 수석대표 : EC 집행위 DG1 서비스과장 Peter Carl

o 대 표 : EC 집행위 DG1 극동과장 Jose Borrel
" 서비스과 하이테크담당 Dorian Prince
" " GATT 담당 Cuane
" " Patricia Vincent Vila
" DG3 정부조달 담당 Chantal Bruetschy
" 기술표준담당 Brykman

Ⅲ. 주요 협의내용

1. 개회사

(ＥＣ측)

o 한.미 통신회담 결과 및 UR/GATT 정부조달협상 관련 양자 협의사항 논의 제의

o 지적재산권 타결에 따라 양자관계가 발전되고 있는 것에 상응하여 통신 분야도 호의적 조치 기대

(아 측)

o 한.미 통신협상 결과와 관련, 통신분야 정부조달 시장개방은 GATT 정부조달 협정 가입이전이라도 양자협상을 통해 상호주의에 의거 EC측에도 적용 가능함을 언급

o 한.EC간 표준화, 상호인증 및 통신기술 공동연구개발등 통신분야 협력강화 기대 표명

2. 한국의 통신분야 정부조달제도

(아 측)

o 한국의 일반 통신장비 및 통신망 장비 조달절차 설명

o EC 기업은 현재 한국의 통신분야 정부조달에 참여할 수 없으나, 한국이 GATT 정부조달협정 가입시에는 협정가입국 모두가 동등하게 국내 정부조달에 참여할 수 있을 것이며, 동 협정가입 이전이라도 EC측이 원한다면 양자협상을 통해 상호주의에 의거하여 EC 기업이 한국통신의 조달절차에 참여할 수 있을 것이라고 설명

2

0050

(EC측)

o 한국의 일반 통신장비 및 통신망 장비의 정부조달 제도와 EC 기업의 참여 가능성 문의

- 한국의 통신사업 구조
- 한.미 통신회담 합의사항
  · 적용대상 조달기관
  · 조달청 위탁구매
- 한국통신(KT)의 조달규모 및 절차
- DACOM, 한국이동통신, 한국 항만전화등의 조달제도
  · 조달절차에 대한 한국정부의 영향력 행사 여부
  · 절차상 제3국기업 차별 여부

3. 한.미 통신협상 결과

(아 측)

o 한.미 통신협상 결과 설명

- 92.1부터 일반통신장비 정부조달시장 개방
- 93.1부터 통신망장비 정부조달시장 개방
- 94.1부터 부가가치 통신서비스 개방(MFN 적용)

o 한.미 통신회담의 정부조달부문 합의사항은 한.미 양국간 상호주의에 의거 시장을 개방키로 한 것임을 설명

o EC는 GATT 정부조달협정 비가입국에 대해 상호주의에 따라 EC 역내 정부조달 시장을 개방하고 있음을 지적하고(EC 정부조달 정책지침, 91.12.개정), EC의 통신장비 공공조달 부분이 한국에 개방된다면 한국도 상호주의에 따라 통신장비조달 시장을 개방할 것이라고 설명

(EC측)

o 대미차별을 수용할 수 없으며 조속한 시일내에 한.미 통신협상의 정부조달 부문 합의사항을 EC에게 동등적용하여 줄 것을 요청

4. 통신분야 정부조달 문제와 한.EC 관계

(아 측)

o 미국측과 통신분야 정부조달시장을 개방키로 합의한 것은 EC측이 주장하는 바와 같이 한국정부의 부당한 차별조치가 아님을 강조

o 현재로서는 양측이 각각 서로의 정부조달 시장접근에 제한을 받고 있으므로 실무협의를 통해 상호합의가 이루어지면 통신장비 조달시장 접근문제는 해결될 수 있을 것이라고 언급

(EC측)

o 지적재산권 문제가 원만히 타결되어 한.EC간 협력분위가 증진되려는 현상황에서 통신분야 정부조달에서의 대미차별은 한.EC간 관계발전에 부정적 영향을 미칠 수 있는 조치라고 강조

o EC 집행위는 최근에 작성된 한.EC 관계 non paper를 communication 형태로 발전시켜 이사회에 제출할 것을 고려중에 있으나, 통신문제로 인해 동 문서 내용의 재검토가 필요하게 되었으며, 과기협력 추진문제도 통신문제와 연계하여 검토되어야 할 것이라고 언급

o 한국의 통신분야 정부조달시장이 폐쇄되어 있는 한, 통신분야 표준화, 인증 제도협력 및 공동연구개발 추진문제에 대해 논의할 의사가 없다고 언급

5. UR의 서비스 협상

(아 측)

o 기본통신 서비스분야와 관련, 미국의 MFN 일탈주장과 스웨덴의 다자간 협상 제의에 대한 EC측 입장 문의

o UR 서비스 협상에 제출한 아측의 양허안 및 한.미 통신회담 서비스 부문 합의사항이 모든 국가에 동일하게 적용된다고 밝힘.

- 아측의 offer list에는 일본등 다른나라와 마찬가지로 통신망 장비분야가 포함되어 있지 않으나, 협상의 추이를 보아가며 대응 예정임을 설명

4

0052

(EC측)

o 미국의 기본통신서비스 분야 MFN 일탈입장에 대해 기본적으로 반대하며, 최근 스웨덴의 다자간 협상 제의와 관련, MFN과 다자간 협상원칙이 준수되어야 한다고 언급

o 기본통신서비스 분야 개방에 관한 EC의 입장은 회원국들과 협의후 금년말까지 정립 예정

o 한국의 offer list상에 통신망 장비분야가 빠져있는 것은 유감이며, 이는 결국 제3국에 대해 대미차별을 초래할 것이라고 언급

6. 표준화 및 인증문제

(아 측)

o 한.EC간 형식승인 상호인정협정 체결 가능성 타진 및 EC의 표준화 및 인증제도에 관해 문의

- 한국 표준화 관련기관의 ETSI 참여 가능성
- 한.EC 시험성적서의 상호 인정
- EMI 관련, 한.EC 시험기관의 상호인정
- CEN, CENELEC, ETSI간의 관계
- EN과 ETS의 관계
- CEN, CENELEC, ETSI의 표준제정 현황
- CTS와 형식승인 관계

(EC측)

o ETSI는 민간기관이므로, 한국의 통신분야 표준화 관련기관의 ETSI 참여문제는 해당기관이 직접 ETSI와 협의할 것을 제의

o 형식승인제도 상호인정의 이전단계인 시험성적서의 상호인정문제에 대해서는 별도 협상이 불요하다는 입장

- 현행제도상 유럽시험기관과의 Subcontracting을 통해 가능

7. 평가 및 전망

o EC측은 통신분야 정부조달시장 개방에 관한 한.미간 합의사항은 미국에 대한 일방적 특혜조치라고 주장

o EC측은 금번협의를 통한 사실확인을 바탕으로 회원국과의 협의를 거쳐 통신장비 조달제도상의 대미차별 개선을 강력 요구할 것으로 예상

  - 동 문제를 한.EC간 협력 추진문제와 연계시킬 가능성이 있음.

o 지적재산권 문제와 달리 동건은 양측이 각각 상호 시장접근을 제한하고 있으므로, GATT 정부조달협정 가입전까지 상호주의에 의한 상호 시장개방 추구 바람직

o 동건은 지적재산권 문제, 주세문제에 이어 한.EC간 중요 쟁점으로 대두될 것으로 예상되며, 한.EC간 관계발전을 위해 EC측과 긴밀한 협의를 통해 동건을 원만하게 해결함이 필요할 것으로 판단됨.   끝.

일본영화 수입 상영허용에 대한 의견

(문화부 92.8.5자 의견)

ㅇ 일본영화의 우리나라 수입상영문제는 양국간의 역사적 배경이나 국민감정으로 인한 특수한 문제로서 단순한 형평의 원칙이나 교역문제로 취급될 수 없는 정부 문화시책으로 검토되어야 할 사안으로 사료됩니다.

ㅇ 우리부는 이와같은 사유로 일본의 문화예술에 대하여 학술과 순수 예술분야의 상호교류나 수입은 허용하고 있으나 대중파급력이 강한 일반영화나 대중가요의 수입은 원칙적으로 제한하고 있습니다. 이 방침은 양국간의 관계개선과 국민감정의 해소에 따라 단계적으로 해결되어야 하겠으나 현재 국민여론이나 각계의견은 반대입장이 압도적으로 많기 때문에 우리부로서도 당분간 이를 해제할 계획이 없음을 통보합니다.

ㅇ 단 국제영화제에 출품되는 일본영화는 영화제 기간중 다른 외국영화와 같이 일반상영에 제공되고 있음을 첨언합니다. 끝.

※ 93. 1/4분기 회의(한·일 문화교류위원회) 개최
- 사전 각계의견수렴 예정
- 언론의 반응 (대부분 부정적)
- 단계적인 검토로

0055

관리 번호	92-556

주 프 랑 크 푸 르 트 총 영 사 관

주프(경) 20827- 193   1992. 8. 11.

수신 : 장관, 재무부장관

참조 : 통상국장, 국제금융국장

제목 : UR 서비스협상(금융) 관련 Request 보완

1. 통기 20644-1796 (92.7.11)에 관련입니다.

2. 대호 독일 관련 아국 Request에 대한 의견 및 자료를 별첨과 같이 제출합니다.

첨부 : 독일관련 부문 아국 Request에 대한 의견 및 자료 1부.   끝.

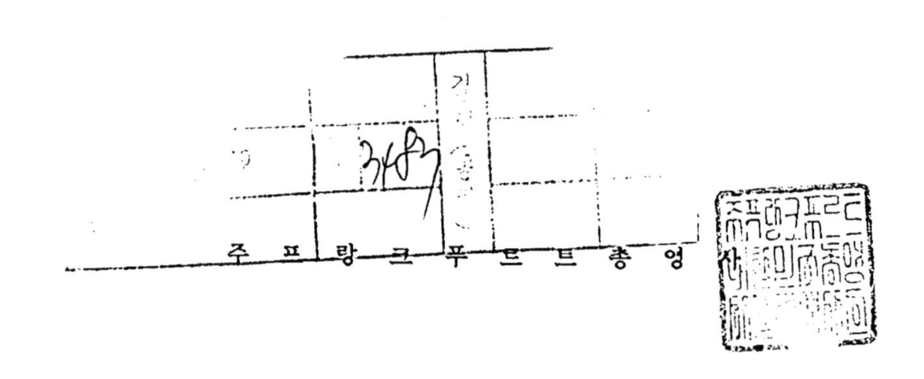

주 프 랑 크 푸 르 트 총 영

0056

B. 독 일

가. 자본금 축소 인정 완화

<현황>

- 지점의 영업기금을 책임자본금이라 규정하고, 책임자본금 계산시 "본지점 차변환잔" (지점의 본점에 대한 대출)을 차감하고, "본지점 대변환잔" (지점의 본점으로부터의 차입)은 책임자본금으로 인정하지 않고 있음.

<독일 대응>

- 본지점 차입과 대출을 상계한 잔액만 책임자본금으로 인정

<독일 대응 검토 및 사례>

- 지점의 책임자본금 계산시 본지점간 차입 및 대출 상계 잔액을 차감하지 않는것이 바람직함.
  - o 우리나라의 경우 외은지점의 자본금은 영업기금으로 산정하고 있음.

<아국 관심 순위> : B

나. 본점 차입에 대한 지준부과 철폐

<현황>

- 지점의 "본점으로부터 차입"시 동 금액을 비거주자의 요구불 예금으로 간주하여 최고 지준율인 12.1% 적용

(참고) "본점으로부터 차입" 실내용

- o 지불준비에 관한 독일연방은행 지침 (Anweisung der Deutschen Bundesbank über Mindestreserven (AMR) 제2조 제2항 a에 "외국은행지점의 본지점 대변환잔 (Verrechnungsaldo)"에 대하여는 지준의무가 있음을 규정하고 있고, (원문 별첨 1)

1

0057

o 제3조 제1항에 "외국은행 지점의 본지점 대변환잔은 요구불 채무로서 인정된다 "라고 규정하고 (원문 별첨2), 거주성에 대하여는 "대외경제법 (Aussen-wirtschaftsgesetz)" 제4조 1항에서 정의하고 있음. (원문 별첨 3)

o 지준율은 독일연방은행의 지준율 고시 (Bekanntmachung über Mindestreserve-saetz 별첨 4)에 근거하고 있음.

<독일 대응>

- 모든 금융기관의 4년 이내의 국내 또는 국외차입에 대해 무차별적으로 지준 의무가 부과되고 있음.

<독일 대응 검토 및 사례>

- 지점의 본점으로 부터의 차입은 업무수행을 위한 은행간 자금이동일 뿐 예금의 성격이 아니므로 지준이 부과되어서는 아니됨.
- 더욱이 국내 은행간 차입에 대하여는 지준을 부과하지 않으면서 외국은행으로 부터의 차입에 지준을 부과하는것은 선진국인 독일의 외국환 규제 정책으로 보여질 우려가 있으므로 마땅히 본지점 차입금은 지준부과 대상에서 제외되어야 할 것임.

< 아국 관심 순위> : A

다. 외국은행 지점의 증권업무 제한 완화

<현황>

- 외은지점은 장기국채 발행시 연방채권 인수단에 참여할수 없음.

<독일 대응>

- 현지법인의 경우 연방채권 인수단 참여가 가능하나, 지점은 국공채 발행에 참여할수 없음.

<독일 대응 검토 및 사례>

- 지점도 현지법인과 마찬가지로 하나의 금융기관으로 간주하고 있으므로 국공채 발행에 참여하는것이 타당함.

2

0058

(참고) 외은지점이 lead manager 기능을 적절히 담당할수 있는 기관 (listed department) 보유시 DM채 (국공채는 이에 포함되지 아니함) 인수에 참여 가능 (92.8.1.부) : 별첨 5 참조

<아국 관심 순위> : C

라. 복수 점포장 제도 폐지

<현황>

- 독일은행법상 일반 여수신업무 취급은행 점포의 장은 2인 이상이 필수조건이며, 3년간 은행의 관리계층에서 근무한 경험이 있어야 함.
- 외국은행의 경우 인가조건에 점포장중 1인은 독일금융기관에 3년간 근무한 경험이 있어야 하며, 본점파견 점포장의 경우는 최소 1년간 독일내 은행근무 경력을 요구하고 있음.
- 실제 운영면에서 연방은행감독청은 상기 점포장 2인중 1인은 독일인으로 채용하도록 행정지도 하고 있음.

<독일 대응>

- 예금자 보호를 위해 부과된 것으로 큰 문제가 없음.
  - o 복수점포장중 1명은 German Banker License (3년간 근무경험, 독일내 credit department에서 leading position에 있어야 함)가 있어야 하며, 나머지 1인은 독일내 1년간 근무경험이 있어야 함.
  - o 국적요건이 없으므로 한국인에 의한 복수점포장이 가능하며, 이 제도는 근무경험을 요구하고 있어 단지 시간이 소요될 뿐이며 외국은행에게 큰 문제는 아님.

<독일 대응 검토 및 사례>

- 복수점포장 제도는 은행업무상 자체감시 강화를 목적 (four eyes principle)으로 하는 제도로서 독일내 모든 금융기관에 적용되는 제도이므로 이의 철폐요구보다는 아국계 은행과 같은 소규모 외국은행에 대하여는 이를 다소 완화 운용하여 줄것을 요구하는 것이 바람직한 것으로 사료됨.

o 감사목적을 위하여는 외부 회계감사와 함께 외부에 의뢰한 내부감사제도 (internal auditing)를 실시하고 있으므로 충분할것이며, 예금자 보호 취지에서 아국계 은행 전부가 연방예금 보호기금에 가입하고 있으므로 예금자 보호면에서도 완벽을 기하고 있음.

o 따라서, 아국계 은행과 같은 소규모 점포의 경우 독일인 점포장 고용에 따른 비용부담 (연 20-30만 DM 수준)의 경감을 위하여 점포장 1인을 현재와 같은 상임 대신에 비상임으로 임명하는 방안이 협의 방안이 될수 있을것임.

<아국 관심 순위> : A

마. 독일어 구사능력 요구 철폐

<현황>

- 본점 파견 점포장에 대해 독일어를 충분히 구사할 것을 요구함.

<독일 대응>

- 독일어 구사능력 요구는 prudential reason에 의한것임.
  - o 독일연방감독청 담당자가 외국은행을 방문하여 독일어로 은행에 대한 일반적인 토의를 하는것으로 임원의 은행관리 능력을 보는것임.
  - o 특히, 은행업무와 관련 부채, 유동성 관리에 문제가 있는 경우 이런 사정을 감독당국과 얘기할 필요가 있기 때문임.
- 현재까지 독일어 구사능력을 이유로 은행 임원 취임이 거부된 경우는 없음.

<독일 대응 검토 및 사례>

- 본점 파견 점포장의 독일어 구사능력은 독일감독당국의 요구에 앞서 외국은행이 영업상 필요성 등을 충분히 감안하여 결정할 사항이므로 외국은행 자체의 판단에 일임하는것이 바람직함.
- 상기 독일대응 논리라면 Interpreter로 이를 해결할수 있다고 사료되며, 독일어 구사능력 부족을 이유로 은행임원 취임이 거부된적은 없다하더라도 취임 승인을 지연시키고 있는 실정임.

4

0060

(아국 관심 순위)_: A

5

0061

(별첨 1)

Anweisung der Deutschen Bundesbank über Mindestreserven (AMR) vom 20. Januar 1983

Die Deutsche Bundesbank erläßt gemäß § 16 des Gesetzes über die Deutsche Bundesbank vom 26. Juli 1957 (BGBl. I S. 745), zuletzt geändert durch Art. 10 Abs. 17 des Bilanzrichtlinien-Gesetzes vom 19. Dezember 1985 (BGBl. I S. 2355), folgende Anweisung über Mindestreserven (AMR)[1]:

I. Allgemeine Bestimmungen

§ 1

Mindestreservepflichtig sind alle Kreditinstitute im Sinne von § 1 Abs. 1 und § 53 Abs. 1 des Gesetzes über das Kreditwesen – KWG – in der Neufassung vom 11. Juli 1985 (BGBl. I S. 1472), geändert durch Art. 7 des Bilanzrichtlinien-Gesetzes vom 19. Dezember 1985 (BGBl. I S. 2355), mit Ausnahme der

a) in § 2 Abs. 1 Nr. 4 bis 8 KWG genannten Unternehmen[2],

b) Kapitalanlagegesellschaften nach dem Gesetz über Kapitalanlagegesellschaften in der Fassung der Bekanntmachung vom 14. Januar 1970 (BGBl. I S. 127), zuletzt geändert durch Art. 10 Abs. 10 des Bilanzrichtlinien-Gesetzes vom 19. Dezember 1985 (BGBl. I S. 2355),

c) Wertpapiersammelbanken,

d) in Liquidation befindlichen Kreditinstitute, sonstigen Kreditinstitute, deren Tätigkeit sich auf die Abwicklung beschränkt, und der ruhenden Kreditinstitute,

e) Unternehmen, für die das Bundesaufsichtsamt für das Kreditwesen gemäß § 2 Abs. 4 KWG bestimmt hat, daß die dort genannten Vorschriften des Kreditwesengesetzes auf sie nicht anzuwenden sind.[1])

§ 2

(1) Mindestreserven sind zu halten für Verbindlichkeiten aus Einlagen und aufgenommenen Geldern, und zwar bei

a) Buchverbindlichkeiten einschließlich Verbindlichkeiten aus Schuldverschreibungen, die auf den Namen oder, wenn sie nicht Teile einer Gesamtemission darstellen, an Order lauten, mit einer Befristung von weniger als vier Jahren,

---

[1]) Präambel und § 1 geändert durch Mitt. 5002/86

[2]) Dies sind nach Maßgabe der in § 2 Abs. 1 Nr. 4 bis 8 KWG bezeichneten Abgrenzungen: Sozialversicherungsträger und Bundesanstalt für Arbeit, private und öffentlich-rechtliche Versicherungsunternehmen, gemeinnützige Wohnungsunternehmen, anerkannte Organe der staatlichen Wohnungspolitik, die nicht überwiegend Bankgeschäfte betreiben, Unternehmen des Pfandleihgewerbes.

Vordr. 1505 – 03.86
(Nachtrag 8)

0062

b) Verbindlichkeiten aus Schuldverschreibungen, die auf den Inhaber oder, wenn sie Teile einer Gesamtemission darstellen, an Order lauten, mit einer Befristung von weniger als zwei Jahren,

sofern die Verbindlichkeiten nicht gegenüber selbst reservepflichtigen Kreditinstituten bestehen (reservepflichtige Verbindlichkeiten).[1])

(2) Zu den reservepflichtigen Verbindlichkeiten gemäß Absatz 1 gehören auch

a) ein auf der Passivseite der Bilanz auszuweisender Verrechnungssaldo eines Kreditinstituts im Sinne von § 53 KWG,

b) Verbindlichkeiten aus Pensionsgeschäften, bei denen der Pensionsnehmer zur Rückgabe des in Pension genommenen Vermögensgegenstandes verpflichtet und der Vermögensgegenstand weiterhin dem Vermögen des pensionsgebenden Kreditinstituts zuzurechnen ist.[1])

(3) Für die Feststellung der reservepflichtigen Verbindlichkeiten können täglich fällige, keinerlei Bindungen unterliegende Verbindlichkeiten gegenüber einem Kontoinhaber mit

a) täglich fälligen Forderungen,

b) Forderungen auf Kreditsonderkonten (sog. englische Buchungsmethode)

gegen denselben Kontoinhaber kompensiert werden, sofern die Forderungen und Verbindlichkeiten für die Zins- und Provisionsberechnung nachweislich als Einheit behandelt werden. Die Kompensation ist nicht zulässig, sofern es sich bei dem Kontoinhaber um eine BGB-Gesellschaft oder um eine Gemeinschaft handelt, an denen juristische Personen oder Personengesellschaften beteiligt sind, oder wenn für einen Kontoinhaber Unterkonten wegen Dritter geführt werden. Nicht kompensiert werden können Verbindlichkeiten und Forderungen in verschiedenen Währungen.

(4) Von der Reservepflicht sind freigestellt Verbindlichkeiten

a) gegenüber der Bundesbank,

b) gegenüber Gebietsansässigen aus zweckgebundenen Geldern, soweit diese bereits an die Empfänger oder an ein zwischengeschaltetes Kreditinstitut weitergeleitet sind. Zweckgebundene Gelder im Sinne dieser Bestimmung sind solche Gelder, die nach von vornherein festgelegten Weisungen des Geldgebers, vor allem bezüglich der Kreditbedingungen, an vom Geldgeber namentlich bezeichnete Kreditnehmer oder – soweit es sich um eine öffentliche oder öffentlich geförderte Kreditaktion handelt – an solche Kreditnehmer auszuleihen sind, welche die Voraussetzungen für die Teilnahme an dieser Kreditaktion erfüllen; die vereinbarte Laufzeit oder Kündigungsfrist sowohl der zweckgebundenen Gelder als auch der daraus zu gewährenden bzw. gewährten Kredite muß, soweit es sich nicht um eine öffentliche oder öffentlich geförderte Kreditaktion handelt, mindestens ein Jahr betragen,

---

[1]) § 2 Abs. 1 und 2 geändert durch Mitt. 5002/86

Vordr. 1505 – 03.86
(Nachtrag 8)

0063

(별첨2)

§ 3

(1) Als Sichtverbindlichkeiten gelten täglich fällige und solche Verbindlichkeiten, für die eine Kündigungsfrist oder eine Laufzeit von weniger als einem Monat vereinbart ist, sowie bei einem Kreditinstitut im Sinne von § 53 KWG auch ein auf der Passivseite der Bilanz auszuweisender Verrechnungssaldo.

(2) Als befristete Verbindlichkeiten gelten Verbindlichkeiten, für die eine Kündigungsfrist oder eine Laufzeit von mindestens einem Monat vereinbart ist.

(3) Spareinlagen sind Einlagen im Sinne von §§ 21 und 22 KWG.

II. Unterhaltung der Mindestreserven

§ 4

Mindestreserven sind bei der Bundesbank als Guthaben auf Girokonto zu unterhalten. Ländliche Kreditgenossenschaften, die kein Girokonto bei der Bundesbank unterhalten, haben die Mindestreserven als täglich fällige Guthaben auf einem besonderen Konto bei ihrer Genossenschaftlichen Zentralbank zu unterhalten; die Genossenschaftliche Zentralbank hat in Höhe der Beträge auf diesen Konten Guthaben bei der Bundesbank zu unterhalten.

III. Berechnung des Reserve-Solls und der Ist-Reserve

§ 5

(1) Das Reserve-Soll ergibt sich durch Anwendung der von der Bundesbank angeordneten Vom-Hundert-Sätze (Reservesätze) auf den gemäß § 6 festgestellten Monatsdurchschnitt der reservepflichtigen Verbindlichkeiten (§ 2) des Kreditinstituts.

(2) Von dem gemäß Absatz 1 errechneten Betrag können die Kreditinstitute den Durchschnitt der zum Geschäftsschluß sämtlicher Tage vom Ersten bis zum Ultimo des laufenden Monats festgestellten Bestände an inländischen gesetzlichen Zahlungsmitteln absetzen. Die Anrechnung des durchschnittlichen Bestandes an inländischen gesetzlichen Zahlungsmitteln ist auf 50 % des gemäß Absatz 1 errechneten Betrages begrenzt. Kreditgenossenschaften, die ihre Mindestreserven gemäß § 4 Satz 2 unterhalten, können den Durchschnitt aus den in der Zeit vom Ersten bis zum Ultimo des Vormonats unterhaltenen Beständen absetzen.

(3) Zur Erleichterung der Mindestreservedisposition am Monatsende kann bei der Berechnung des absetzbaren Durchschnittsbestandes gemäß Absatz 2 an Stelle des jeweiligen tatsächlichen Tagesbestandes an den letzten beiden Geschäftstagen der jeweilige Durchschnitt aus den Beständen der entsprechenden Geschäftstage der vorangegangenen zwölf Monate zugrunde gelegt werden. Die Kreditinstitute haben sich zu Beginn eines jeden Kalenderjahres für das Berechnungsverfahren nach dieser Vorschrift oder nach Absatz 2 zu entscheiden. Das gewählte Verfahren ist während des gesamten Kalenderjahres anzuwenden.

Vordr. 1505 – 02. 83

0064

(별첨 3)

§ 3

Erteilung von Genehmigungen

(1) Bedürfen Rechtsgeschäfte oder Handlungen nach einer Vorschrift dieses Gesetzes oder einer zu diesem Gesetz erlassenen Rechtsverordnung einer Genehmigung, so ist die Genehmigung zu erteilen, wenn zu erwarten ist, daß die Vornahme des Rechtsgeschäfts oder der Handlung den Zweck, dem die Vorschrift dient, nicht oder nur unwesentlich gefährdet. In anderen Fällen kann die Genehmigung erteilt werden, wenn das volkswirtschaftliche Interesse an der Vornahme des Rechtsgeschäfts oder der Handlung die damit verbundene Beeinträchtigung des bezeichneten Zwecks überwiegt.

(2) Die Erteilung der Genehmigungen kann von sachlichen und persönlichen Voraussetzungen, insbesondere der Zuverlässigkeit des Antragstellers, abhängig gemacht werden. Ist im Hinblick auf den Zweck, dem die Vorschrift dient, die Erteilung von Genehmigungen nur in beschränktem Umfange möglich, so sind die Genehmigungen in der Weise zu erteilen, daß die gegebenen Möglichkeiten volkswirtschaftlich zweckmäßig ausgenutzt werden können. Gebietsansässige, die durch eine Beschränkung in der Ausübung ihres Gewerbes besonders betroffen werden, können bevorzugt berücksichtigt werden.

§ 4

Begriffsbestimmungen

(1) Im Sinne dieses Gesetzes sind

1. Wirtschaftsgebiet:

   der Geltungsbereich dieses Gesetzes;
   Zollanschlüsse gelten als Teil des Wirtschaftsgebietes;

2. fremde Wirtschaftsgebiete:

   alle Gebiete außerhalb des Wirtschaftsgebiets;
   für das Verbringen von Sachen und Elektrizität gelten die Zollausschlüsse an der deutsch-schweizerischen Grenze als Teil fremder Wirtschaftsgebiete;

3. Gebietsansässige:

   natürliche Personen mit Wohnsitz oder gewöhnlichem Aufenthalt im Wirtschaftsgebiet, juristische Personen und Personenhandelsgesellschaften mit Sitz oder Ort der Leitung im Wirtschaftsgebiet; Zweigniederlassungen Gebietsfremder im Wirtschaftsgebiet gelten als Gebietsansässige, wenn sie hier ihre Leitung haben und für sie eine gesonderte Buchführung besteht; Betriebsstätten Gebietsfremder im Wirtschaftsgebiet gelten als Gebietsansässige, wenn sie hier ihre Verwaltung haben.

4. Gebietsfremde:

   natürliche Personen mit Wohnsitz oder gewöhnlichem Aufenthalt in fremden Wirtschaftsgebieten, juristische Personen und Personenhandelsgesellschaften mit Sitz oder Ort der Leitung in fremden Wirtschaftsgebieten: Zweigniederlassungen Gebietsansässiger in fremden Wirtschaftsgebieten gelten als Gebietsfremde, wenn sie dort ihre Leitung haben und für sie eine gesonderte Buchführung besteht: Betriebsstätten Gebietsansässiger in fremden Wirtschaftsgebieten gelten als Gebietsfremde, wenn sie dort ihre Verwaltung haben.

(2) Im Sinne dieses Gesetzes sind ferner

1. Auslandswerte:

   unbewegliche Vermögenswerte in fremden Wirtschaftsgebieten: Forderungen in Deutscher Mark gegen Gebietsfremde; auf ausländische Währung lautende Zahlungsmittel. Forderungen und Wertpapiere:

0065

(별첨4)

DEUTSCHE BUNDESBANK | Mitteilung | Mindestreserven

B 220 | Nr. 5003/87

Kredit
Mindestreserven

23. Januar 1987

Betreff: Bekanntmachung über Mindestreservesätze

I. Der Zentralbankrat der Deutschen Bundesbank hat in seiner Sitzung am 22. Januar 1987 beschlossen, die Mindestreservesätze für Inlands- und Auslandsverbindlichkeiten mit Wirkung vom 1. Februar 1987 um 10 % ihres derzeitigen Standes heraufzusetzen.

II. Die Reservesätze, anzuwenden auf die gemäß § 6 der Anweisung der Deutschen Bundesbank über Mindestreserven (AMR) festgestellten Monatsdurchschnitte der reservepflichtigen Verbindlichkeiten, lauten ab 1. Februar 1987 wie folgt:[1])

1. Reservesätze für Verbindlichkeiten gegenüber Gebietsansässigen:[2])

Sichtverbindlichkeiten	
Progressionsstufe 1 (bis 10 Mio DM)	6,6 %
Progressionsstufe 2 (über 10 bis 100 Mio DM)	9.9 %
Progressionsstufe 3 (über 100 Mio DM)	12,1 %
Befristete Verbindlichkeiten	4,95 %
Spareinlagen	4,15 %

2. Reservesätze für Verbindlichkeiten gegenüber Gebietsfremden:[3])

Sichtverbindlichkeiten	12,1 %
Befristete Verbindlichkeiten	4,95 %
Spareinlagen	4,15 %

Die Regelungen, nach denen bestimmte Verbindlichkeiten gegenüber Gebietsfremden bei der Mindestreservehaltung wie Verbindlichkeiten gegenüber Gebietsansässigen behandelt werden können, bleiben weiterhin in Kraft.

Die Mitteilung Nr. 5003/86 (BAnz. Nr. 41 vom 28. Februar 1986) wird mit Ablauf des 31. Januar 1987 aufgehoben.

Frankfurt am Main, 23. Januar 1987

DEUTSCHE BUNDESBANK

Gaddum Lang

---

[1]) Verbindlichkeiten gegenüber Gläubigern mit Wohnsitz oder Sitz im Gebiet der DDR und Berlin (Ost) sind bei der Mindestreservehaltung wie Verbindlichkeiten gegenüber Gebietsansässigen zu behandeln.

[2]) § 4 Abs. 1 Nr. 3 AWG

[3]) § 4 Abs. 1 Nr. 4 AWG

Fernsprecher (0 69)	Termin	Vordr.	Überholt
1 58 - 32 75 oder 1 58 - 1	1. 2. 1987	1500 1500 b 1500 d 1501 1505	Mitt. 5003/86 (mit Ablauf des 31. 1. 1987)

Veröffentlichung im Bundesanzeiger Nr. 20 vom 30. Januar 1987

0066

- Frankfurt/Main Office - 6 July 1992

〈별첨 5〉

DM-denominated Bonds / New Guidelines of the Deutsche Bundesbank

For DM-denominated bonds as well as for bonds issued in some other European currencies, particular regulations still apply as a result of which DM-denominated foreign bonds are issued from Germany and not, as for the rest of the Eurobond business, from London. Responsible for this were guidelines of the Deutsche Bundesbank issued in 1985 and 1989.

With effect from 1 August 1992, the Bundesbank has considerably liberalised the requirements relating to the issue of DM bonds. The following requirements no longer apply:

- the application of German law to the issue,
- the regulations relating to the listing of securities in Germany,
- the nomination of a domestic principal paying agent,
- the incorporation of the bonds into the German securities clearing system.

Also in future, foreign institutions not registered as banks will be able to issue DM debentures of less than two years directly into the commercial paper market.

Unchanged, however, remains the requirement of the Bundesbank that the market for DM issues will remain firmly anchored within Germany in future. As a result, it will only be possible to issue DM securities through a financial institution based in Germany. In this respect, however, this no longer means that a German bank or the German subsidiary of a foreign bank must be used, rather than German branches of foreign financial institutions may also be lead managers for the DM bonds provided they have a listing department which is able to adequately perform the role of a lead manager. Unchanged also remains the requirement of the Bundesbank that

- DM-denominated foreign issues be notified to the Bundesbank on the day of their issue,

- new instruments including DM denominated components be submitted in sufficient time that the Bundesbank may form its opinion thereof prior to the issue.

This deregulation of the DM securities business is likely to have severe effects on the degree of activity on the German capital markets, in particular on the part of foreign banks in Germany. Losers will probably be the Frankfurt stock exchange and the DKV, manager of Germany's securities clearing system.

The listing of a DM bond on the Frankfurt stock exchange and the ability to use the German securities clearing system represent, as before, considerable advantages for issuers of and the investors in bonds on the German capital market. We assume therefore that, particularly, German banks concerned with the issue of DM bonds will continue to recommend to their issuers, a listing on the Frankfurt stock exchange. As concerns foreign banks, however, one can expect that

- their DM bond business will in future be transferred increasingly to London,

- the issues are more likely to be governed by English law and

- foreign banks will be satisfied with a listing on the Luxembourg stock exchange instead of Frankfurt.

As a result it is likely that the legal peculiarities of DM bonds, relating namely to the legal protection of the investor, are likely to loose significance as against bonds issued in other currencies.

Ulrich Koch
SIGLE LOOSE SCHMIDT-DIEMITZ & PARTNERS
- Frankfurt/Main Office -

체 신 부

110-777 서울 종로구 세종로 100번지 /(02)750-2360 /Fax (02)750-2915

문서번호 통협 34475-343
시행일자 1992. 8. 12 ( )
(경 유)
수 신 수신처참조
참 조

선결		지시		
접수	일자 시간	1992. 8. 18 :	결재·공람		
	번호	29682			
처리과					
담당자		이시영			

제 목 UR 통신서비스협상 추진현황 배부

1. 우리부에서는 통신관련기관의 이해를 돕고 UR통신협상에 참고하고자 UR통신서비스 협상 추진현황 및 관련자료를 정리, 책자로 발간하여 배부하오니 업무에 참고하시기 바랍니다.

붙 임 : UR통신서비스협상 추진현황 3부. 끝.

체 신 부 장 관

수신처 : 경제기획원장관, 외무부장관, 상공부장관.

0069

외 무 부

110-760 서울 종로구 세종로 77번지 / (02)720-2188 / (02)720-2686 (FAX)

문서번호 통기 20644-281

시행일자 1992. 8.24.( )

수신 경제기획원 장관

참조 대외경제조정실장

취급		장 관	
보존			
국 장	전 결		
심의관			
과 장			
기안	이 시 형		협조

제목 UR 서비스 협상관련 호주 양자협의 제의

1. 주한 호주 대사관 관계관은 8.24(월) 우리부를 통해, UR 서비스 협상의 Market Access 문제를 논의하기 위한 한.호 양자 협의를 아래와 같이 희망하여 왔습니다.

   o 협의 목적 : 지난 6월의 제 4차 서비스 양자협의시 토의한 바 있는 서비스 시장접근 문제 추가 협의.

   o 희망 시기 : 9.21-25 중 2일간 체한 (호주 대표단은 여타 국가들도 방문 예정)

2. 상기 호주측 제의에 대해 양자 협의의 필요성, 시기등을 검토하여 결과를 우리부로 회보하여 주시기 바랍니다. 끝.

AUSTRALIAN EMBASSY

SEOUL

11th Floor, Kyobo Building
1, Chongno 1-ka, Chongno-ku
Seoul 110-714

Tel: 730 6490
Fax: 722 9264

FACSIMILE MESSAGE

TO:
Mr Hong Jong Ki
Director
Multilateral Trade Organisations Division
Ministry of Foreign Affairs

FROM: Elizabeth Toohey
Second Secretary
Australian Embassy
Seoul

DATE: 24 August 1992

PAGES: 1

SUBJECT: SERVICES MARKET ACCESS : BILATERAL DISCUSSIONS

Dear Director,

Further to our telephone discussion this afternoon, I would be grateful for your advice as to whether the period 21-25 September would be suitable for a visit by an Australian delegation to discuss services market access issues. It is likely that the delegation would be in Seoul for two days. The delegation would seek to build on the progress made in the June round of services market access bilateral negotiations in Geneva and also continue the exploration of further regional economic linkages.

I would be grateful if you would consult officials in EPB, MTI and other relevant areas within MFA to ascertain whether a visit in this period would be convenient. As I mentioned, the delegation plans to visit a number of countries in the region and further details will be arranged once the country sequence has been finalised.

Many thanks for your assistance.

Yours sincerely,

(Elizabeth Toohey)

0071

경 제 기 획 원

우 427-760 / 경기도 과천시 중앙동1 정부제2청사 / 전화 503-9149 / 전송 503-9141

문서번호 봉조삼 10502-115
시행일자 1992. 8. 31
(경유)
수신 수신처참조
참조

선결			지시	GUA용 요청 합의	
접수	일자 시간	92. 9. 2	결재·공람		
	번호	31535			
처리과					
담당자		이시행			

제목 UR/서비스협상 참고자료 송부

그간 큰 진전을 보이지 않고 있던 GATT/우루과이라운드협상이 금년 9월 중순부터 전체적으로 재개될 전망으로 있고, 서비스협상도 6월에 이어 10월에 양허협상이 예정되어 있습니다. 따라서 각 부처등에서 UR에 대한 그간의 대응노력과 향후대응책을 다시한번 재점검할 필요성이 제기되고 있는 것으로 사료됩니다. 별첨 송부자료는 UR/서비스협상 관련업무에 참고자료로 활용코자 GATT 사무국의 서비스교역에 관한 일반협정 최근 수정안을 완역한 것인 바, 업무추진에 참고하기 바랍니다.

첨부 : 서비스교역에 관한 일반협정(안) 2부. 끝.

경 제 기 획 원 장

제 2협력관 전결

수신처 : 외무부장관, 내무부장관, 재무부장관, 법무부장관, 교육부장관, 문화부장관, 농림수산부장관, 상공부장관, 보건사회부장관, 건설부장관, 교통부장관, 노동부장관, 동력자원부장관, 체신부장관, 과학기술처장관, 환경처장관, 공보처장관, 특허청장, 해운항만청장, 한국은행총재, 한국개발연구원장, 대외경제정책연구원장, 대한무역진흥공사, 한국무역협회, 대한상공회의소, 전국경제인연합회, 중소기업진흥공단

0072

경 제 기 획 원

우 427-760 / 경기도 과천시 중앙동1 정부제2청사 / 전화 503-9149 / 전송 503-9141

문서번호 통조삼 10502-116
시행일자 1992. 9. 1
(경유)
수신 수신처참조
참조

선결			지시	인지도	
접수	일자 시간	92. 9. 2	결재·공람		
	번호	31534			
처리과					
담당자		이시형			

제목 UR/서비스 수정양허계획표상의 업종포괄범위에 대한 검토

'92.10.5부터 2주간 스위스 제네바에서 개최되는 제5차 UR/서비스 양자협상에서 정부는 우리의 수정양허계획표상의 업종포괄범위를 별첨과 같이 배포할 예정입니다. 이와 관련하여 귀부(처, 청) 소관사항에 대한 최종검토의견을 '92.9.9(수)까지 당원에 송부하여 주시기 바랍니다.

첨부 : 한국의 수정양허계획표의 업종포괄범위 1부. 끝.

경 제 기 획 원 장 관

제 2협력관 전결

수신처 : 외무부장관, 내무부장관, 재무부장관, 법무부장관, 교육부장관, 문화부장관, 농림수산부장관, 상공부장관, 보건사회부장관, 건설부장관, 교통부장관, 노동부장관, 동력자원부장관, 체신부장관, 과학기술처장관, 환경처장관, 공보처장관, 특허청장, 해운항만청장, 한국개발연구원장, 대외경제정책연구원장

0073

The Sectoral Coverage of Revised Conditional Offer of Korea

1. BUSINESS SERVICES

A. Professional Services

Sub - sector	Coverage
Certified Public Accountant (CPA) services	CPC 862
Certified Tax Accountant(CTA) services	CPC 863
Architectural services	CPC 8671
Engineering services	CPC 8672
Integrated engineering services	CPC 8673
Urban planning and landscape architectural services	CPC 8674

B. Computer and Related Services

Sub - sector	Coverage
Consultancy services related to the installation of computer hardware	CPC 841

0074

Sub - sector	Coverage
Software implementation services	CPC 842
Data processing services	CPC 843
Data base services	CPC 844

C. Research and Development Services

Sub - sector	Coverage
Research and Development services on natural science	CPC 851

D. Rental/Leasing Services without Operators

Sub - sector	Coverage
Rental services relating to ships without operators	CPC 83103

E. Other Business Services

Sub - sector	Coverage
Advertising services	CPC 8711
Market research and public opinion polling services	CPC 864

0075

Sub - sector	Coverage
Management consulting services	CPC 865
Project management services	CPC 86601
Geological and prospecting services	CPC 8675
Convention agency services, excluding demonstration and exhibition services	Planning, preparation and related services regarding international meetings and events for convention organizer under CPC 87909
Translation services	Translation services under CPC 87905
Stenography services	Stenography services under CPC 87909

2. COMMUNICATION SERVICES

A. Telecommunication Services

Sub - sector	Coverage
On-line database and remote computing services	CPC 75232
Computer communication services	
Data transmission services	CPC 75231

0076

B. Audiovisual Services

Sub - sector	Coverage
Motion picture and video tape production and distribution services	CPC 96112, 96113
Record production and distribution services	2.D.e(sound recording) in MTN.GNS/W/120

3. CONSTRUCTION SERVICES

Sub - sector	Coverage
General construction work	CPC 511, 512, 5131(excluding pavement works), 5132, 5133, 5136(excluding power plants works), 5137, 5139
Special construction(specialist, specialized, electrical, telecommunication and fire-fighting facility work)	Pavement works under CPC 5131, 5134, 5135, power plants works under CPC 5136, 514, 515, 516, 517

4. DISTRIBUTION SERVICES

A. Wholesale Trade Services

Sub - sector	Coverage
Wholesale trade services(excluding wholesale of grain, meats, fruits and vegetables,	CPC 6111, 6113, 6121, 621(excluding foreign trade brokers services) and 622(excluding

0077

Sub - sector	Coverage
raw milk, alcoholic beverages, red ginseng, fertilizers, pesticides, books and news-papers, and brokers-chain market services, general foreign trade services and foreign trade broker services)	CPC 62211, 62221, wholesale trade services of raw milk under CPC 62222, 62223, whole-sale trade services of aloholic beverages under CPC 62226, wholesale trade services of red ginseng under CPC 62229, wholesale trade services of books and other printed matter under CPC 62262, wholesale trade services of fertilizers under CPC 62276 and wholesale trade services of agricultural medicines under CPC 62276) "Brokers-chain market service" (not listed in CPC and MTN. GNS/W/120) refers to a business which makes a chain contract with retail shops such as department stores,supermarkets, convenience stores, specialty stores systematically and which buys and supplies various goods necessary to manage those shops on its account continuously.

0078

Sub - sector	Coverage
	"General foreign trade service" refers to a business which wholly engages in foreign trade of goods on its own account. * "General wholesale market" and "general retailing market" in the M.A column refers to a business place with floor space not smaller than 1,000m², composed of many wholesale or retail shops established in a building or at an underground area. * "Large store "in the M.A column refers to a big shop with floor space not smaller than 1,000m², where wholesale or retail trade is carried out. * Wholesale trade center in the M.A column refers to a business place with floor space not smaller than 3,000m², where wholesalers sell goods or services,

0079

Sub - sector	Coverage
	equipped with modern facilities and operation system and established in a building. * "Wholesale trade services of used cars" in the M.A column refers to CPC 61111 * "Wholesale trade services of natural gas" in the M.A column means wholesale trade services of gaseous fuels and related products under CPC 62271

0080

B. Retailing Services

Sub - sector	Coverage
Retailing services (excluding retailing of tobacco; antiques and works of art; grain; meats; vegetables; fruits; raw milk; livestock and animals; food, beverages and tobacco n.e.c.; pharmaceuticals; cosmetics; books; coal briquettes; fuel oil; bottled gas; service stations for gasoline; gas recharging)	CPC 61112, 6113, 6121, 63104, 632(excluding CPC 63211, 63212, retail sale of books and other printed matter under CPC 63253, retail sale of animal fodder under CPC 63295, retail sale of livestock and animal under CPC 63295, CPC 63297 and retail sale of works of art and antiques under CPC 63299) "Department store and shopping center" in the M.A column refers to a business place with floor space not smaller than 3,000m², where retailers sell goods or services, equipped with modern facilities and operation system and established in a building. * "Retail sale of used cars" in the M.A column refers to CPC 61112.

0081

5. ENVIRONMENTAL SERVICES

A. Sewage Services

Sub - sector	Coverage
Refuse water disposal services	Collection and treatment services of industrial waste water under CPC 94010

B. Refuse Disposal Services

Sub - sector	Coverage
Industrial refuse disposal services (collection and transportation, intermediate processing and final processing)	Collection, transportation and disposal services of industrial waste under CPC 94020

6. FINANCIAL SERVICES

A. Banking

Sub - sector	Coverage
Deposit and related business	Deposit and related business under CPC 81115 and 81116
Loans and related business	Loans and related business under CPC 81131 and 81132
Foreign exchange business	Foreign exchange business under CPC 81333

0082

Sub - sector	Coverage
Services auxiliary to banking (sales of commercial bills, sales of trade bills, mutual installment deposits and payment guarantees)	Sales of commercial and trade bills under CPC 81339 and mutual installment deposits and payment guarantees under CPC 8113
Trust business	Trust business under CPC 81192 and 81193

B. Securities business

Sub - sector	Coverage
Dealing, broking and under-writing	Dealing, broking and under-writing under CPC 8132

C. Insurance

Sub - sector	Coverage
a. Direct insurance	
i) Life insurance	CPC 8121
ii) Non-life insurance	CPC 8129 (excluding reinsurance and retrocession)
b. Reinsurance and Retroces-sion	Reinsurance and retrocession under CPC 81299
c. Actuarial services and claim settlement services	CPC 81404 and claim settlement services under CPC 81403

0083

7. TOURISM AND TRAVEL RELATED SERVICES

A. Hotels and Restaurants

Sub - sector	Coverage
Tourist hotels, family hotels and traditional Korean hotels	CPC 6411

B. Travel Agencies and Tour Operator Services

Sub - sector	Coverage
Travel agencies	CPC 7471

C. Tourist Guide Services

Sub - sector	Coverage
Tourist guide services	CPC 7472

8. TRANSPORT SERVICES

A. Maritime Transport Services

Sub - sector	Coverage
International passenger transportation services	CPC 7211
International freight transportation services	CPC 7212

0084

Sub - sector	Coverage
Maintenance and repair of vessels	Services such as repair and management of vessels, management of crew, marine insurance, etc., on behalf of a person (including foreigners) who operates maritime passenger transportation business, maritime cargo transportation business and vessel leasing business under CPC 7459 and 8868

B. Air Transport Services

Sub - sector	Coverage
Aircraft repair and maintenance services	Aircraft repair and maintenance services at the airport or airfield prior to its flight under CPC 7469 and 8868
Computer reservation services	Reservation and ticket issuing services through computerized systems that contain information about air carriers schedules, seat availability, fares and far rules.

0085

Sub - sector	Coverage
Selling and marketing of air transport services	Services defined in provisions 24 (general air transporation agent services) and 25 (air cargo transportation agent services) of Article 2 of the Korea Aviation Act. "General air transportation agent services" refers to an enterprise which undertakes to make contracts of international transportation of passengers or cargo by aircraft (excluding the service of acting for other persons in the application procedure for visa or passport) on behalf of air transportation service firms for compensation. "Air cargo transportation agent services" refers to an enterprise which undertakes to make contracts of cargo transportation by aircraft on behalf of air transportation service firms or general air transportation agent service firms for compensation.

0086

C. Road Transport Services

Sub - sector	Coverage
Domestic general local freight trucking services	Freight transport services by truck within the designated business activities regions under CPC 71233

D. Services Auxiliary to All Modes of Transport

Sub - sector	Coverage
Railway freight forwarding services	Freight transport agency services by railway under CPC 748 (Arrangements regarding the shipping of freight by rail must be made through a railway freight forwarder.)
Storage and warehouse services (excluding services for agricultural, fishery and livestock products)	CPC 742(excluding services for agricultural, fishery and livestock products)
Shipping agency	Agency services which carry out transactions on behalf of maritime passenger transportation business or maritime cargo transportation business(including foreign transportation businesses) under CPC 748

0087

Sub - sector	Coverage
Maritime freight forwarding services	Cargo forwarding services by vessels in the name of the forwarder (including any foreign forwarders under contract) under CPC 748
Ship brokering services	Brokering services of maritime cargo transportation or of chartering, leasing, purchasing and selling of vessels under CPC 748

0088

MULTILATERAL TRADE
NEGOTIATIONS
THE URUGUAY ROUND

RESTRICTED
MTN.GNS/W/157
14 September 1992
Special Distribution

Group of Negotiations on Services

Original: English

COMMUNICATION FROM GHANA

Conditional Offer by Ghana of Initial Commitments
in the Uruguay Round Negotiations on Trade in Services

The following communication is circulated at the request of the permanent delegation of Ghana to the members of the Group of Negotiations on Services.

Ghana presents its conditional offer of initial commitments on trade in services as contained in the attached list. Commitments contained are on initial commitments on services.

Ghana reserves its right to modify or withdraw this offer in all or in part, depending on the nature of the requests and of the adequacy of response from other participants on the requests made by Ghana in the current negotiations.

The description of sectors and sub-sectors in which commitments are made are based on the Services Sectoral Classification List as shown in document MTN.GNS/W/120.

All enterprises of sectors/sub-sectors indicated in the list are subject to the following:

1. No enterprise eligible for foreign participation shall be established or operated by a non-Ghanaian unless there is the investment of foreign capital or an equivalent in capital goods worth at least US$ 60,000 by way of total equity capital in the case of a joint venture with a Ghanaian partner or an investment of foreign capital or an equivalent goods worth at least US$ 100,000 by way of total equity capital where the enterprise is wholly owned by a non-Ghanaian.

2. Authorities may stipulate conditions to be complied with by foreign companies with regard to utilization of resources, amount and source of capital, nationality and number of shareholders with respect to each activity concerned.

3. No less favourable treatment than that accorded to national services or services providers is applied across services sectors with respect to foreign exchange, income and investment-related transactions. Horizontal measures may discriminate against foreign services provided in the area of alien employment.

4. Sectors and sub-sectors indicated in the list are not covering mining or petroleum activities.

GATT SECRETARIAT

UR-92-0096

(1) Cross-border supply
(2) Consumption abroad
(3) Commercial presence
(4) Movement of personnel

Sector/Sub-sector	Limitations and Conditions on Market Access	Conditions and Qualifications on National Treatment
Tourism		
Hotel and restaurants including catering	(1) Unbound	(1) Unbound
	(2) Unbound	(2) Unbound
	(3) Enterprises concerned with the development of tourist industry such as tourist accommodation insofar as these are net foreign exchange earning. Enterprises should apply for an establishment licence. Business representation for foreign enterprises is reserved for Ghanaian enterprises unless the enterprise has an employed capital of not less than US$ 500,000 or its equivalent. Public relation businesses relating to tourism are entirely reserved for Ghanaian enterprises.	(3) Certain restrictions on transactions relating to foreign exchange, income and investment.
	(4) Quota of expatriates should be approved by national authorities. Public relation businesses related to tourism are entirely reserved for Ghanaian citizens.	(4) Certain restrictions on transactions relating to foreign exchange, income and alien employment.

(1) Cross-border supply
(2) Consumption abroad
(3) Commercial presence
(4) Movement of personnel

Sector/Sub-sector	Limitations and Conditions on Market Access	Conditions and Qualifications on National Treatment
<u>Tourism</u>		
Travel agencies and tour operators services	(1) Unbound	(1) Unbound
	(2) Unbound	(2) Unbound
	(3) Enterprises concerned with the development of tourist industry such as tourist accommodation insofar as these are net foreign exchange earning. Enterprises should apply for an establishment licence. Business representation for foreign companies is reserved for Ghanaian enterprises unless the enterprise has an employed capital of not less than US$ 500,000 or its equivalent. Public relation businesses relating to tourism, travel agencies, taxi services and car-hire services, commercial transportation of passengers by land are entirely reserved for Ghanaian enterprises.	(3) Certain restrictions on transactions in foreign exchange income and investment regulations.
	(4) Quota of expatriates should be approved by national authorities. Public relation businesses related to tourism, travel agencies, taxi services and car-hire services, commercial transportation of passengers by land are entirely reserved for Ghanaian citizens.	(4) Certain restrictions on transactions relating to foreign exchange, income and alien employment regulations.

(1) Cross-border supply
(2) Consumption abroad
(3) Commercial presence
(4) Movement of personnel

Sector/Sub-sector	Limitations and Conditions on Market Access	Conditions and Qualifications on National Treatment
Other tourism and travel-related services	(1) Unbound	(1) Unbound
	(2) Unbound	(2) Unbound
	(3) Enterprises concerned with the development of tourist industry such as tourist accommodation insofar as these are net foreign exchange earning. Enterprises should apply for an establishment licence. Business representation for foreign companies is reserved for Ghanaian enterprises unless the enterprise has an employed capital of not less than US$ 500,000 or its equivalent. Public relation businesses relating to tourism, travel agencies, taxi services and car-hire services, commercial transportation of passengers by land are entirely reserved for Ghanaian enterprises.	(3) Certain restrictions on transactions relating to foreign exchange, income and investment regulations.
	(4) Quota of expatriates should be approved by national authorities. Public relation businesses related to tourism, travel agencies, taxi service and car-hire services, commercial transportation of passengers by land are entirely reserved for Ghanaian citizens.	(4) Certain restrictions on transactions relating to foreign exchange, income and alien employed regulations.

0092

(1) Cross-border supply
(2) Consumption abroad
(3) Commercial presence
(4) Movement of personnel

Sector/Sub-sector	Limitations and Conditions on Market Access	Conditions and Qualifications on National Treatment
Construction and related engineering services industries*		
General construction work for buildings*	(1) Unbound (2) Unbound (3) Subject to approval by national authorities: Such approval may be given for activities in (a) Real estate development (b) any other activity in the construction and building industries as may be prescribed from time to time Estate agencies, public relation business to general construction for buildings, lighterage services, manufacturing of cement blocks are entirely reserved for Ghanaian enterprises. Business representation for foreign companies is reserved for Ghanaian enterprises unless enterprises have an employed capital of not less than US$ 500,000. (4) Quota of expatriates should be approved by national authorities. Public relation businesses related to general construction for buildings, lighterage services, manufacturing of cement blocks, estate agencies, are entirely reserved for Ghanaian nationals.	(1) Unbound (2) Unbound (3) Certain restrictions on transactions relating to foreign exchange, income and investment regulations. (4) Certain restrictions on transactions relating to foreign exchange, income and alien regulations.

*The definition adopted also includes maintenance and repair equipment services in construction but excludes retail or wholesale trade of equipment and parts.

0093

(1) Cross-border supply
(2) Consumption abroad
(3) Commercial presence
(4) Movement of personnel

Sector/Sub-sector	Limitations and Conditions on Market Access	Conditions and Qualifications on National Treatment
Construction and related engineering services*		
General construction work for civil engineering*	(1) Unbound	(1) Unbound
	(2) Unbound	(2) Unbound
	(3) Subject to approval by national authorities: Such approval may be given to activities relating to: (a) Real estate development (b) Road construction (c) Any other activity in the construction and building industries as may from time to time be prescribed Estate agencies, public relation business to general construction for buildings, lighterage services, manufacturing of cement blocks are entirely reserved for Ghanaian enterprises. Business representation for foreign companies is reserved for Ghanaian enterprises unless the enterprises have an employed capital of not less than US$ 500,000.	(3) Certain restrictions in transactions relating to foreign exchange, income and investment.
	(4) Quota of expatriates should be approved by national authorities. Public relation businesses related to general construction for buildings, lighterage services, manufacturing of cement blocks, estate agencies, are entirely reserved for Ghanaian nationals.	(4) Certain restrictions on transactions relating to foreign exchange, income and alien regulations.

*The definition adopted also includes maintenance and repair equipment services in construction but excludes retail or wholesale trade of equipment.

0094

(1) Cross-border supply
(2) Consumption abroad
(3) Commercial presence
(4) Movement of personnel

Sector/Sub-sector	Limitations and Conditions on Market Access	Conditions and Qualifications on National Treatment
Construction and related engineering services*		
Installation and assembly work*	(1) Unbound (2) Unbound (3) Subject to approval by national authorities: Such approval may be given to activities relating to: (a) Real estate development (b) Road construction (c) Any other activity in the construction and building industries as may from time to time be prescribed Estate agencies, public relation business to general construction for buildings, lighterage services, manufacturing of cement blocks are entirely reserved for Ghanaian enterprises. Business representation for foreign companies is reserved for Ghanaian enterprises unless the enterprises have an employed capital of not less than US$ 500,000. (4) Quota of expatriates should be approved by national authorities. Public relation businesses related to general construction for buildings, lighterage services, manufacturing of cement blocks, estate agencies, are entirely reserved for Ghanaian nationals.	(1) Unbound (2) Unbound (3) Certain restrictions on transactions relating to exchange, income and investment regulations. (4) Certain restrictions on transactions relating to foreign exchange, income and alien regulations.

*The definition adopted also includes maintenance and repair equipment services in construction work but excludes retail or wholesale trade of equipment including parts.

0095

(1) Cross-border supply
(2) Consumption abroad
(3) Commercial presence
(4) Movement of personnel

Sector/Sub-sector	Limitations and Conditions on Market Access	Conditions and Qualifications on National Treatment
<u>Education</u>		
Secondary and specialist education services	(1) Unbound (2) Unbound (3) Requires enterprise approval as provided for under the Ghana Investment Code. (4) Requires expatriate quota approval.	(1) Unbound (2) Unbound (3) Requires Ministerial supervision and inspection. (4) Unbound

원 본

외 무 부

종 별 :

번 호 : GVW-1793 일 시 : 92 0925 1900

수 신 : 장 관(통기,경기원,재무부,법무부,농수부,상공부,문화부,건설부,교통부,체신부,보사부,과기처,공보처,항만청)

발 신 : 주 제네바 대사

제 목 : UR/서비스 양자 협상 일정

10.5주와 10.12주 개최 예정인 표제 협상 관련 현재까지 마련된 아국의 양자 협상일정을 하기 보고함.

1. 양자협상 일정

- 10.13(화) 11:30 : 핀란드

15:00 : 카나다

- 10.14(수) 15:00 : 일본

- 10.15(목) 09:00 : 미국

- 이외에 EC, 스웨덴, 뉴질랜드, 중국등이 아국과 양자 협상을 요청 하였으나 아직 구체적 일정은 합의되지 않았음.

2. 각국의 본부협상 대표 참석 계획

- 일본, 카나다, EC, 스웨덴, 핀란드 '92 상반기 협상시와 같은 수준의 규모

- 미국 : USTR 협상팀과 재무부 대표가 참석할 예정이며 아국의 금융 전문가 참석 여부 문의

- 중국 : 10여명의 본부대표 참석 예정

- 뉴질랜드 : 본부대표 불참

(대사 박수길 - 국장)

통상국	차관	2차보	법무부	보사부	문화부	교통부	체정부	경기원
재무부	농수부	상공부	건설부	과기처	해항청	공보처		

PAGE 1

92.09.26 07:34 FN

외신 1과 통제관

0097

외 무 부

110-760 서울 종로구 세종로 77번지 / (02)720-2188 / (02)720-2686 (FAX)

문서번호 통기 20644-320
시행일자 1992. 9.26.( )
36331
수신 주 제네바 대사, 주호주대사
참조

취급		장 관
보존		
국 장	전 결	
심의관		
과 장		
기안	이 시 형	협조

제목 UR 서비스 관련 한.호 비공식 협의

1. 9.23. 경기원에서 개최된 한.호 간 UR 서비스 협상관련 비공식 협의 내용을 별첨 송부하니 참고 바랍니다.

2. 9.30.에는 시장접근 관련 호주대표단도 방한, 아측과 비공식 협의 예정인 바, 호주측은 UR 협상에 관한 아.태 지역내 국가들의 입장을 파악하고, 역내 국가들간 지역적 또는 쌍무적인 post-UR 협조 방안에 대한 정보를 수집하는데 주안점을 두고 있는 것으로 판단됩니다.

첨부 : 표제 협의록 1부. 끝.

0098

UR 서비스 협상관련

한.호 비공식 협의록

92.9.23(수)

공람	통상기구과	92년 9월 24일	담 당	과 장	심의관	국 장	차관보	차 관	장 관
			[illegible]						

통 상 국

0099

1. 협의 경위

o 호주측이 UR 서비스 협상 진행상황과 post-UR 쌍무 협조분야 협의를 요청하여 옴에 따라, 비공식 의견 교환임을 전제로 토의

2. 개최 개요

o 일 시 : 92.9.23(수) 14:30-16:30

o 장 소 : 경제기획원 소회의실

o 참 석

- 아측 : 경기원 제2협력관
  " 통상조정3과장
  외무부 통상기구과장 대리
  재무부 국제금융과장 대리
  체신부 통신협력과장

- 호측 : 외무무역부 다자통상과 principal advisor Don Kenyon 등
  외무무역부 UR 서비스 업무 담당자 5명

※ 호주측은 Market Access 분야에 관하여도 이와 유사한 성격의 협의를 위해 Assistant Minister급 대표단 방한, 9.30(수) 협의 예정
(아측은 경기원 대외조정실장 또는 재무부 관세국장이 관계부처 관계관과 함께 협의 대응 예정)

0100

3. 토의내용

가. UR 협상 평가

1) 호 주

- o 7월의 G-7 정상회담 결과에 대한 실망을 표하고, 불란서의 마스트리트 조약안에 대한 국민투표가 근소한 차이로나마 통과됨에 따라 조만간 협상의 진전이 있을 것으로 생각하며, 미국 대통령 선거에 따른 변수도 있겠으나, 전반적으로 미국 Fast Track 에 의한 실질적 협상 시한인 내년 2월말까지는 타결될 것이라고 낙관적으로 전망함.

- o 미.EC간 쟁점인 농업보조금 문제는 기술적 측면에서 보면 의견 차이가 상당히 좁혀져 있으나, 양측의 정치적 타협 전망이 아직 불확실함.

- o 서비스 분야에서는 금융, 통신, 운수 분야가 특히 중요하다고 보는바, 미국의 광범위한 MFN 일탈에 대해서는 한국 등 여타국과의 공동대처를 희망함.

- o 호주로서는 Draft Final Act를 그대로 수용하는데 어려움이 있기는 하나, UR 협상의 타결을 위하여는 이 text가 수정되지 않고 채택되어야 한다고 생각함.

2) 아 측

- o EC, NAFTA 등 지역주의가 확산되고 있어 UR 협상의 타결이 더욱 절실히 요청되는 여건에 비추어 한국은 UR 협상의 성공적 타결을 위해 계속 노력할 것임.

0101

o 한국은 Draft Final Act를 unravel 할 의도는 없으나, 예외없는 관세화의 수정을 통한 쌀의 예외인정 획득이 당면 과제이므로 이 text를 그대로는 수용할 수 없다는 입장임. 그러나 여타 분야에 대하여는 대체로 DFA를 수용할 수 있음.

나. 서비스 분야

1) 호 주

o 서비스 분야에서의 multilateral rule이 중요하며, 특히 MFN 원칙은 장래 서비스 분야의 일반원칙이 되어야 함.

o 특히 미국이 금융, 통신분야 등에서 MFN 원칙을 일탈할 경우, 추후 호주나 한국등에 대해 쌍무적인 압력을 가해 올 것이므로 공동 대응이 필요함.

o 한국이 금융, 통신분야의 offer를 improve할 의사가 있는지 ?

o 호주의 수정 offer는 6주후에 완성될 예정이며, 10월 제네바 양자 협의시 draft를 건네 줄 수 있을 것임.

2) 아 측

o MFN 일탈은 최소범위, 최단기간으로 해야 함.

o 서비스 협상은 원만히 진행되어 오던 중 미국의 MFN 대거 일탈 발표로 사실상 정체된 상황임. 이러한 상황하에서 한국은 이미 제출한 개정 offer상의 개방계획을 철회할 계획도 추가할 계획도 지금으로서는 없음.

0102

o 통신분야는 offer 내용에서 보듯 부가가치 사업(VAT)은 개방 대상에 포함되어 있으며, Basic 서비스는 아직 개방하기에 시기 상조임. 따라서 미국의 다자협의 제의에도 reluctant한 입장임.

o 금융분야는 blue print상 1,2단계 개방계획만 발표 되었을 뿐 3단계 개방계획(92년말까지 계획 발표, 97년이후 시행)은 아직 작업중임. 1,2단계 개방계획도 UR과 직접 연관이 없는 사안들이 많으므로 offer list에 포함할 계획은 없음.

다. post-UR 협력문제

1) 호 주

o UR 협상이 타결되고 나면 APEC을 통한 역내 무역자유화와 같이 양자적 또는 지역적(subregionally)으로 서비스 교역의 자유화를 위해 더욱 협력 필요가 있음.

o 미국의 Fast Track 시한이내 협상이 타결되지 못할 경우, 향후 최소한 2-3년간 UR 협상은 세계의 관심에서 멀어질 것이며, 세계적으로 보호주의가 대두될 것임.

o 이경우 서비스 분야에서 양자적으로 협조할 수 있는 분야로서

- 실제적으로 (de facto) MFN 원칙을 양국간 적용하는 문제

- DFA상에도 있는 inquiry point를 상호설치, 정보교환을 원활히 함으로써 상호 transparency를 높이는 문제

- 전문직 서비스 시장(회계, 법무, 광고, 교육)을 상호 개방하는 문제를 생각할 수 있을 것임.

0103

o 호주로서도 UR 협상의 성공을 위해 계속 노력할 것이나, UR 협상 성공시에는 이의 보완적 조치로서, 또 최근 NAFTA 등에서 보듯 UR이 계속 지연 또는 실패하는 경우에 대한 대비책으로서 상기 사항을 제의하는 것임.

2) 아 측

o 쌍무적으로 합의된 사항은 MFN 원칙을 적용하여 제3국에도 적용하여야 한다는 것이 기본입장임.(최소한 경기원 입장임을 전제)

o 현재로서는 UR에 전력 투구해야 할 때이며, 아직 regional, subregional, bilateral 협조를 언급하기는 시기상조임.

o UR이 실패하였다거나, 장기 연장된다고 판단될때 가서 대외정책 전반을 감안하여 협조분야 등에 대해 판단할 것임. 끝.

0104

원 본

외 무 부

종 별 :

번 호 : GVW-1869 일 시 : 92 1007 1100

수 신 : 장 관(통기,경기원,재무부,법무부,농림수산부,상공부,문화부,건설부,교통부, 체신부,보사부,과기처,공보처,항만청)

발 신 : 주 제네바 대사

제 목 : UR/서비스 양자협상 일정

연 GVW - 1793

10.12주 개최 예정인 표제 협상 관련 현재까지 마련된 아국의 양자 협상 일정을 하기 보고함.

1. 양자협상일정

- 10.13(화) 11:30 : 핀란드

15:00 : 카나다

- 10.14(수) 10:00 : 호주

15:00 : 일본

- 10.15(목) 09:00 : 미국

15:00 : EC

- 10.16(금) 10:00 : 뉴질랜드

15:00 : 중국

2. 상기 협상에 참여할 본부 대표 명단 조속 통보바람.

(대사 박수길 - 국장)

통상국 법무부 보사부 문화부 교통부 체신부 경기원 재무부 농수부
상공부 건설부 과기처 해항청 공보처

PAGE 1

92.10.08 06:46 FN

외신 1과 통제관

0105

이시 ✓

원 본

외 무 부

종 별 :

번 호 : GVW-1870 일 시 : 92 1007 1100

수 신 : 장 관(통기,경기원,상공부,체신부)

발 신 : 주 제네바대사

제 목 : UR/써비스 비공식 협의(기본통신)

10.5(월)-10.6(화)간 스웨덴 주최하에 13개국 비공식협의(오지리,호주,카나다,EC,필란드,홍콩,일본,뉴질랜드,노르웨이,스위스,미국,아국참석,싱가폴,아이슬란드

체코는 초청되었으나 불참)가 개최되어 기본통신분야에 대하여 토의하였는바 주요내용 하기 보고함.

1. 협의 개요

- 스웨덴이 작성 배부한 별점의제(FAX송부)에 대하여 항목별로 각국의 입장및 의견개진이 있었는바 기본통신분야 시장접근에 관한 협상 기간 동안의 MFN 적용 문제에 토의가 집중되었음

0 토의과정에서 동 협상기간 동안 MFN문제를 유보하는 대안이 제시되어 협상 진전 가능성을 보이기도 하였으나 세부검토결과 많은 법률적 문제가 제기되고 혼란이초래되어 해결방안을 모색하는 단계에 이르지는 못하였음

- 스웨덴은 사무국 및 각국과의 개별접촉을 통하여 지난 6월 배부한 양해각서(MOU)초안이 기본통신분야 협상 기초문서가 될수 있도록 수정하겠다고 하고 협의를 종결함.

2. 토의내용

가. 일반논평 - 미국.일본.카나다.호주.뉴질랜드.홍콩등이 스웨덴의 접근방식에 대하여 지지 의사를 표명하였으나 EC는 특정분야만을 특별취급하는것이 정당화 될수 있는지 의심스럽다고 전제하고 기본 통신분야 시장접근협상 참여문제에 대하여 아직입장이 결정되지 않았다고하였음

- 아국은 동분야에 이제 막 국내 경쟁이 도입된 단계이기 때문에 가까운 시일내에는 시장개방에 관한 협상 참여에 어려움이 있다고 하였음. (지난 6월회의시 반대

통상국 경제국 체신부 상공부

PAGE 1 92.10.08 03:21 FL

외신 1과 통제관 ✓

0106

입장을 표명한 오지리는 발언하지 않았음)

나. 협상추진의 기본구조 (별첨 의제1)

1) 협상개시 싯점 및 기간 (의제1의 A.B.F)

- 미국 카나다 및 스웨덴은 UR 종료전에 빨리 시작되어야 하며 협상기간으로는 2년이 적당하다고 하였으나 호주,뉴질랜드,홍콩은 UR종료전에 협상을 시작 하는 것은 서비스분야 전체를 대상으로한 양허균형의 평가를 어렵게 하기때문에 UR이 93.2에끝난다는 전제하에 UR종료즉시 시작하는 것이 타당 하다고 함.

2) 협상 대상분야 및 참가범위 (의제1의 C,G)

- 모든 기본통신 분야를 협상 대상으로 하여야하며 협상 참가 기회는 모든 UR참가국에 개방되어야 한다는데 참가국간 견해가 일치함

3) 협상결과의 이행 (의제 1의 D,E)

- 협상결과는 각국 스케쥴에 수정사항으로 기록되어야 하며 서비스협정의 규칙에 따라 이행되어야 한다는데 이견이 없었음.

0 다만.일본은 각국 스케쥴도 서비스협정의 일부이기 때문에 스케쥴 수정도 협정자체의 개정과 동일한 문제가 된다는 법률적 문제가 있다고 하였으나 다른 모든나라는 보다 자유화된 방향으로 스케쥴을 수정하는 것은 아무 문제가 없으며 통지만으로족하다고 함. 또한, 일본은 협상종료후 참가국들이 기본 통신분야의 양허에 상응하는 수준의 양허를 다른 분야에서 하도록 비참여국가들에게 요구할 수 있는 가능성도언급하였으나 다른 모든 나라는 불가능한 일이라고 반박함.

4. 협상기간중 MFN문제 - 호주,뉴질랜드,홍콩은 MFN을 교섭수단으로 이용하지 않도록 협상기간중 계속하여 MFN원칙이 적용되어야 한다고 하였으나 미국,일본,스웨덴은 협상기간중 MFN문제를 유보 (PUT ON HOLD)하는 방안이 해결책이라고 하여동 대안에 대하여 다음과 같은 두가지 이행방법(FAX 송부)을 놓고 구체적인 토의를 진행하였음. 속배도

앞→이식

주 제 네 바 대 표 부

번 호 : GVW(F) - 0586 년월일 : 21007 시간 : 1200

수 신 : 장 관 (통기, 경기원, 상공부, 체신부)

발 신 : 주 제네바대사

제 목 : UR/서비스 비공식 협의 (기본통신)

보 안	
통 제	

총 3 매(표지포함)

외신국	
통 제	

배부처	장관실	차관실	一차보	二차보	외정실	분석관	아주국	미주국	구주국	중아국	국기국	경제국	통상국	문협국	외연원	청와대	안기부	공보처	경기원	상공부	재무부	농수부	동자부	환경처	과기처	체신부	
													0						/	/						/	

586-3-1

0108

TENTATIVE AGENDA

1. Comments on the draft MoU distributed in June. Delegations are invited to address, in particular, the following points:

a) Negotiations to be launched as soon as possible.

b) Negotiations may continue after the conclusion of the UR.

✓ c) Negotiations to be comprehensive in scope - no basic telecommunications services a priori excluded.

d) Commitments to be recorded as alterations to GATS schedules.

e) Commitments to be implemented in accordance with GATS rules.

f) Negotiations to be concluded within finite period of time.

g) Negotiations to be open to all participants in the UR.

~~2. Applicability of GATS rules from the entry into force of the GATS until the conclusion of the negotiations.~~

3. ~~Formal linkage between these negotiations and~~ the UR results, in particular the GATS through:

a) Attachment of the MoU to the UR Final Act.

b) Decision by the UR Ministerial Conference "taking note" of the MoU.

c) Other option.
Enter the commitment in its schedule as an additional commitments.

4. Modalities for the negotiations.

5. Other.

Para 4 의 2nd sentence,

→ panel

586-3-2

0109

1992-10-05

Alt. A:

4. At the entry into force of the GATS, the application of art. II rights and obligations will be provisionally postponed among Parties who are participants in the negotiations. However, for the full duration of the negotiations participants undertake not to enter into bilateral agreements or take other measures inconsistent with MFN treatment, that would improve their negotiating position. At the conclusion of the negotiations, this undertaking will be replaced by the negotiated commitments.

Alt. B:

4. At the entry into force of the GATS, art. II will apply, including the provision to take an exemption from the obligations of that article. However, for the full duration of the negotiations participants undertake not to enter into bilateral agreements or take other measures inconsistent with MFN treatment, that would improve their negotiating position. At the conclusion of the negotiations, this undertaking will be replaced by the negotiated commitments.

586-3-3

0110

經濟企劃院

ECONOMIC PLANNING BOARD

Tel : 503-9149,9152
Fax : 503-9141

Kwachon-Shi, Kyonggi-Do 427-760
REPUBLIC OF KOREA

☆☆☆☆ 팩시밀리 전문표지 ☆☆☆☆
Facsimile Message Covering

Date: 1992. 10. 8

수신처FAX번호 (Fax Tel No.)	725-1737
수 신 처 (To:)	외무부 통상기구과 안 명수 서기관
발 신 인 (From:)	대외경제조정실 통상조정3과 이 성환 사무관
제 목 (Subject:)	MFN Exemptions Under GATS Article II. 2-Revised Provisional List
비 고 (Comment:)	
총매수(표지포함) Number of Pages (This cover included)	(6) Pages

0111

RECEIVED FROM 5039141 1992.10.08 15:11 P. 1

1. Sector or Sub-sector : Audio-Visual Services

a. Description of the measures :

- In light of its historical and cultural background, the Republic of Korea prohibits market access in the following audio-visual sectors :

o Investment by Japan

. Motion picture sector(including video tape recordings) : motion picture production services and motion picture import & distribution services

o Production, import, and distribution

. Japanese motion picture(including video tape recordings)and Japanese pop song sound recordings

o Performance

. Japanese drama, Japanese pop songs, the singing of any songs in Japanese(excluding the case of singing in Japanese in an international ceremony), and other forms of Japanese entertainment(excluding magic shows, circuses, and dance performances).

b. Treatment inconsistent with Article II : 1 of the Agreement:

- In general, the Republic of Korea restricts the exchange of audio-visual services with Japan.

c. Intended duration of the exemption :

- Indefinite

d. Conditions which create the need for the exemption :

- In view of historical background in Korea-Japan relations, it is difficult for the Republic of Korea to allow cultural exchanges with Japan until Korean people believe the time is ripe for such exchanges.

0112

2. Sector or Sub-sector : Maritime Transport Services

a. Description of the measures :

- Since the ROK-Japan Service Line is overcrowded, especially by the many small domestic businesses, the ROK strictly restricts new entrance to the route regardless of the nationality of the shipping firm.

b. Treatment inconsistent with Article Ⅱ : 1 of the Agreement

- Operation of the ROK-Japan Service Line is permitted only to foreign firms which, for historical reasons, were licensed by the ROK government.

c. Intended duration of the exemption :

- Until January 1995.

d. Conditions which create the need for the exemption :

- This exemption is temporary, and the ROK will respect the MFN principle after the abolishment of this restriction on January 1995.

0113

RECEIVED FROM 5039141 1992.10.08 15:13 P. 3

3. Sector or Sub-sector : Computerized Reservation Services

a. Description of the measures :

- Access to foreign CRS through SITA networks are restricted to a group of persons specified by the Minister of Communications since such access is considered as third party use of international leased lines.

- The Minister of Communications specifically permits U.S. carriers to use the SITA network for access to CRS.

b. Treatment inconsistent with Article II : 1 of the Agreement

- International travel agencies are allowed to access SITA only when they access CRS designated by US carriers.

c. Intended duration of the exemption :

- Indefinite

d. Conditions which create the need for the exemption :

- Access to foreign CRS through the SITA network could be limited or affected otherwise in relation to the negotiations on granting or receiving traffic rights.

0114

1992 10 08 15:14 P. 4

4. Sector or Sub-sector : Reciprocity measures on foreign acquisition of land properties in Korea

a. Description of the measures :

- Prohibitions or restrictions may be imposed on foreign nationals or juridical persons to acquire or lease land properties in the ROK when Korean nationals or juridical persons are placed under similar prohibitions or restrictions in the country of the said foreign nationals (Article 2 of the Alien Land Law).

- However, the acquisition of land properties is currently limited to two sectors: hotels and banking

b. Treatment inconsistent with Article Ⅱ : 1 of the Agreement

- None, at present.

c. Intended duration of the exemption :

- Indefinite

d. Conditions which create the need for the exemption :

- To secure the right of Korean nationals and juridical persons to land properties in doing business in the territory of a foreign country.

0115

RECEIVED FROM 5039141 1992.10.08 15:15 P. 5

經濟企劃院對外經濟調整室

International Policy Coordination office
Economic Planning Board

427-760
京畿道 果川市 中央洞 1 番地
政府 第2廳舍
Tel (02) 503~9130

Facsimile Cover Sheet

Date: 1992. 10. 8.

To: 외무부 통상기구과 안명수 서기관
(Name)

(Position Title)

(Corporate Name)

From: 경제기획원 통상조정3과 이성한 사무관
(Name)

(Position Title)

Contents: UR/서비스 제5차 양허협상 관련

※ We are sending a total of ______ pages including this cover sheet. If you do not receive all the pages, please let us know. Thank You.

0116

RECEIVED FROM 5039141 1992.10.08 18:24 P. 1

UR/서비스 第5次 讓許協商 關聯

< 協商槪要 >

- 이번 讓許協商은 7.24(木) 카알라일 GATT 사무차장 주재로 개최된 35개국 非公式協議에서 결정된 것이며 10.5부터 2週間 兩者協商을 진행

  o 우리나라는 10.12부터 1週間 참여하여 8개국(美國, 日本, EC, 카나다, 핀랜드, 스웨덴, 뉴질랜드, 中國)과 협상예정

    · 10.13(火) : 핀랜드, 캐나다
    · 10.14(水) : 日本
    · 10.15(木) : 美國

      ※ EC, 뉴질랜드, 中國, 스웨덴은 아직 具體的 日程이 정해지지 않았음.

- 이번 讓許協商의 性格은 UR전체협상의 실질적인 진전여부에 영향을 받을 것으로 추정

  o 主要協商參加國들은 양허수준이 미흡한 국가의 추가적인 양보를 계속 要求, 協商하는 기회로 활용코자 할 것으로 예상

  o 그러나 전체적인 협상분위기의 전환이 없는 한 이번 讓許協商에서도 각국간의 실질적 양허교환 및 주요쟁점에서의 큰 의견접근은 어려울 것으로 豫想

< 協商에 임하는 基本立場 >

- 이러한 상황인식하에서 이번 讓許協商에는 다음의 기본입장으로 대응

  ① 韓國政府는 그동안 서비스협상에 적극 참여하여 왔으며 동 협상의 조속한 타결을 위하여 最善의 協調와 努力을 다할 것임을 강조

0117

RECEIVED FROM 5039141 1992.10.08 18:26 P. 3

② 讓許範圍는 기본적으로 수정양허계획표의 범위내에서, 쟁점별로는 기존의 입장을 견지하는 線에서 대응하되 그간 추가적인 검토가 완료되었거나 自由化方針을 마련한 인력이동, 해운등 몇몇분야는 最終讓許表 提出時 追加 讓許가 가능할 것임을 표명

③ MFN逸脫問題, 基本通信등 주요쟁점에 대한 각국의 입장과 全般的 動向을 면밀하게 파악

< 文書提出 및 配布計劃 >

- MFN逸脫問題는 그간의 검토결과를 토대로 이번 양허협상 기간중 MFN逸脫申請 變更內容을 설명하고 공식적으로 GATT에 제출 추진

  o 우리는 당초 航空 CRS, 海運分野의 waiver制度등 2개분야에 대해 MFN逸脫을 申請('92.3.12)

  o 그러나 韓·日間 視聽覺 및 韓·日航路등에 대한 MFN일탈 추가신청 필요성이 제기됨에 따라 關係部處協議를 거쳐 이번 협상기간중 GATT에 제출키로 결정

- 우리 修正讓許表上의 業種包括範圍를 확정, 각국에 배포

  o 우리 수정양허표상에 업종명만 기재되어 있어 各國이 包括範圍를 명확히 해 주도록 요청한 데 따른 것임.

0118

RECEIVED FROM 5039141 1992.10.08 18:25 P. 2

6. Financial Services

A. Banking

Sub - Sector	Coverage
Deposit and related business	acceptance of deposits and other repayable funds from the public under CPC 81115 and 81116
Loans and related business	lending of all types under CPC 81131 and 81132
Foreign exchange business	purchase and sale, issuance, and remittance and collection of foreign exchange under CPC 81333
Services auxiliary to banking	Sales of commercial and trade bills under CPC 81339 and mutual installment deposits and payment gurantees under CPC 8113
Trust business	activity where the trustee manages assets of the truster, having been delegated the authority under CPC 81192 and 81193

B. Securities business

Sub - Sector	Coverage
Dealing, broking and under-writing	Dealing, broking and underwriting under CPC 8132

0119

3-2

sion	CPC 8129
c. Actuarial services and claim settlement services	CPC 81404 and claim settlement services under CPC 81403

D. Professional Services

Sub - Sector	Coverage
CPA Services	To perform audits, appraisals, attestations, calculations, rearrangements or systems set -up on accounting, accounting services concerning the establishment of juristic persons and to act as an agent in handling tax affairs under CPC 862
CTA Servies	Undertaking the following activities on behalf of the taxpayer : filing of tax return, application, and request ; preparation of tax adjustment statement, and other tax-related forms ; bookkeeping for the purpose of tax reporting ; tax-related consulting and advisory services ; and other activities related to the above under CPC 863

3-3

0120

RECEIVED FROM 1992.10.08 10:23 P. 1

이시(원본) ✓

원 본

외 무 부

종 별 :

번 호 : GVW-1888 일 시 : 92 1008 1900

수 신 : 장 관(통기, 경기원, 상공부, 교통부, 항만청)

발 신 : 주 제네바대사

제 목 : UR/서비스 비공식 협의(해운)

10.7(수) EC 주최로 개최된 해운분야에 관한 12개국 비공식 협의 내용을하기 보고함. (미국,일본, 카나다, 호주, 뉴질랜드, 홍콩, 노르웨이,스웨덴,알젠틴, 브라질,아국 참석)

1. 협의개요 - 지난 6월 비공식 협의시 제기되었던 문제중 해운선사의 상업적 주재시 영업 활동 범위,CARGO HANDILING SERVICES의 범위에 대하여토의하였는바, 국제해운의 포괄범위를확장하여 육상트럭킹도 상업적 주재를 하고 있는국제 해운선사의영업 활동 범위에 포함시키는것도 하나의 대안으로 합의 하였음.

- 동 협의는10.14(수) 속개(잠정)하여 보조금, 선박의국적문제, 항만서비스의 이용 및 접근 문제등에대하여 토의할 예정이나 이와 같은 과제에 대한작업이 종료된다하더라도 미국이 이에 참여(MFN완전 일탈철회 및 해운분야 OFFER 제출)하여실질적인진전을 이룩하는 문제 는 여전히 숙제로남아 있음.

2. 협의 내용

가. 해운선사의 상업적 주재시 영업활동 범위

- EC는 해운선사가 해운서비스를 효과적으로공급하기 위하여 육상에서 할 필요가 있는활동들을

1) 해운서비스의 마켓팅 및 판매,

2)ONWARD TRANSPORT ON A THROUGH BILL OF LADING,

3)정보서비스등 세가지로 분류하고 동 활동들의정의 및 범위를 다음 과 같이 제시함.

1) 해운서비스의 마켓팅 및 판매 :QUOTATION에서부터 INVOICING 까지의 일련의활동들을 의미하며 선사스스로 또는 현지내국업체를 통하여 할 수 있어야 함.

2) ONWARD TRANSPORT ON A THROUGH BILL OF LADING :운송관련 서비스를

통상국 고통부 경기원 해항청 해항청 상공부

PAGE 1 92.10.09 07:33 FX

외신 1과 통제관 ✓

0121

패키지로제공하는 것을의미하며 SEA-RAIL도 포함함

3) 정보서비스 : 통관서류, 대고객 서류등 제반서류작성, 서비스 공급 계약 및하도급 계약 체결등을원활히 하기 위한 제반 활동

- 상기 3개 사항에 대하여 1)과 3)은 서비스협정규정상(제 1조 및 34조) 당연히서비스 공급 활동에포함되므로 외국 선사에 대하여 이러한 활동에대한 제한 조치가있을 경우에는 스케쥴에유보되어야 한다는데 이견이 없었음.

- 2)항의 ONWARD TRANSPORT에 대하여는 동 활동을외국선사의 활동 범위에 포함하며 해운선사의육상트럭킹 서비스 직접 제공에 제한이 있는경우에는 국제해운 분야의상업적 주재란에제한 조치로 기재되어야 한다는 것을 하나의대안으로 하는데 합의 하였음. (국제 해운서비스의 정의 및 범위 확장)

0 그러나, 해운선사가 자사운송화물의 육상 운송과관련한 서비스를 제공 하는 것에 관하여는 별문제가 없으나 타사 운송화물의 육상 운송과관련한 서비스를 상업적으로 제공하는 경우까지포함하는지, 그러한 행위를 어떻게 구분, 차단할것인지 문제가제기됨.

0 또한, 동 서비스를 상업적 주재에 의하지 않고국경간에 공급하는 경우는 어떻게 할 것인지문제가 제기된바 EC는 모두 해당된다고 하고이를

1) 관련 서비스의 직접제공(DIRECT SALE),

2)국내 AGENT를 통한 공급,

3) 상업적 주재에의한 공급등 3단계로 구분하고 1), 2)가 국경간공급에 해당한다는 견해를 피력함.

0 미국은 운송주선업자가 자사대리점을 통하여영업활동을 하든지 타업체를 자유로이 선택하든지선택권을 가질 수 있도록 협정 제16조(시장접근)에 정확하게 반영되어야 한다고 함.

- 한편, 각종 상업적 주재와 관련하여

1)해운선사의 현지사무소(LOCAL OFFICE), 2) FREIGHTFORWARDER, 3) 해운대리점(SHIPPING AGENCY)을어떻게 서로 구분할 것인지 어렵다는 문제도제기됨.

나. CARGO-HANDLING 서비스의 범위 - EC는 지난 6월에 배부한 자국의 MODELSCHEDULE상의 CARGO-HANDLING 서비스의 정의에인력 문제를 제외한 배경(DOCKER가 독점상태에 있는 나라들의 실정을 감안하여 인력은계속해서 DOCKER가 공급하되 외국서비스공급자는 조직, 감독, 관리만 하도록 CPC상의 정의를 수정)을

PAGE 2

0122

재차 설명하는 한편자국 접근 방법 관련 제기될 수 있는문제점을 다음과 같이 언급하였으나 토의는이루어지지 않았음.

1) 외국서비스 공급자가 모든 종류의 기계장치를이용할 수 있는지

2) 인력문제가 배제된 상태에서 동 공급자가얼마만큼 영업활동을 할 수 있는지,완전자동화가 가능한 것인지 ?

3) 동 공급자가 다음의 관련 업무를 아무것이나 할수 있는지 ? . 각종 서류작성

. 상품의 측정

. 재포장

. 상품의 보관, 관리등

첨부 : 해운분야 비공식 협의 의제(EC 작성)1부.

(GVW(F)-593)

(대사 박수길 - 국장)

주 제 네 바 대 표 부

번 호 : GVW(F) - 0593 년월일 : 21008 시간 : 1800

수 신 : 장 관 (통기, 경기원, 상공부, 교통부, 해항청)

발 신 : 주 제네바대사

제 목 : UR/서비스 비공식협의(해운분야)

총 2 매(표지포함)

보 안	
통 제	

외신국	
통 제	

배부처	장관실	차관실	一차보	二차보	의정실	분석관	아주국	미주국	구주국	중아국	국기국	경제국	통상국	문협국	외연원	청와대	안기부	공보처	경기원	상공부	재무부	농수부	동자부	환경처	과기처	교통부	해항청
													O						/	/						/	/

✓

0124

593-2-1

INFORMAL DISCUSSION ON MARITIME
SCHEDULING ISSUES, 7 October 1992

Proposed Agenda

- Scope of commercial presence for doing business purposes.
- Scope of cargo handling activities.
- Need for scheduling of subsidies
  - directed to the service product
  - directed to the service provider.
- Scope of beneficiaries (flag versus operator).
- Access to and use of port facilities - need and nature of additional language/interpretation of Articles XXXIV and VIII.
- Other business.

0125

5P3-2-2

외 무 부

110-760 서울 종로구 세종로 77번지 / (02)720-2188 / (02)720-2686 (FAX)

문서번호 통기 20644-

시행일자 1992.10. 9.( )

수신 내부결재

참조

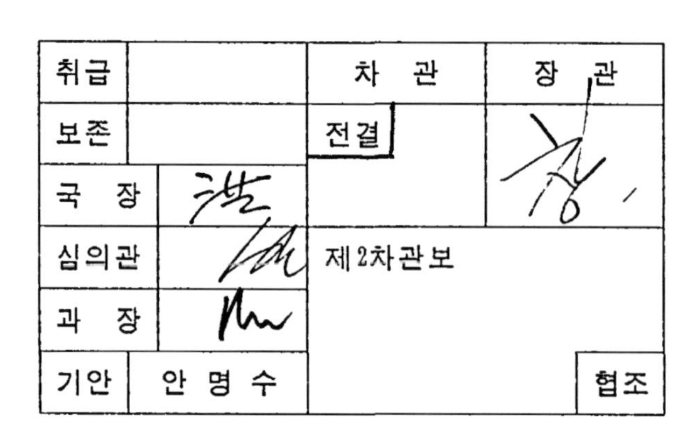

취급		차 관	장 관
보존		전결	
국 장			
심의관		제2차관보	
과 장			
기안	안 명 수		협조

제목 UR/서비스 협상 정부대표 임명

92.10.13-16간 제네바에서 개최되는 제 5차 UR/서비스 양자 협상에 참가할 정부대표를 "정부대표 및 특별사절의 임명과 권한에 관한 법률"에 의거 아래와 같이 임명코자 건의하니 재가하여 주시기 바랍니다.

- 아 래 -

1. 회 의 명 : 제 5차 UR/서비스 양자 협상

2. 기간 및 장소 : 92. 10. 13 - 16, 제네바

3. 정 부 대 표 :

수석대표 : 경제기획원 제2협력관 이윤재

대 표 : 경제기획원 통상조정3과 사무관 이성한

경제기획원 통상조정1과 사무관 주형환

재 무 부 국제금융과 사무관 최희남

체 신 부 통신협력단 통신기정 노희도

자 문 : KIEP 연구위원 성극제

/계속...

0126

4. 양자협상 일정

10. 13.(화)	11:30	:	핀란드
	15:00	:	카나다
10. 14.(수)	10:00	:	호 주
	15:00	:	일 본
10. 15.(목)	09:00	:	미 국
	15:00	:	E C
10. 16.(금)	10:00	:	뉴질랜드
	15:00	:	중 국

5. 출장기간 : 10. 11(일) - 18(일)

6. 소요예산 : 소속부처 자체예산

7. 훈 령 : 별 첨. 끝.

0127

훈 령(안)

1. 금번 제 5차 UR 서비스 양자 협상에서는 각국이 양허 수준이 미흡한 국가들에 대해 추가적인 양보를 요구하는 기회로 활용할 것으로 예상되는 바, 하기 기본입장에 따라 대처함.

   가. 한국은 지금까지 UR 협상에 적극 참여하여 왔으며 협상 타결을 위해 계속 기여할 것임을 강조

   나. 양허의 범위와 관련, 아측이 제출한 수정 양허계획표의 범위내에서 기존 입장을 견지토록 함. (단, 그동안 추가적인 검토가 완료되었거나 자유화 방침을 마련한 인력이동, 해운 등의 분야에서는 최종 양허표 제출시 추가적인 양허가 가능할 것임을 표명)

2. MFN 일탈 문제와 관련, 금번 양허 협상 기간중 우리의 MFN 일탈 신청서 변경 내용을 양자협상 대상국들에게 설명하고 GATT 사무국에 제출토록 추진함.

3. 우리 수정양허표 상의 업종포괄 범위(sectoral coverage)를 확정하여 문서로 양자협상 대상국에게 제시함.

4. 주요 쟁점인 기본통신, MFN 일탈 문제등에 대한 각국 입장 및 전반적인 동향을 파악함. 끝.

0128

경 제 기 획 원

우 427-760 / 경기도 과천시 중앙동1 정부제2청사 / 전화 503-9130 / 전송 503-9138

문서번호 통조삼 10502-124

시행일자 1992.10. 7.

수신 외무부장관

참조 통상국장

선결			지시	
접수	일자 시간	92 . 10 . 7	결재·공람	
	번호	35247		
처리과				
담당자				

제목 UR/서비스 양허협상 참석

1. 스위스 제네바에서 개최되는 UR/서비스 양허협상에 다음과 같이 참석코자 하니 협조하여 주기 바랍니다.

- 다 음 -

가. 출장자

- 수석대표 : 경제기획원 제2협력관 이윤재
- 대 표 : 경제기획원 통상조정3과 사무관 이성한
  통상조정1과 사무관 주형환
- 자 문 관 : KIEP 연구위원 성극제

나. 출장기간 : '92.10.11~10.18

다. 출 장 지 : 스위스 제네바

라. 경비부담 : 경제기획원, KIEP

첨부 : 출장일정 1부. 끝.

경 제 기 획 원 장 관

0129

出張日程(暫定)

'92. 10.11(日)	12:55	서울 발 (KE 901)
	18:10	파리 착
	20:45	〃 발 (SR 729)
	21:50	제네바 착
10.13(火) ~ 10.16(金)		UR/서비스 讓許協商
'92. 10.17(土)	14:25	제네바 발 (LH 4579)
	15:50	프랑크푸르트 착
	20:10	〃 발 (KE 906)
10.18(日)	16:35	서울 착

0130

재 무 부

우 427-760 경기도 과천시 중앙동 1 / 전화 (02)503-9266 / 전송 503-9324

문서번호 국금 22251-300
시행일자 '92. 10. 8 ( )

수신 외무부장관
참조

선결			지시	
접수	일자 시간	92.10.9	결재	
	번호	35573	·	
처리과			공	
담당자		이시형	람	

제목 UR 서비스 양자협상 참석

1. GVW-1793('92. 9.25)와 관련입니다.

2. UR 서비스 협상과 관련 스위스 제네바에서 '92.10.12~16간 개최 예정인 양자 협상에 참석할 당부대표를 아래와 같이 파견코자 하오니 필요한 조치를 취하여 주시기 바랍니다.

아 래

성 명	소 속	기 간
최 희 남	국제금융과 사무관	'92.10.11~18

끝.

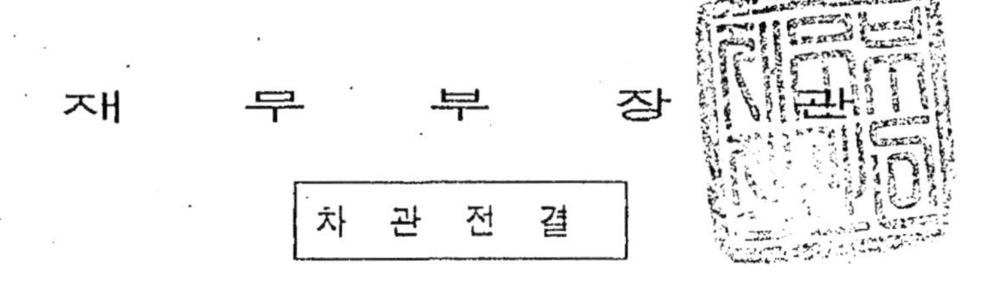

재 무 부 장 관

차 관 전 결

0131

체 신 부

통신협력단

110-777 서울 종로구 세종로 100번지 /(02)750-2360 /Fax (02)750-2915

문서번호 통협 34475- 460
시행일자 1992. 10. 9 ( )
(경 유)
수 신 수신처참조
참 조

선결		지시		
접수	일자 시간	1992.10.9 :	결재·공람		
	번호	35445			
처리과					
담당자					

제 목 제5차 UR/서비스 양허협상 참가

1. '92.10.12주간에 제네바에서 개최되는 제5차 UR/서비스 양허협상에 참가할 우리부 대표를 아래와 같이 통보하오니 필요한 조치를 취하여 주시기 바랍니다.

가. 대표

소 속	직 급	성 명
체 신 부	통신기정	노 희 도

나. 출장기간 :'92.10.11(일)~10.18(일)

다. 출 장 지 : 제네바(스위스)

라. 목 적 : 제5차 UR/서비스 양허협상 참가 끝.

체 신 부 장 관

수신처 : 경제기획원장관, 외무부장관

0132

외 무 부

110-760 서울 종로구 세종로 77번지 / (02)720-2188 / (02)720-2686 (FAX)

문서번호 통기 20644-355
시행일자 1992.10. 9.( )

수신 경제기획원장관, 재무부장관
체신부장관
참조

취급		장 관
보존		
국 장	전 결	
심의관		
과 장		
기안	안 명 수	협조

제목 UR/서비스 협상 정부대표 임명 통보

1. 92.10.13-16간 제네바에서 개최되는 제 5차 UR/서비스 양자 협상에 참가할 정부대표가 "정부대표 및 특별사절의 임명과 권한에 관한 법률"에 의거 아래와 같이 임명되었음을 통보합니다.

- 아 래 -

가. 회 의 명 : 제 5차 UR/서비스 양자 협상

나. 기간 및 장소 : 92.10.13-16, 제네바

다. 정 부 대 표 :

수석대표 :	경제기획원	제2협력관	이윤재
대 표 :	경제기획원	통상조정3과 사무관	이성한
	경제기획원	통상조정1과 사무관	주형환
	재 무 부	국제금융과 사무관	최희남
	체 신 부	통신협력단 통신기정	노희도
자 문 :	KIEP 연구위원		성극제

/계속...

0133

라. 출장기간 : 10.11(일)-18(일)

마. 소요예산 : 소속부처 자체예산

2. 귀국후 2주일이내에 출장 결과보고서를 우리부로 송부하여 주시기 바랍니다.

첨부 : 훈 령 1부. 끝.

검인 1992.10.09 통제관

외 무 부 장 관

0134

훈 령

1. 금번 제 5차 UR 서비스 양자 협상에서는 각국이 양허 수준이 미흡한 국가들에 대해 추가적인 양보를 요구하는 기회로 활용할 것으로 예상되는 바, 하기 기본입장에 따라 대처함.

   가. 한국은 지금까지 UR 협상에 적극 참여하여 왔으며 협상 타결을 위해 계속 기여할 것임을 강조

   나. 양허의 범위와 관련, 아측이 제출한 수정 양허계획표의 범위내에서 기존 입장을 견지토록 함. (단, 그동안 추가적인 검토가 완료되었거나 자유화 방침을 마련한 인력이동, 해운 등의 분야에서는 최종 양허표 제출시 추가적인 양허가 가능할 것임을 표명)

2. MFN 일탈 문제와 관련, 금번 양허 협상 기간중 우리의 MFN 일탈 신청서 변경 내용을 양자협상 대상국들에게 설명하고 GATT 사무국에 제출토록 추진함.

3. 우리 수정양허표 상의 업종포괄 범위(sectoral coverage)를 확정하여 문서로 양자협상 대상국에게 제시함.

4. 주요 쟁점인 기본통신, MFN 일탈 문제등에 대한 각국 입장 및 전반적인 동향을 파악함. 끝.

0135

	분류번호	보존기간

발 신 전 보

번 호 : WGV-1514 921009 1558 WG 종별 :

수 신 : 주 제네바 대사. 총영사

발 신 : 장 관 (통 기)

제 목 : 제5차 UR/서비스 양자협상

1. 92.10.13-16간 귀지 개최 표제 협상에 참가할 정부대표단이 아래와 같이 임명되었으니 귀관 관계관과 함께 참석토록 조치 바람.

- 아 래 -

수석대표 :	경제기획원	제2협력관	이윤재
대 표 :	경제기획원	통상조정3과 사무관	이성한
	경제기획원	통상조정1과 사무관	주형환
	재 무 부	국제금융과 사무관	최희남
	체 신 부	통신협력단 통신기정	노희도
자 문 :	KIEP 연구위원		성극제

2. 훈 령

가. 금번 제 5차 UR 서비스 양자 협상에서는 각국이 양허 수준이 미흡한 국가들에 대해 추가적인 양보를 요구하는 기회로 활용할 것으로 예상되는 바, 하기 기본입장에 따라 대처함.

/ 계속...

보안 통제	

앙고재	92년 10월 9일	통상기구과	기안자 성명		과 장	심의관	국 장		차 관	장 관
			안명수				전결			

외신과통제

0136

1) 한국은 지금까지 UR 협상에 적극 참여하여 왔으며 협상 타결을 위해 계속 기여할 것임을 강조

2) 양허의 범위와 관련, 아측이 제출한 수정 양허계획표의 범위내에서 기존입장을 견지토록 함. (단, 그동안 추가적인 검토가 완료되었거나 자유화 방침을 마련한 인력이동, 해운 등의 분야에서는 최종 양허표 제출시 추가적인 양허가 가능할 것임을 표명)

나. MFN 일탈 문제와 관련, 금번 양허 협상 기간중 우리의 MFN 일탈 신청서 변경 내용을 양자협상 대상국들에게 설명하고 GATT 사무국에 제출토록 추진함.

다. 우리 수정양허표 상의 업종포괄 범위(sectoral coverage)를 확정하여 문서로 양자협상 대상국에게 제시함.

라. 주요 쟁점인 기본통신, MFN 일탈 문제등에 대한 각국 입장 및 전반적인 동향을 파악함. 끝.

(동상국장 홍 정 표)

0137

미시

원 본

외 무 부

종 별 :

번 호 : GVW-1892 일 시 : 92 1009 1630

수 신 : 장 관(통기,경기원,재무부,상공부)

발 신 : 주 제네바대사

제 목 : UR/서비스 비공식 협의(조세문제)

10.8(목) 카나다 주최로 개최된 조세문제에 관한14개국 비공식 협의 내용을하기보고함(미국.EC.일본.스웨덴.스위스.인도.브라질.이집트.알젠틴.홍콩.싱가포르.아국참석)1. 협의개요

- 카나다가 작성 배포한 ISSUE PAPER(별첨FAX송부)를 기초로 항목별로 토의 하였는바 현서비스협정 초안상의 조세문제에 대한 예외의 범위를 확대 하려는 미국.EC.카 나다와 동문제는 TRACK 4에 해당한다는 그외 모든 국가(일본 및 아국포함)의 입장이 맞서 접근점을 찾지못하고 종료함.

- 동 협의는 고도로 발달된 복잡한 조세체계를가진 미국.EC.카나다와 기타 국가의 조세제도와의 차이에서 문제가 제기 되고 있는바 보조금문제(내국인대우에 위배되 는 보조금의SCHEDULING 문제)와 함께 FRAMEWORK 상의 실질문제로 부상함(과거 실질적 문제가 잔존한 통신부속서와 항공서비스 부속서는 수면 밑으로가라앉은 상태) -동 협의 종료후 미국.EC.카나다(동 국가들은 조세 전문가도 참석하였음)는 수일내에재차협의를 개최할 것을 희망하였으나 기타 국가들은 본부에서 검토할시간이 필요할뿐만아 니라 상호 입장이 변경될여지가 없으므로 무의미한 협의가 될것이라고 반대하였으며 특히 인도와 브라질은 동문제를 제기하려면 공식절차를 밟아야 할 것이라고지적하여 재협의 개최여부 및 일자역시 정하지 못하고 종료하였음.

2. 협의 내용

가. 내국민대우에 대한 예외의 범위(GATS14조D, 카나다작성문서 7,8,9,항)

1) 'EQUITABLE OREFFECTIVE' 기준의 적절성 및 존치여부

- 미국.EC.카나다는 다음와같은 이유를 들어 협정초안 14조 D의 예외허용 요건인 EQUITABLE OREFFECTIVE TEST의 삭제 또는 '조세정책상의조치'로의 대체를 요구함

0 동기준이 매우 주관적이기 때문에 분쟁이 제기되었을 경우 패널이 판단하기 어

통상국 경기원 재무부 상공부

PAGE 1 92.10.10 06:09 FL

외신 1과 통제관

0138

려움

0 14조 서두의 요건(자의적이거나 정당화 될수없는 차별이 아닐것)과 함께 이중TEST 결과가 됨

0 TEST 대상이 조세정책이 아니라 조세조치의 영향을 검토하는 것이기 때문에 고도로 복잡한 조세체계의 성격상 많은 문제가 야기될 수있음 - 일본.호주.브라질.아국은 이에 대하여 다음과 같은 반대의견을 피력함.

0 회원국간 분쟁이 대상이 되는 것은 서비스교역에 상당한 정도로 영향을 미치는조치에 한정되기 때문에 순수한 조세문제는 우려할 이유가 없음

0 중대한차별조치는 각국 SCHEDULE에 유보하는 해결방안이있음

0 'EQUITSBLE OR EFFECTIVE' 기준은 '91년도협상과정에서 예외조항의 남용가능성을 방지하기위하여 참가국간 협의에 의하여 반영된것임.

2) 직접세 전체에 대한예외허용 문제

- 미국.EC.카나다는 다음과 같은 사례들을 들어 협정조안상의 거주자와 비거주자간 차별뿐만아니라 거주자인 서비스공급자 간 차별, 거주자인 주주와 비거주자인 주주간 차별, 국내서비스를 구매하는 소비자와 해외 서비스를 구매하는 소비자간 차별등 직접세 전체를 서비스 협정 적용 대상에서 제외하고 간접세만 대상으로 할 것을주장함.

0 THIN CAPITALIZATION, 부양가족에 대한 조세감면등 개인별 조세 감면 조치, 개인세와 법인세의 통합과세, 국내소재 자회사와 지사간차별, 자본자체에 대한 과세등(동 사례들의자세한 내용은 별첨 미국 작성 문서 참조)

- 이에 대하여, 일본.인도.호주.아국등은 다음과같은 입장을 견지함.

0 직접세가 과연 제17조(내국민대우)원용요건인 내.외국 서비스공급자간 경쟁조건에 영향을 미치는 것인지 검토되어야 함.

0 개인에 대한 과세조치는 서비스협정 적용대상이 아님

0 순수국내법인과 외국법인의 자회사간 비교,지회사와 지사간 비교등은 이들이상호협정상의 LIKE SERVICE SUPPLIERS에 해당하는지 여부가 먼저

검토되어야 함

- 법률국 역시 개인에 대한 과세조치는 서비스협정 적용대상이 아니며 기타 대부분의 사례가 INTEGRITY OF TAX SYSTEM을 위한 조치로 판단된다는점을 들어 카나다등의 우려에 동의하기 어렵다고 함.

PAGE 2

0139

0 이에 따라 카나다 GNS 대표는 'INTEGRITY OF TAXSYSTEM'을 예외 조항의 요건으로 반영하는 방안을 제의함.

나.MFN에 대한 예외 허용범위(GATTS제14조E, 카나다문서 10,11항)

1) 이중과세 방지조치

- 이중과세 방지 협정 이외의 기타국가간 협정상의 이중과세 방지조항에 따른 조치도 MFN예외 범위에 해당한다는 지난 6월의 합의사항을 재확인함.

- 카나다는 이외에 국가간 협정에 의하지않고 국내법률에 의하여 상호주의 하에 이중과세방지를위한 조세감면 조치는 위와 같은 목적의 것이므로 MFN 예외대상에 포함되어야 한다고 주장하였으나 기타모든 국가는 예외 허용 범위가 한나라의 일방적조치에 의하여 결정되는 결과가 된다는점을 들어 반대함.

2) 조세천국 문제

- EC는 A국의 회사가 조세천국인 B국에 자회사를 설립하고 A국에서 발생한 수익을 B국에 설립된 자회사에 돌려 조세를 면탈하는 경우 B국의 자회사에 귀속된 수익에 대한 과세조치에 대하여 B국의 자회사가 MFN문제를 제기 할 수 있다고 하였으나 기타 국가들은 동조치는 자국회사에 대한 조치이므로 협정적용대상에 해당하지 않는다고 함.

다.이중과세 방지협정하의 조치에 대한 서비스협정상의 분쟁해결배제(GATS 제 22조3항, 카나다문서 12항)

- EC는 국제협정의 분쟁은 당해협정의 체약국간에 해결되는 것이 상례이므로 서비스협정상의 분쟁해결에서 완전배제 할것을 주장하였으나 인도는 MTO 의 통합분쟁해결 절차의 정신에 어긋나는 것이라고 반대하였으며 다만 지난 6월의 EC제안대로 동문제를 14조(예외)에 반영하여 이중과세방지협정에 해당하는 어떤조치가 14조 서두의자의적이거나 정당화 될 수 없는 차별이 아닌경우에 한하여 전적으로 동협정상의 분쟁해 결에 맡기는 방안은 검토할 수 있다고함.7

첨부 : 1. 카나다 작성문서 1부

2. 미국 작성문서 1부 끝.

(GVW(F)-596)

(대사 박수길 - 국장)

주 제 네 바 대 표 부

번 호 : GVW(F) - 0596 년월일 : 21009 시간 : 1630

수 신 : 장 관 (통기. 경기원. 재무부 상공부)

발 신 : 주 제네바대사

제 목 : UR/서비스 비공식 협의

보 안	
통 제	

총 11 매(표지포함)

외신국	
통 제	

배부처	장관실	차관실	一차보	二차보	외정실	분석관	아주국	미주국	구주국	중아국	국기국	경제국	통상국	문협국	외연원	청와대	안기부	공보처	경기원	상공부	재무부	농수부	동자부	환경처	과기처		
													O						/	/	/						

596-11-1

0141

NON CLASSIFIE

September 22, 1992

MTN: TAXATION IN THE CONTEXT OF THE SERVICES AGREEMENT (GATS)

1. The General Agreement on Trade in Services (GATS) will be the first multilateral agreement to impose most-favoured nation (MFN) and national treatment disciplines on persons in their capacity as service suppliers, including through commercial presence. These disciplines will apply to all measures of a Party, including taxation measures.

2. However, it is recognized that it is not always appropriate to apply unqualified national treatment and MFN requirements to income tax systems. Amongst key considerations, it is noted that income tax legislation in most countries provides for different treatment among taxpayers in different circumstances, in particular among resident versus non-resident taxpayers. Such distinctions among taxpayers stem from the fact that, in most countries, tax systems have subsidiary social and economic goals aside from the principal objective of raising revenues. However, distinctions that are justified on tax policy grounds may not conform to the national treatment requirement.

3. Second, a majority of countries already adhere to international obligations in the area of taxation through bilateral double taxation agreements (DTA's) or conventions. Such treaties provide rules to prevent double taxation and tax avoidance, and include, in most instances, non-discrimination provisions tailored to taxation and the specific needs and circumstances of the signatories.

4. In recognition of the particular nature of taxation, the December 1991 Dunkel text of the GATS (MTN Document TNC/W/FA) provides for an exclusion of income taxation from the disciplines of the Agreement in limited circumstances. However, in view of the above discussion, the current wording of paragraphs XIV:d (exclusion from national treatment), XIV:e (exclusion from MFN) and [illegible] (relationship between the Agreement and DTA's) may not be satisfactory in certain respects.

National Treatment Issues

5. Paragraph XIV:d provides, subject to the limitations included in the chapeau of Article XIV, a derogation for income taxes from the national treatment requirement under two conditions: that the measure be (i) "aimed at ensuring the equitable or effective imposition or collection of taxes"; (ii) "... of service suppliers of other Parties that, under the Party's relevant tax measures, are not deemed to reside in the Party's territory".

5-P6-11-2

0142

UNCLASSIFIED
NON CLASSIFIE

6. Such wording clearly covers, for example, measures enacted specifically for non-residents that are required because the usual rules applicable within the Party's territory cannot be applied to them. For example, countries impose withholding taxes on various outbound payments made to non-residents in recognition of the fact that a country's personal income tax cannot be imposed on non-residents.

7. However, point (i) above may be problematic in cases where normal features of the regular tax system are not extended to non-resident taxpayers. For example, tax deductions and credits provided on the basis of civil status or family responsibility (e.g. child tax credit, age credit, married status credit) are, appropriately so, not extended to non-residents. Moreover, provisions which ensure the partial or total integration of the personal and corporate tax system (e.g. dividend tax credit on dividends paid out by resident corporations) are generally restricted to resident individuals. Can the non-extension of certain benefits, inherent to the tax system, to non-residents be considered to ensure "the equitable or effective imposition or collection of taxes"? What is the exact scope of this test? Are such criteria, in fact, needed, given that trade-related concerns already seem fully addressed in the chapeau to Article XIV?

8. Moreover, point (ii) above specifies that the difference in treatment be with respect to taxes of "service suppliers of other Parties that, under the Party's relevant tax measures, are not deemed to reside in the Party's territory". However, tax systems may also distinguish among taxpayers on different bases. For example, the tax system may distinguish, among resident corporations, on the basis of the residence of the controlling shareholder. Would (ii) cover this instance, given that a foreign controlled corporation is "a service supplier of another Party" but is a resident corporation? If not, should not this test be expanded? Or should it be dropped altogether, given that the national treatment discipline is necessarily an issue between service suppliers of different Parties?

9. The reference to "taxes on income" may not technically be sufficient to cover taxes on capital gains or other taxes raised in connection with income taxes. Should paragraph XIV:d refer to the full scope of direct taxes usually covered by DTA's, i.e. taxes on income, on capital gains and on capital?

5-6-11-3 3

MFN Issues

10. Paragraph XIV:e provides a derogation from MFN requirements when the measure "is the result of an international agreement relating to the avoidance of double taxation". Therefore, the derogation does not extend to provisions for the avoidance of double taxation found in domestic legislation that are, for example, provided on a reciprocal basis (e.g. exemption for air and maritime shipping income earned by non-residents). Should all such provisions, whether found in DTA's or in domestic legislation, not be covered by paragraph XIV:e?

11. Several countries also have provisions to prevent the avoidance of tax by resident taxpayers with respect to the income earned in other countries through foreign controlled entities. Such legislation may distinguish between tax haven countries and other jurisdictions. Given the definition of "juridical person" in Article XXXIV, do Members need to be concerned about treatment of tax havens? If yes, does the language currently in Article XIV adequately address this concern?

Relationship Between GATS and DTA's

12. Paragraph XXII.3 stipulates that a Party may not initially invoke Article XVII (national treatment) with respect to a measure subject to a DTA containing a non-discrimination clause between the Parties, but may do so when "no satisfactory resolution of the dispute has been reached within a reasonable period of time". This indicates that Parties could seek resolution of a dispute in two different forums and that the GATS would thus act as a "court of appeal" in issues involving tax measures. Should measures intended to be covered by DTA's not continue to be covered exclusively by tax treaties?

Restrictions on Transfers

13. Article XI stipulates that a Party "shall not apply restrictions on international transfers and payments". It is generally understood that such a requirement is not intended to affect the right of a Party to levy withholding taxes with respect to outbound payments made to non-residents. However, there remains uncertainty as to the actual effect of the literal application of this Article. Should the question be clarified by adding a paragraph to Article XI stating that paragraph XI:1 is not intended to limit the ability of a Party to impose non-resident withholding taxes?

5P6-11-4 4

0144

10/6/92

TAXATION IN THE CONTEXT OF THE SERVICES AGREEMENT (GATS)

The U.S. considers that it is important to resolve the significant issues regarding the treatment of taxation in the GATS. Our position is that the exclusion from GATS for certain income taxes should be broadened. The Canadian paper distributed on September 22, 1992, is a useful reference point in summarizing our concerns about the current text and our views on revising it.

Context (paragraphs 1-4 of the Canadian paper)

Paragraph (2) of the Canadian paper questions the application of national treatment (Article XVII) and MFN (Article II) obligations to income tax systems, noting that the income tax systems of almost all countries apply differently to nonresidents than to residents. These differences (in substantive taxing rules and in collection procedure) reflect the different circumstances of nonresidents in comparison to residents. An obvious example of such a difference is the frequent use of withholding taxes as the preferred method of collecting taxes owed by nonresidents. As a practical matter, a limited tax carve-out, such as the one in the current draft, applicable only to measures for the effective or equitable imposition or collection of taxes, creates an unprecedented opportunity for trade disputes over fundamental and internationally accepted differences in the income taxation of nonresidents. The creation of such an uncertain legal climate cannot be expected to improve the climate for trade in services and may, in fact, achieve the opposite effect.

As pointed out in paragraph (3) of the Canadian paper, an extensive number of bilateral income tax treaties have included nondiscrimination (national treatment) provisions relating to income taxation. It should be noted also that these treaties incorporate internationally accepted principles of national treatment in the context of income taxation, which take into account the different circumstances of residents and nonresidents as appropriate, as modified in individual treaties to meet the needs of both countries. Income tax treaties also put into place a framework of consultation on issues including national treatment.

Acknowledging that GATS goes beyond GATT by including obligations relating to investment as well as trade, we nevertheless think it useful to refer to the treatment of taxes under GATT, which incorporates a national treatment obligation that has been interpreted to apply almost exclusively to indirect taxes.[1] The obligation under Article III of the GATT regarding

[1] Similarly, the MFN obligation under GATT Article I does not extend to income taxes.

National Treatment on Internal Taxation and Regulation has never been interpreted to obligate Parties to apply national treatment in taxing the incomes of producers of imported goods.[2] The application of national treatment under the GATT almost exclusively to indirect taxes appears to reflect a view that indirect taxes on products affect internal consumption to a far greater degree than do direct taxes on the income of foreign producers. Even if this view did not drive GATT Article III's distinction between direct and indirect taxes, we observe that this distinction has been easily administered and has achieved a degree of neutrality that has furthered trade in goods. No convincing case has been made for the advantages of departing from a distinction that has worked in the case of trade in goods.

National Treatment Issues (paragraphs 5-9 of the Canadian paper)

Withholding systems. Paragraph 6 of the Canadian paper makes the point that paragraph XIV (d) presumably would allow the imposition of withholding taxes on outbound payments made to nonresidents in recognition of the fact that a country's personal income tax cannot be imposed on non-residents. This may be true. However, a relevant issue is whether widely used income tax withholding rules would become subject to dispute under GATS. It is clear that, universally, withholding tax rules are adopted at rates that do not necessarily approximate income tax rates imposed on the net income of residents receiving the same types of income. Even if studies were conducted to attempt to equate effective tax rates under withholding regimes with effective tax rates on residents, an accurate comparison of the two would be extremely difficult, depending on the activity and depending also on variation in profit margins within industries and even within individual firms over time.

A related issue that could become subject to dispute under GATS is the appropriateness of the withholding tax mechanism to certain types of income, such as rents and services. Many developing countries, including Brazil and India, impose withholding taxes on rents and technical services, lumping such payments into the same category as royalties, although most developed countries would treat rental payments and most services

---

[2] Article III, paragraph 1, provides:

1. The contracting parties recognize that internal taxes and other internal charges and laws, regulations and requirements affecting the internal sale, offering for sale, purchase, transportation, distribution or use of products, and internal quantitative regulations requiring the mixture, processing or use of products in specified amounts or proportions, should not be applied to imported or domestic products so as to afford protection to domestic production.

5P6-11-6 6 0146

as business profits and allow certain deductions in computing taxable income. Is the GATS the appropriate forum for challenging the practice of applying gross-basis withholding taxes to certain categories of income paid to nonresidents, including rents and service fees?

Deductions, etc., available to individuals. Paragraph 7 of the Canadian paper raises concerns about whether national treatment would be violated if a nonresident service provider were denied tax deductions and credits provided on the basis of civil status or family responsibility (e.g., credits or exemptions for spouse, children, or old age). This type of issue exists also for a variety of other non-business related adjustments to tax rate, deductions, exemptions, and credits. These include the benefit of a standard deduction (in lieu of itemizing deductions), of filing jointly with a spouse, of deducting or crediting such items as payments for child care, losses for property outside the territory of a party, or contributions to foreign charities. Standard model income tax treaties specifically, and appropriately, deny national treatment as to such taxation provisions.

Treatment of nonresident shareholders under integration systems. Paragraph 7 of the Canadian paper also notes that the benefit of the partial or total integration of the personal and corporate tax systems in many countries (including Australia, France, Germany, Japan, New Zealand and the U.K.) is not extended to nonresidents by statute. It is difficult to predict the outcome of applying the standard of equitable or effective imposition or collection of taxes to this restriction, although a justification for this restriction may exist.

Treatment of branches of foreign corporations. Along the same lines, it is also difficult to predict the application of this standard to the branch profits tax regimes applied by several countries, including Canada, France and the United States, to foreign corporations. These regimes impose the equivalent of a second level of tax (tax on distributed earnings) on branch earnings, in an effort to approximate the tax burden that would exist if the foreign person utilized a domestic subsidiary rather than a branch. Even more problematic are the higher income tax rates applied to branches of foreign corporations by Belgium, New Zealand, and certain developing countries, such as India.[3]

Treatment of payments to related foreign persons. Paragraph

[3] The differential between domestic and foreign corporate tax rates is currently 14.25 percent, although the final report of the Chelliah Committee on August 25, 1992, recommended a reduction of this differential to 7.5 - 10%

5-96-11-7 7

4

8 of the Canadian paper notes an ambiguity in the text of paragraph XIV(d) as to whether the income tax carve-out in paragraph XIV(d) applies to foreign-controlled domestic corporations. If the national treatment obligation applies to such corporations by treating them as foreign service-providers, the tax carve-out should apply to them also. This would leave to tax treaties issues relating to discrimination against foreign-controlled enterprises. This approach would avoid controversy under GATS regarding national laws concerned with the proper characterization of payments to related nonresident companies under "thin capitalization" or "earnings stripping" provisions. The thin capitalization rules put in place by Australia, Canada, France, Japan and the U.K. deny interest deductions on certain payments to related nonresident corporations to prevent the deduction as interest of a payment that is a disguised taxable distribution of profits. The U.S. has a version of this rule (referred to as "earnings stripping"), but it does not pose a national treatment problem because it applies to a payment to a related tax-exempt entity, domestic or foreign.

<u>Need to broaden the carve-out to apply to certain taxes other than income taxes.</u> Paragraph 9 of the Canadian paper notes that the reference to "taxes on income" may not be sufficient to cover the common types of taxes that operate as supplements or backstops to the income tax system, such as taxes on capital gains or on capital. Capital taxes of this type are imposed by many countries, including Canada (tax on the taxable capital of corporations) and Mexico (the asset tax).

A similar problem not described in the Canadian paper, and presumably not considered in drafting the current text, is the absence of an exclusion from the scope of the national treatment obligation for certain non-income taxes that potentially apply to service providers, but that have nothing whatever to do with trade in services. Such taxes include estate, gift, and inheritance taxes, as well as other taxes that prevent the avoidance of the effect of these taxes, such as the U.S. generation-skipping transfer tax. The United States has a federal-level unified tax on estates and gifts; various states have various regimes. Certain countries, including Germany, have inheritance taxes. Some of these systems make distinctions based on either the citizenship or residence of the donor or decedent. Some other countries, including Canada, have no federal death taxes, but trigger the imposition of a capital gain tax at death on the gain on certain assets in the estate. There is considerable variety internationally in death tax systems and in the taxation of non-arm's length transfers, such as gifts. In the area of gift and death taxes, we doubt that the GATS should exempt some tax systems and not others. Further, we doubt that a consensus exists regarding the application of the GATS agreement to any of these tax regimes; and we propose to carve them out.

0148

5-96-11-8 8

<u>The need to consider further a carve-out for taxes "in respect of services."</u> An issue that we understand is of particular concern to certain EC countries is the possible consequence of failing to add income taxes "in respect of services" to the list of taxes carved out from the obligation of national treatment. Adding a carve-out for income taxes on services presumably would have the effect of excluding income taxes on consumers related to the purchase or consumption of particular goods. A relevant example offered recently by the U.K. is the restriction imposed by many countries on employer deductions to employee pension plans. Such plans must meet national requirements; and in many countries, deductions to foreign plans are restricted or denied.

A threshold question is whether a payment to a pension plan relates to the purchase or consumption of a service and, thus, whether an employee pension plan is a service provider. A pension plan can be viewed simply as providing deferred compensation, which would not be the provision of a service. However, for purposes of this discussion, we assume that a pension plan is a service provider because the definition of a financial service in the Annex on Financial Services is so broad and because, in some cases, a pension plan may be implemented by the employer's purchase of an annuity from a person who is a service provider. The pension payment restrictions of many countries reflect a mixture of both tax and social policy and are not an indirect means to inhibit trade in services.

Another issue regarding the income taxation of consumers of services is the effect, if any, of the GATS on tax provisions that require services to be performed within a limited geographical area. A common example of such a provision imposed by many countries, including the Australia, Canada and the U.S., is the allowance of a deduction only for the costs of research and development carried on within the taxing jurisdiction, but without regard to the residence or nationality of the service provider. Is this the type of restriction that would violate the GATS obligation of national treatment?

It should be possible to distinguish consumer incentives that disadvantage foreign service suppliers (which should be discouraged in a trade agreement) from the type of measure exemplified by the pension plan limitations described above (which should be outside the requirements of a trade agreement). We are giving further consideration to a formulation (other than simply adding the word "services" to the carve out) that would make the appropriate distinction.

<u>MFN Issues</u> (paragraphs 10-11 of the Canadian paper)

The Canadian paper raises two issues regarding the scope of the MFN exception in paragraph XIV(e): (1) the expansion of the

5P6-11-P 9

MFN exception to reciprocal provisions preventing double taxation granted under domestic legislation, such as reciprocal exemptions for shipping and aircraft income earned by nonresidents; and (2) distinctions relating to the prevention of tax avoidance through controlled foreign entities. We think that the MFN exception should be broadened in both respects.

Various countries, including the Brazil, Canada, Japan and the U.S., have statutory exemptions for shipping and aircraft income of foreign companies generally on a reciprocal basis.

Anti-avoidance and evasion provisions may require the need to disfavor activities in certain countries. Distinctions between countries are made in the so-called "Subpart F" regimes of several countries, including Australia, France, Germany, Italy, New Zealand, Japan, the U.K., and Italy, that require the current taxation of residents in respect of subsidiary profits earned in named tax-haven jurisdictions. The U.S. has a Subpart F regime but does not have the MFN problem because the regime applies to certain types of income earned by a subsidiary if the income is subject to a low tax in any other country.

Nevertheless, if the draft GATS agreement would bar the application of Subpart F or similar regimes, we recognize the need to broaden the MFN exemption to include not only existing Subpart F regimes but also, more generally, anti-avoidance or anti-evasion provisions under the measures described in section XIV(d). An alternative solution would be to clarify that the MFN obligation does not apply to income taxes imposed on a Party's own residents.

We would appreciate clarification of the extent to which tax advantages conferred through arrangements for economic integration, such as the Treaty of Rome and the North American Free Trade Agreement, would be excluded from the MFN obligation.

Relationship between GATS and Double Tax Agreements (paragraph 12 of the Canadian paper)

We consider it essential to refer exclusively to a double tax treaty for resolving nondiscrimination issues on measures that are within the scope of a tax treaty nondiscrimination provision or equivalent provisions. Given the unique way in which some of these concepts are interpreted in a tax context, it is important that the issues be considered by tax authorities.

Restrictions on Transfers (paragraph 13 of the Canadian paper)

All ambiguity should be resolved by clarifying in the text that taxes (including withholding taxes) are not restrictions on transfers as described in paragraph XI(1).

0150

5P6-11-10 10

7

Summary

In summary, we propose the following, subject to further consideration of additional carve-outs:

1) Revise paragraph XIV(d) to delete the limitation that an income tax measure must have as its purpose the equitable or effective imposition or collection of taxes.

2) Broaden the carve-out under paragraph XIV(d) to include certain taxes other than income taxes, including taxes on capital gains, on capital, and on taxes relating to inheritance, estate, and gift taxes and related measures.

3) Broaden the exception to MFN (Article II) under paragraph XIV(e) to include:

a) provisions relating to double taxation in any other international agreement or arrangement by which a Party is bound; and

b) a Party's measures imposing a tax on a resident of that Party for the prevention of avoidance or evasion of taxes referred to in paragraph XIV(d).

4) Revise Article XXII (3) (Consultation) to provide that issues under Article XVII (National Treatment) that are within the scope of a tax treaty nondiscrimination provision (or its equivalent) must be referred exclusively to that treaty for resolution.

5) Clarify that a tax measure is not a restriction on transfers.

GP6-11-11 11

01시 원 본

외 무 부

종 별 :

번 호 : GVW-1898 일 시 : 92 1009 1900

수 신 : 장 관(통이,통삼,통기,미일,구일,경기원,공보처)

발 신 : 주 제네바대사

제 목 : 미.EC 방송프로그램 분쟁

대: WGV-1489

대호 당관이 UR/서비스 협상과정에서 파악하고있는 EC의 방송프로그램 규제제도와 동 제도와 관련한 서비스협상 현황을 참고로 보고함.

1. EC의 방송프로그램 규제 배경 및 제도

- 84년도 EC는 단일 유럽 TV시장 창출목적으로 1차 방송지침(BROADCASTING DIRECTIVE)을 작성 하였는바 주내용은 저작권료 지불, 시간당 상업광고 비율, 도색영화로부터 미성년자 보호 및유럽산 TV프로그램의 60이상 방영 쿼타제도입등임

0 이중 방송프로그램 쿼타제가 미국(미영화업계)에의해 보호주의적 무역장벽이라고 비난 받음

- 7년간 미업계의 로비결과 91년도 EC는 쿼타비율을 '과반수(MAJORITY)이상' 으로 수정하고 동 과반수가 PRIME TIME에 방영여부를 불문하고 어떠한 방법으로든 준수되면 되도록 제한을 완화함.

0 각국은 50이상 쿼타를 지킬 의무가 있으나 법률적으로 구속되는 것은 아님

0 특히 강력한 TV 산업을 가진 불란서가 가장 강한 지지자이나 영국은 미국과의 마찰 고려 미온적

0 그러나 유럽을 소재로한 유럽내 미국 자회사가 생산한 프로그램은 유럽산 으로 간주하는 등 엄격하지 않음.

0 91.10월 미국 칼라힐스 대표는 GATT에의제소위협

2. T.V 방송프로그램 관련 EC내 현실

- 미 생산 영화 및 방송물의 65 퍼센트가 유럽에 판매되고 57 퍼센트가 TV에 의해 방영됨

0 EC는 영화의 경우 20억불, TV및 비디오물의경우 16억불 적자(90년)

통상국 미주국 구주국 통상국 통상국 경기원 공보처

PAGE 1 92.10.10 07:00 FL

외신 1과 통제관

0152

0 이는 대부분 유럽인이 자국산 TV 프로그램을 미국산보다 선호하나 다른 유럽산 보다는 미국산 선호결과

- 특히 EC내 각국은 문화적 및 언어상의 문제외외에 상업적 이유로 쿼타제 시행에 애로가 있음을 인정

0 미국산을 DUBBING하는 것이 가격면에서 10분의1정도

0 또한 케이블 TV 및 인공위성에 의한 방송의 발전으로 80년대초 기술발전 촉진을위해 국영 TV 중심체제를 DEREGULATION한 결과 80년대말 방송국 수가 60개로 늘어나고 그 결과방송 프로그램 수요가 급격히 증가

0 실제 EC내 방송국의 년간 방영시간 125,000시간중 유럽생산물은 20,000 시간에 불과

0 미국의 경우도 미국 영화산업을 DEREGULATION한 결과 영화 제작회사가 급격히 증가하고 미국내 수입감소로 유럽에 합작투자 형태로 진출 경향(공동생산)

- 기타 북구, 오지리,스위스,동구등도 유사한 제도 유지

3. UR/서비스 협상 현황

가. '91년까지의 협상경위

- 서비스 협상 과정에서 EC 및 북구는 AUDIO-VIDUAL 부속서를 제정하여 문화적이유로 취해진 조치에 대해 MFN일탈 추구 및 동 분야 양허 협상이 문화적 이유가 존중되어야 한다는 조항을 삽입하려고 시도

0 반면 카나다 아국등은 제14조에 CULTUREVALUE조항 삽입하여 문화적 이유에 의한 정부조치의 예외 주장

0 최종 서비스 협정문에는 모두 미반영

나. 협상현황

- 따라서 현재 EC는 아래 3개 사항에 대하여 MFN면제 신청서를 제출한 상태

(1)TV방송에있어 EC 및 기타 유럽국가,유사언어 국가산 프로그램의 최저 방영비율에 관한 조치(제3국 생산물이 타유럽국가산 생산물보다 불리한 대우를 받으므로 MFN에 위배됨)

(2) TV 프로그램 및 영화의 생산 배급에 있어 제3유럽국가 주재 업체에 대한 MEDIA ANDEURIMAGES프로그램의 혜택 부여

(3) TV 방송 프로그램 및 영화의 공동생산협정(양자 또는 복수국가간) 당사국 의 생산물배급 및 자금지원에 있어 내국민 대우

- 기타 다른 국가들도 아래와 같이 MFN 면제를신청

0 오지리 : EC와 동일한 내용의 MFN면제신청

0 호주 : 영화 및 방송프로그램 공동생산 협정회원국 업체에 대한 자금지원

0 카나다 : 외국영화 및 비디오는 방송시장 접근에 제한이 있으나 공동생산 협정 체결 국가의 생산물은 시장접근 우대

0 체 코 : 영화 및 방송프로그램 공동생산 협정당사국 작품에 대한 내국민대우

0 헝가리

(1) 영화 및 방송프로그램 공동생산 협정당사국 작품에 대한

내국민 대우

(2) 유럽산 프로그램의 최저방송시간 규정

다. 협상전망

- 상기 MFN면제 신청사항중 영화 및방송프로그램 공동생산협정에 따른 조치는 비교적 그 경제적 영향이 크지 않으나 방송프로그램에 있어서 유럽산 프로그램의최저방영 비율은 동조치의 목적여부를 불문하고 그경제적 영향이 심대하여 향후 UR서비스협상과정에서 미.EC간에 큰 논란이 될것으로 사료됨. 끝.

(대사 박수길 - 국장)

관리 번호	92-702

원 본

외 무 부

종 별 : 긴 급

번 호 : GVW-1931 일 시 : 92 1015 0130

수 신 : 장관(통기,통삼,경기원,문화부) 사본:주일대사(본부중계필)

발 신 : 주 제네바 대사

제 목 : 대일시청각분야 MFN 일탈신청

대: WGV-1514

1. 당관은 92.10.12(월) 대호지시에 따라 써비스분야 수정 MFN 일탈신청서를 GATT 사무국에 제출하고 협상 참가국에 배포해 줄것을 요청하였음.

2. 한편 써비스협상 대표단은 금 10.14(수)15:00 일본과의 양자협상 벽두에동문건 사본을 일측에 전달하고 아국입장을 설명함. 일본측은 동문건중 시청각분야에 대한 일본특정 MFN 배제신청과 관련 동문건의 배포중지를 GATT 사무국에 요청해 줄것을 아측에 요구하고, 동 조치가 선행되지 않는다면 양자협상계속이 무의미하다는 입장을 표명함. 이에대해 아측은 동 요구를 받아들일수 없다는 입장을 표명한바, 이에따라 양자협상은 16:30 중단됨.

3. 상기관련 UKAWA 일본대사는 금일저녁 본직을 긴급~~수배~~(키 찾아), 본직과의 전화를통해 아래와 같은 입장표명 및 문건배포중지를 요청함.

- 금일 양자협상시 한국측이 일본을 특정한 MFN 일탈신청 사실을 일본측에 통보한바, 일본은 이를 심각하게 받아들이지 않을수 없음.

- 일본대표단으로서는 이러한 MFN 일탈신청이 철회되지 않는한 협상진행이 곤란하다고 판단하여 회의를 중단하지 않을수 없었다 하며, 자신은 이러한 일본대표단의 조치가 적절했다고 믿음.

- 한국이 이러한 접근방법을 취할경우 동문제가 일본의회에 회부될때 발생 가능한 정치적 문제에 대해 한국측도 충분히 이해할 것으로 믿음.

- 따라서 일본으로서는 민감한 성격의 동문제를 보다 성숙된 방법으로 해결하는 것이 바람직하다고 판단하며, 따라서 한국측에 동문건 배포중지를 요청하는것임

4. 이에 대해 본직은 일단 아래와 같이 대응함.

- MFN 일탈신청은 모든 협상참가국의 정당한 권리 행사임.

통상국	장관	차관	2차보	아주국	[redacted]	통상국	분석관	청와대
안기부	문화부	경기원	중계					

PAGE 1 92.10.15 09:59

외신 2과 통제관 FR

0155

- 아국도 동문제의 민감성을 충분히 인식하며, 동일탈 신청은 그간 신중한 내부 검토결과에 따른 본부훈령에 입각하여 취해진 조치임.

- 일본측이 이를 이유로 양자협상을 중단한것은 온당치 못한것으로 생각하며, 이로인해 문제의 민감성에 더하여 양국의 체면문제까지 연루되는 사례를 야기, 문제해결을 더욱 복잡하게 만들었다고 봄.

- 일본이 국회문제를 우려하고 있으나, ~~일본이 국회문제를 우려하고 있으나~~, 아국으로서도 대국회관계에 동일한 문제점을 안고 있음.

- 본건은 현지대사 차원에서 결정될 사안이 아니라고 보나 UKAWA 대사 및 일본측의 우려를 감안 이를 일단 본국정부에 전달하고 본부입장을 조회해 보겠음.

5. 이에대해 UKAWA 대사는 ~~일본대표단이 협상을 중단한것은 잘못되었다고 시인하고~~, 일측으로서는 이문제가 정치적 민감성을 가진 문제이므로 성숙된 방법으로 조용히 해결할수도 있을 것이라는 점이 일측의 관심이라고 언급함.

6. 상기 본직과 UKAWA 대사간의 통화후 일본 양자협상 수석대표는 아측수석대표(이윤재국장)을 찾아와 금일 오후 협상중단 사태에 사과한후 명일 협상을 재개하는데 아측의 응해 줄것을 요구하고, 아울러 한국이 현재 시행중인 시청각분야 대일차별 조치를 계속 유지하더라도, 일본은 이를 GATT 차원에서 CHALLENGE 할 의향이 없으며, 필요하다면 양자협상과정에서 자신이 수석대표 자격으로 이를공식 구두보장(ASSURANCE) 할수도 있다는 입장을 표명함.

7. 당관은 본건이 1) 일반적인 MFN 일탈과는 달리 특정국가만을 배제하는 일탈신청이라는 점에서 일본이 이를 끝까지 문제시할 경우 관철전망이 불투명하다는점, 2) 금번 아측의 문건 배포요청을 계기로 협상차원에서 아측입장이 공식제기되고 일본측이 구두보장 용의를 표명하여 일단 어느정도 목적은 달성되었다고 볼수있는점 및 3) 동문제의 정치적 민감성등을 고려하여, 일본측의 사전보장을 전제로 동신청을 철회하는 것도 무방하다고 사료되는바, 이에대한 본부지침 긴급회시 바람.

8. 당관은 명일 아침 GATT 사무국에 대해 동문건 배포를 당분간 보류해 줄것을 요청할 예정이며, 아울러 일본측과는 명일(10.15) 19:00 전후 GATT 사무국에서 양자협상을 재개코자하니 이에 맞추어 본부입장 회시 바람.

9. UKAWA 대사는 주한일본대사관 또는 주일한국대사관을 통해 본건을 제기할 가능성도 시사한바 있음을 참고로 보고함. 끝

(대사 박수길-장관)

PAGE 2

0156

예고:92.12.31. 까지

報 告 畢

長 官 報 告 事 項

1992. 10. 15.
通 商 局
通 商 機 構 課(58)

題 目 : UR/서비스 協商 關聯 視聽覺 서비스에 대한 對日 差別 問題

1. 문제의 제기

o UR 서비스 협상의 일환으로 10.14(수) 오후 제네바에서 개최된 한.일간 서비스분야 양자 협의에서 일본측은 일본영화의 수입제한 등 우리측의 대일본 시청각분야 MFN 일탈 신청에 대해 반대 의사를 표시, 동 MFN 일탈 신청을 철회할 것을 아측에 요청

- 일측은 일본만을 대상으로 하는 MFN 일탈 신청이 공식 제출되는 경우 의회의 반발등 국내적으로 문제가 되므로 양국간 협의를 통해 조용히 해결할 것을 희망

- 일측은 동 일탈신청 철회 조건으로, 현행 대일 시청각분야 차별조치에 대한 갓트차원의 challenge 의사 없음을 구두 보장하겠다고 제의

2. UR 서비스 협상과 MFN 일탈 문제

o UR 서비스 일반협정(GATS) 초안은 서비스 교역의 특수성을 감안, MFN 원칙 적용을 배제할 수 있는 경우를 인정, 각국이 사전 신청토록 규정

o 현재 38개국이 광범위한 MFN 일탈 신청, 서비스 협상의 주요변수로 대두

- 미국은 기본통신, 해운, 항공, 금융 등 주요분야를 망라하여 상호주의를 적용키로 하고 MFN 일탈 신청

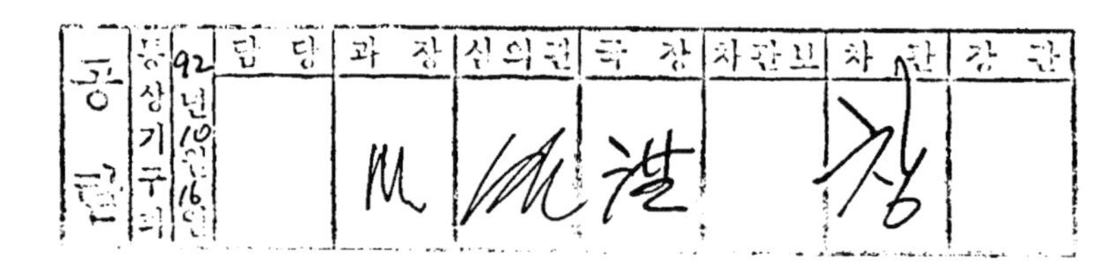

공람	통상기구과	92년 10월 16일	담 당	과 장	심의관	국 장	차관보	차 관	장 관

0158

- 우리는 종래 해운 Waiver제도, 항공 컴퓨터 예약제도(미국에 대해서만 개방) 등 2개분야에 대해서만 제출하였으나, 금번에 ① 한.일간 시청각 서비스 교류 제한(문화부 요청사항), ② 외국인 토지 소유에 대한 상호주의 적용, ③ 한.일 항로에 있어서의 제한사항을 MFN 일탈 대상으로 추가 신청

3. 한.일간 시청각 서비스관련 MFN 일탈신청 경위

(경 위)

o 문화부의 요청으로 한.일 시청각 서비스에 대한 MFN 일탈 문제를 국내적으로 계속 검토
  - 92.4. UR 서비스 대책회의에서는 일본과의 관계 등을 고려, 계속 검토키로 함.

o 92.6. 한.일간 UR 서비스 양자협상시 일측이 우리의 MFN 일탈 범위에 관심 표명

o 92.7. 한.일 외무성 문화협력국장 회의에서 일측은 일본영화의 한국내 상업적 상영제한을 재검토할 것을 요청

o 92.10.7. UR 서비스 대책회의에서 문화부의 요청으로 일탈 신청키로 결정

(MFN 일탈신청 기준)

o 현재 UR 서비스 협상 차원에서 MFN 일탈 신청과 관련 확립된 기준이 없음.
  - 각국 사정에 따라 임의대로 제출
  - 관계국간의 양자협상 과정에서 협의, MFN 일탈 내용을 확정한다는 것이 참가국의 양해사항

0159

o 각국의 MFN 일탈신청 유형

- 특정국과의 양자협상 내용의 제3국 부적용
- 국제협정 미가입국에 대한 부적용
- 상호주의에 의한 시장접근 인정
- 특정 외국회사에만 시장접근 허용

4. 검토의견

o UR 조기타결 전망이 불투명한 현시점에서 UR 에서의 대일 협력관계 전반에 손상을 줄지도 모를 사안을 무리하게 추진할 필요는 없을 것으로 판단

o 본건은 일반적인 MFN 일탈과 달리 특정국가 만을 명시, MFN 대상에서 제외하는 점에서 일본측이 끝까지 문제시 하는 경우 관철 전망 불투명

o 일단 협상차원에서 아측 의사를 공식 제기함으로써 제한적이나마 목적 달성

5. 조치사항

o 경기원, 문화부 등 관계부처와 협의 10.15. 제네바 대표부에 아래 내용 훈령

- 일단 MFN 일탈 신청을 보류하고 대표단 귀국후 우리입장을 재검토, 결정
- 일측에 대하여는,우리측이 MFN 일탈 신청을 철회하면 현행 대일 시청각 서비스분야 차별 조치에 대해 갓트 차원에서 문제삼지 않을 것임을 일측이 공식적으로 보장할 것이라는 양해하에, MFN 일탈 신청을 일단 보류하고 재검토키로 하였음을 통보. 끝.

0160

92-10-16 10:28 #1

모사전송

경 제 기 획 원

우 427-760 / 경기도 과천시 중앙동1 정부제2청사 / 전화 503-9149 / 전송 503-9141

문서번호 통조삼 10502-
시행일자 1992. 10. 15.
(경유)
수신 외무부장관
참조 통상국장

선결			지시	
접수	일자 시간	:	결재	
	번호			
처리과			공람	
담당자				

제목 UR/서비스협상관련

일본과의 제5차 UR/서비스 양자협상관련 당원의견을 아래와 같이 알려드리니 적의 조치하기 바랍니다.

- 아 래 -

- 일본측이 비공식적으로 표명한 구두보장사항을 10.16(금) 재개되는 일본과의 양자협상에서 공식적으로 사전보장해 주는 것을 전제로 GATT사무국에 대해 동 문건배포를 보류해 줄 것을 요청하겠다는 입장을 제시하고

- 동 건의 철회여부에 대한 우리측의 입장은 관계부처와 협의가 필요하므로 본국에 귀임하여 이를 확정할 것이라는 입장을 전달

끝.

경 제 기 획 원 장

0161

관리 번호	92 - 703

	분류번호	보존기간

발 신 전 보

번 호 : WGV-1550 921015 1909 FY 종별 : 긴 급

수 신 : 주 제네바 대사. 총영사

발 신 : 장 관 (통 기)

제 목 : 대일 시청각분야 MFN 일탈 신청

대 : GVW-1931

1. 대호, 관계부처 협의 결과, 동건의 철회여부에 대한 우리측 최종 입장은 본부 대표단 귀임후 결정키로 하였으니 MFN 일탈 신청 배포를 일단 보류하기 바람.

2. 일측에 대하여는, 일측이 우리의 현행 시청각분야 대일 차별정책에 대해 갓트 차원에서 challenge 하지 않겠다는 점을 공식적으로 보장할 것이라는 양해하에, MFN 일탈 신청서 배포를 일단 보류할 것을 사무국에 요청할 것이며, 최종적인 입장은 일측이 아측에 대해 제공할 수 있는 보장의 성격 및 내용(서면 약속 제공 가능여부 등)을 보아가며 결정할 것임을 전달바람. 끝.

~~(차 관 노 창 희)~~ (통상국장 홍 정 표)

보안 통제	

앙 고 재	92년 10월 15일	통상기구과	기안자 성명		과 장	심의관	국 장	~~차관보~~	차 관	장 관
							전결		전결	

외신과통제

0162

원 본

관리번호 92-708

외 무 부

종 별 :

번 호 : GVW-1932 일 시 : 92 1015 1030

수 신 : 장 관(통기,통삼,경기원,아일,문화부) 사본:주일대사(중계필)

발 신 : 주 제네바 대사

제 목 : 대일 시청각 분야 MFN 일탈신청

연: GVW-1931

연호 전문 아래 정정함.

1. 3 항 '긴급수배" 를 "긴급히 찾아"로

2. 5 항 "일본대표단이 협상을 중단한것은 잘못되었다고 시인하고" 삭제. 끝.

(대사 박수길-국장)

예고:92.12.31. 까지

일반문서로 재분류 92. 12. 31.

통상국	장관	차관	2차보	아주국	통상국	분석관	청와대	안기부
문화부	경기원	중계						

PAGE 1

92.10.15 19:18

외신 2과 통제관 BS

0163

報告畢

長官報告事項

1992. 10. 16.
通 商 局
通商機構課(59)

題 目 : UR 서비스 協商關聯 對日 視聽覺 서비스 差別待遇 問題

표제건 관련 10.16(금) 부내 관계부서 회의 결과를 아래 보고드립니다.

1. 참석자 : 통상국장(주재), 동북아1과장, 문화협력1과장, 통상1과장 대리, 통상기구과장

2. 회의 결과

   o 대일 관계 전반을 고려, 일본이 시청각 서비스에 대한 차별대우 문제를 서비스 일반협정(GATS) 차원에서 이의 제기(challenge)하지 않기로 보장하는 경우, 아국의 MFN 일탈 신청을 철회

   o 영화 등 일본 시청각 서비스 국내진출과 관련한 사회.문화적 민감성을 감안, 상기 보장은 토의록(record of discussion)등 형태로 확보 필요

3. 대 책

   o UR 서비스 대책 회의(경기원 주관)를 통한 아측 대책(문화부 입장 조정등)을 조속히 수립

   o 일측의 보장 내용 및 형식 등에 대한 일측과의 협의도 조속 종결

4. 국회 및 언론대책 : 보안유지 필요. 끝.

예고 : 발행처 : 93.12.31. 일반
접수처 : 독후파기

0164

報 告 畢

長 官 報 告 事 項

1992. 10. 16.
通 商 局
通 商 機 構 課(59)

題 目 : UR 서비스 協商關聯 對日 視聽覺 서비스 差別待遇 問題

표제건 관련 10.16(금) 부내 관계부서 회의 결과를 아래 보고드립니다.

1. 참석자 : 통상국장(주재), 동북아1과장, 문화협력1과장, 통상1과장 대리, 통상기구과장

2. 회의 결과

o 대일 관계 전반을 고려, 일본이 시청각 서비스에 대한 차별대우 문제를 서비스 일반협정(GATS) 차원에서 이의 제기(challenge)하지 않기로 보장하는 경우, 아국의 MFN 일탈 신청을 철회

o 영화 등 일본 시청각 서비스 국내진출과 관련한 사회.문화적 민감성을 감안, 상기 보장은 토의록(record of discussion)등 서면 보장 형태로 확보 필요

수정

o 관계부처 회의를 통한 아측 최종입장은 조속히 정립토록 하되, 서면보장 내용 등에 대한 일측과의 실제 협의는 UR 협상 진전상황 및 서비스 양자협상 일정을 보아가며 추진

3. 국회 및 언론대책 : 보안유지 필요. 끝.

0165

예고 : 발행처 : 93.12.31. 일반
접수처 : 독후파기

관리번호	92-713

원 본

외 무 부

종 별 :

번 호 : GVW-1946 일 시 : 92 1016 1100

수 신 : 장관(통기,통일,통삼,아일,경기원,문화부)

발 신 : 주 제네바 대사

제 목 : 대일 시청각 서비스 MFN 일탈

연: GVW-1931, 1932

대: GVW-1550

일반문서로 재분류 (1992.12.31)

1. 본직은 대호 지시에 따라 10.15 (목) 표제건 관련 UKAWA 대사와 전화 통화를 통해 아국은 동 문제가 국내적으로 매우 민감한 사안이므로 일측 제안에 대해 즉시 결정을 내리기 어려운 사정이나, 일측의 심각한 우려를 감안, 일단 GATT 사무국에 동 문건 배포 보류를 요청키로 하였다고 알리고 아측의 최종적인 입장 즉 GATT 사무국을 통한 배포 여부는 일측이 제의하고 있는 보장의 구체적 내용과 형태에 달려있을 것이라는 점을 강조함.

2. 또한 본직은 문제의 심각성에 비추어 본건은 당지 협의와 병행하여 일측이 필요하다고 생각하면 정부간의 직접적인 협의를 하는것도 좋을 것이라는 의견을 제시한바, UKAWA 대사는 우선은 금일 예정인 양자 회담시 양측 수석대표간 논의토록하자는 반응을 보임에 따라, 본직은 아측 수석대표에게 일측과 본건을 논의, 가능한 최대의 보장을 받는선에서 노력토록 하였음.

3. 이에 따라 10.15(목) 20:30 한. 일간 양자 협상 재개 직전 아국 서비스 협상 대표 경기원 제 2 협력관은 일본 서비스 협상 대표 MR. KOJI TSURUOKA 와 개별 면담을 갖고 동건 협의한바 동결과는 아래와 같음.

가. 아측은 일본이 우리의 현행 시청각 분야 대일차별 정책에 대해 서비스 협정 차원에서 CHALLENG 하지 않겠다는 점을 공식적으로 보장할 것이라는 전제하에 MFN 일탈 신청서 배포를 일단 보류하도록 갓트 사무국에 요청하였음을 밝히고일측이 어떠한 방식으로 보장할 것인지 문의한바

나. 일측은 우선 아측의 조치를 평가하고 다음과 같은 내용을 서면으로 보장할 용의가 있다고 함.

통상국	장관	차관	2차보	아주국	통상국	통상국	분석관	청와대
안기부	문화부	경기원						

PAGE 1 92.10.17 04:48

* 원본수령부서 승인없이 복사 금지 외신 2과 통제관 FM

0166

0 일본은 한국의 ADUIO VISUAL 서비스 분야의 현행 제반 조치에 대하여 향후 서비스 협정상의 권리, 의무와 관련 아무런 이의를 제기하지 않겠음.

0 또한 한국의 MFN 일탈 신청 철회를 악용하지 않겠음.

다. 이에 따라 일측이 상기 내용을 문안으로 작성 10.16(금) 아측에 송부하여 적절한 방법을 통하여 (서면등 방법으로) 상호 이를 확인하는 내용이 될것임.

4. 그러나 일측 수석대표는 금 10.16(금) 아침 당관 이경협관에게 전화를 걸어와 본건을 본국정부에 긴급 조회한바, 본부에서 현재 검토중이므로 동문안 초안의 금일 오전중 송부가 어렵다고 하면서 내주중 서울과 동경간에 (수석대표간) 전화 또는 FAX로 협의 하겠다고 알려옴. 끝

(대사 박수길-국장)

예고 92.12.31. 까지

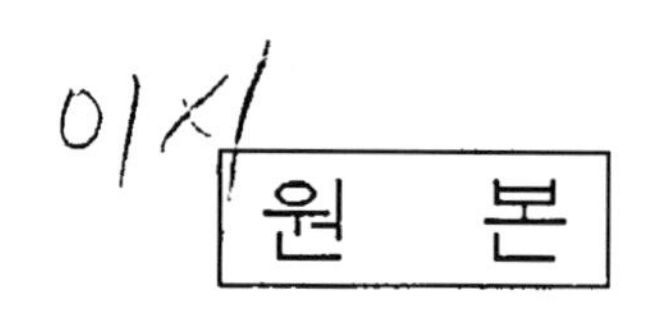

외 무 부

종 별 :

번 호 : GVW-1955 일 시 : 92 1016 1930

수 신 : 장관(통기,경기원,재무부,법무부,농수부,상공부,문화부,건설부,교통부, 체신부,보사부,환경처)

발 신 : 주 제네바 대사

제 목 : UR/GNS 회의

10. 15(목) 오전 카알라일 사무차장 주재 35개국 비공식 내용을 하기 보고함 (김대사,이 경협관 참석)

1. 동 회의는 서비스 협상 진전 상황을 평가 (TAKE STOCK) 하고 향후 협상 계획을 토의 하기 위한 것이었으나 미국, EC만이 금번 양자협상 과정에서 일부 진전이 있었으나 주요 사안에 대해서는 가시적인 성과가 없었다는 요지의 발언을 하였음.

2. 카알라일 사무차장은 전체적인 UR 협상 현황에 비추어 볼때 지금 시점에서 향후 협상의 구체적 일자를 결정하기는 어렵다고 하고 향후 서비스 분야 협상은 즉각통보 소집 상태 (REMAIN ONCALL)로 남겨 두겠다고 하고 회의를 종료함. 끝.

(대사 박수길 - 국장)

통상국 법무부 보사부 문화부 교통부 체신부 경기원 재무부 농수부
상공부 건설부 환경처

PAGE 1

92.10.17 06:19 FN

외신 1과 통제관

0168

이시 (오경돈)

원 본

외 무 부

종 별 :

번 호 : GVW-1942 일 시 : 92 1016 1100

수 신 : 장관(수신처 참조)

발 신 : 주 제네바 대사

제 목 : UR/서비스 양자 협상 (1)

10.13(화) - 10.14(수)간 개최된 핀란드, 카나다, 호주,스웨덴과의 표제 양자협상 내용을 하기 보고함.

1. 각국 공통 논의 사항

가. MFN 일탈

- 아국은 10.13(화) 아국의 MFN 일탈 신청 수정안을 갓트 사무국에 제출 하였음을 밝히고 이중 AUDIO VISUAL 서비스 분야 MFN 일탈은 역사적, 문화적 이유에 기초한 것이며 외국인 토지취득에 있어서 상호주의는 기속적인 법률 규정 때문이라고 설명함.(일본과의 양자 협의전에 개최된 것이므로 AUDIO-VISUAL 분야도 설명한것임.)

0 상대 국가들은 MFN 일탈 신청 수정 계획이 없다고 하였으나 핀란드는 자국 역시 MFN 일탈에 관하여 계속 작업중이며 현재 로서는 추가할 것이 없으나 북구 인력공동 시장에 관한 설명서를 배부할 계획이라고 함.

나. OFFER의 수정.보완 및 스케쥴 초안 작성

- 아국은 아국 수정 OFFER상의 서비스 분야에 대한 CPC 번호표를 배부 하였는바 모든 나라가 아국의 노력을 평가함.

0 한편, 호주는 스케쥴 초안 작성 작업중에 있으며 차기 양자협상 이전에 동 초안을 배부할 계획이라고 하였의나, 아국은 그와 같은 초안작성을 고려치 않고 있으며 추후 협상 종료 시점에 최종 스케쥴을 작성, 제출할 계획 이라고함.

다. 인력이동

- 아국은 SERVICE SALES PERSON 을 인력이동에 관한 COMMITMENT 대상에 포함시킬 예정이며 상업적 주재의 설립 준비를 위한 인력도 포함시킬 것을 검토중이라고 함.

- 카나다는 자국 역시 상업적 주재 설립 준비를 위한 인력의 포함을 고려중이라고 하는 한편 새로운 사항으로서 서비스 수입국내에 상업적 주재가 없는 상태에서 전문

통상국	통상국	통상국	법무부	보사부	문화부	교통부	체신부	경기원
재무부	농수부	상공부	건설부	노동부	과기처	해항청	환경처	공보처

PAGE 1 92.10.17 01:42 FN

외신 1과 통제관

0169

직업인의 일시적 이동에 대한 COMMITEMENT를 고려하고 있다고 하며 다음과 같이설명함.

0 동 COMMITMENT는 인도, 중남미등의 REQUEST를 반영하는 것으로서 상업적 주재 및 이와 관계된 인력이동에 대한 COMMITMENT만 가지고는 서비스 협정상의 전반적인이익 균형 달성이 어렵기 때문임.

0 그러나 상기 인력이동을 모든 서비스 분야에 대하여 COMMITMENT 하기는 어려우며 엔지니어링, 컴퓨터 시스템 분석, 농림,수산, 광업관련 써비스 등에 있어서 대학졸업등 학문적 배경이 있는 인력을 대상으로 검토하고 있으며 이러한 자격증소지 인력에 대하여 일시적으로 동등한 국내자격을 부여하는 방안도 검토중임. (기간은 최대2년 이내가 될 것임)

- 아국은 이에 대한 1차적 견해로서 그와 같은 형태의 COMMITMENT는 지극히 어려울 것이라고 언급함.

라. 기본 통신 분야 시장접근에 관한 협상

- 아국은 기본 통신분야 시장접근 협상의 개시 시기 (UR 종료전 또는 종료후)를 불문하고 동협상에 참여치 않을 것임을 밝혔는바 카나다 및스웨덴은 실망을 표시하고 한국이 상당히 큰 기본통신 시장을 갖고 있기 때문에 한국의 참여가동 협상의 성공 여부에 매우 중요 하다고 언급함.

2. 국가별 분야별 논의사항

가. 핀란드 (10.13오전)

- 핀란드와의 분야별 협의는 OFFER의CLARIFICATION 수준에 머물렀으며 다만, 핀란드는 환경 서비스에 있어서 CPC 번호 9404 - 9406,9409와 법률 서비스에 있어서 국 제법 및 외국법자문 서비스의 OFFER를 요청 하였는바 아국은 현재 국내 규제 체계상 어려움이 있음을 설명함.

나. 카나다 (10.14 오후)

1) 금융

- 카나다는 지난 6월 협상시 제기되었던 카나다 은행 지점에 신탁업 허용, 원화자금 조달 기회확대, 중소기업에 대한 의무대출 비율 폐지를 재차 요청하는 한편, 담보 물건 취득 및 자사 직접처분 허용과 아국 금융 개혁 BLUE PRINT의 OFFER 반영을요청 함.

- 아국은 상기 사항에 대하여 아국의 규제 내용과 사유를 설명하는 한편 BLUE

PRINT의OFFER 반영에 대하여는 1,2단계 계획중 제 16조(시장접근), 제 17조 (내국민대우) 해당사항만을 대상으로 주요 교역국이 금융분야에 MFN 일탈을 하지 않고 아국의주요 REQUEST가 반영될 경우에 한하여 아국 OFFER에 반영 하겠다고 하고 카나다에 대한 다음 의 PRIORITY REQUEST를 전달함.

0 은행지점 설립허용, 본점 으로부터 차입한도확대, 현지법인의 카나다인 이사과반수 요건 폐지

2) 기타

- 카나다는 환경, 서비스와 관련 CPC 번호 9403 -6, 9408의 포함을 요청 하였으나 아국은 관계부처와 협의결과 추가 반영이 어려운 실정임을 설명함.또한 카나다는에너지 관련 서비스에 있어서 CPC번호 8676의 반영을 요청함.

- 카나다는 화물 운송 주선업의 외자 지분 제한폐지를 요청하였는바 아국은 동분야와 아울러 선박중개업, 해운 대리점업의 외자지분 제한도 93. 7부터 폐지할 계획이라고 밝히고 다만 이의 OFFER에 반영문제는 서비스 협상 종료시점에 따라 달라질 것이라 함.

다. 호주 (10.14오전)

- 호주는 자국의 스케쥴 초안 작성 계획과 관련 다음 사항을 설명함.

0 스케쥴 작성시 4개 서비스공급 형태를 구분하는 방향으로 각국의 의견이 모아지는 경향이 있으며 자국 역시 공급형태를 구분하여 작성할 계획임.

0 분야별 포괄 범위가 약간 확대될 것이며 금융개혁 계획도 포함 예정이나 동 계획이 현재 국회 동의과정에 있음.

0 자국 통신분야 OFFER는 기본통신 까지 포함하는 충실한 것이나 향후 MFN 문제와 관련 동 OFFER를 감축 조정할 가능성도 있음.

- 아국은 아국 금융분야 1,2단계 BLUE PRINT의 OFFER 반영계획 및 조건등을 설명하고 호주에 대하여 다음의 PRIORITY REQUEST를 전달함.

0 본점으로부터 차입한도 확대, NON-CALLABLE DEPOSIT 폐지

PRIME-ASSET REQUIREMENT 완화

- 호주는 법률 서비스에 있어서 외국법 및 국제법 자문 서비스 허용, 회계서비스에 있어서 한국내에 있는 호주 회사의 지사, 자회사등에 대한 회계서비스 제공 허용, 해운 분야에 있어서 자국선 이용의무 대상 화물의 점전적 감축등을 요청함.

- 한편, 호주는 양자 협상 회의 기록 작성 문제를 제기 하였는바 아국은

우리가국제적으로 약속 하는것은 스케줄에 기재된 것에 한정 되어야 하지 그외의 어떤 형태의 문서에 의하여도 우리가 구속되는 결과를 초래할 수 없다고 이를 거부함.

라. 스웨덴 (10.14오찬)

- 스웨덴은 아국의 OFFER의 개괄적 평가로서 국내기업의 인수, 합병금지, 각 분야별 설립인가시 경제적 수요 검토 요건, 합작 투자에 관한 외국인 부자 허용등이 아국 OFFER의 질을 떨어뜨리는 요소라고 평가함.

- 아국은 이에 대하여 아국을 선진국과 동일한 선상에서 평가하는 것은 곤란하며 아국 수정 OFFER가 1차 OFFER에 비하여 COMMITMENT 수준이 많이 개선된 점을 고려하여야 할 것이라 함.

- 한편 스웨덴은 아국의 CRS 분야 MFN 일탈계획에 대하여 자국 항공사의 좌석 판매에 불리한 영향을 미치게되지 않는지 우려를 표명 하였으나 아국은 그런 문제는 없음을 설명함. 끝.

(대사 박수길 - 국장)

수신처:통기,통이,통삼,경기원,재무부,법무부,농림수산부,상공부,건설부,보사부,노동부,교통부,체신부,문화부,과기처,공보처,환경처,항만청

관리 번호	92 - 713

분류번호	보존기간

발 신 전 보

번 호 : WJA-4376 921019 1446 WH 종별 :

수 신 : 주 일 대사. 총영사

발 신 : 장 관 (통 기)

제 목 : 대일 시청각 서비스 MFN 일탈

연 : GVW-1931(1), 1946(2)

표제건 관련, 연호와 같이 일측은 아측에 대한 서면보장 문안을 금주중 협의 해올 예정이라 하는 바, 동건 협의시 귀관을 통한 외교경로를 이용토록 일측에 요청해 두기 바람. 끝.

(통상국장 홍 정 표)

~~(차 관 노 창 희)~~

일반문서로 재분류 (1992. 12. 31.)

보안 통제	

앙 고 재	92년 10월 19일	통상기구과	기안자 성명		과 장	심의관	국 장		차 관	장 관
			이시형				전결		전결	

외신과통제

0173

이시

원 본

외 무 부

종 별 :

번 호 : GVW-1967 일 시 : 92 1019 1830

수 신 : 장 관(통기,경기원,교통부,항만청)

발 신 : 주 제네바 대사

제 목 : UR/서비스 비공식 협의 (해운)

10.14(수) 오후 속개된 해운 분야에 대한 12개국 비공식 협의 내용을 하기 보고함 (미국, 일본,카나다, 호주, 뉴질랜드, 홍콩, 노르웨이,스웨덴,알젠틴, 브라질, 아국참석)

1. 협의 내용

가. 서비스 협정의 수혜자

1) 문제의 성격

- 동 문제는 국재 해운의 특성상 운항 선박의 소유주 (CHARTER에 의하여 운행하는 경우가 많으므로 선박의 소유주와 실제 운항 선사가 다르게됨), 운항선사의 국적, 운항선사의 상업적 주재설립지, 운항선박의 등록지 (즉 게양기), 선박탑승 승무원등이 다양한 형태로 조합되어 해운서비스가 제공되는바 서비스

협정상의 '타체약국의 서비스 공급자'를 어떻게 구분하느냐 하는 것임 (예 : 그리스 선박회사가 비회원국인 파나마에 상업적 주재를 하는 한편 동사의 선박이 비회원국인 시리아의 항구에서 출발하여 미국의 항구로 입항하는 경우)

2) 협의 내용

- 서비스 협정상의 혜택을 받아야 하는 것은 서비스또는 서비스 공급자이므로 선박의 소유권이나 게양깃발을 기준으로 하기 보다는 당해 해운 서비스를 공급하는 OPERATOR를 출발점으로 하여야 한다는점에 대하여는 별 이견이 없었음.

- 그러나 별첨 (FAX 송부) EC가 작성 배부한 각사례에 대하여는 국가간 견해가엇갈렸으며 선박의 국적 결정 요건으로 선박탑승 승무원을 고려하는 경우도 있다는의견이 제시됨.

나. 보조금

- 갓트 사무국 문서 ('91. 12. 15자 CARLISLE PAPER)는 보조금 문제를 적시하고

통상국 교통부 경기원 해항청

PAGE 1 92.10.20 07:14 FL

외신 1과 통제관

0174

있지 않으나 차별적인것은 17조 (내국민 대우) 위반으로 스케쥴에 기재되어야 한다는것이 대다수 국가의 의견이었음.

- 그러나 해운분야 보조금 문제는 주로 정치적문제로서 특히 선박 회사 자체에 대한 것보다 운항관련 보조금이 보다 복잡한 문제를 야기하는바 동문제가 보다 자세하게 검토되어야 할 필요 (특히어떤 보조금의 차별 여부보다 동 보조금의 무역왜곡효과 여부가 보다 중요하다는 점등)가 있다는점이 지적됨.

다. 항구설비에 대한 접근 및 이용

1) 문제의 성격

- 통신 부속서 상의 공중전기 통신망에 대한접근 및 이용 보장 문제와 유사한 성격의 것으로 서한 회원국이 SPECIFIC COMMITMENT 를 한 분야의 외국 서비스 공급자가 당해 서비스를 공급함에 있어서 필요한 항구 설비에 대한 접근 및 이용에 관한 문제임.

2) 협의 내용

- 상기 문제와 관련 제 8조 (독점적 서비스공급자의 MFN 준수, 자국 SPECIFIC COMMIT의 무효화, 침해 금지의무)와 제34조 C항 II(TRANSPORTATION SYSTEM에 대한 이용 및 접근)가 규정하고 있는 의무의 범위가 정확히 무엇인지, 동조항에 의하여 사무국 문서 ATTACHMENT B의 PORTSERVICES가 모두 포괄되는지, 사무국 문서 자체에 누락된 사항은 없는지 등이 논의되었는바 다음사항등이 제기됨.

0 제 34조의 TRANSPORTATION SYSTEM의 정의 : 사적인 수송체계는 정부가 규제할 수 없으므로 PUBLICTRANSPORTATION SYSTEM에 한정하여야 한다는 의견과 통신 부속서와 같이 정부에 의하여 공중에 제공되도록 의무화된 TRANSPORTATION SYSTEM으로규정하여야 한다는 의견이 제시됨.

0 사무국 문서의 PORT SERVICES 분류 :긴급수리서비스등 누락된 사항이 있으며사업활동 대상으로서의 보조서비스 (ATTACHMENTA)와 중복되는 사항등의 재분류가 필요함.

2. 협의 결과

- 지금까지 논의된 사항들이 모든 기술적 문제를 망라하는 것은 아니나 이들을사무국이 취합, 정리작업 문서로 작성하여 빠른 시일내에 배포키로 함.

- 한편, 이와 같은 기술적 토의도 중요하지만 다음에는 실질 문제로 이행 되어야 한다는 점이지적됨.

첨부 : EC 작성 비공식 문서 1부.(GVW(F)-0623끝.
(대사 박수길 - 국장)

주 제 네 바 대 표 부

번 호 : GVW(F) - 6623 년월일 : 21018 시간 : 1830

수 신 : 장 관 (통기, 경기원, 교통부, 항만청)

발 신 : 주 제네바대사

제 목 : UR/서비스 비공식협의 (재준)

보 안	
통 제	

총 4 매(표지포함)

외신과	
통 제	

처리	장관	차관	一차보	二차보	외정실	분석관	아주국	미주국	구주국	중아국	국기국	경제국	통상국	문협국	외연원	청와대	안기부	공보처	경기원	상공부	재무부	농수부	동자부	환경처	과기처	교통부	항만청
													0						/							/	/

0177

International maritime transport service suppliers

for which commitments may aply : case analysis

1. Definitions

A. Member benefiting from commitments made by Member B

B. Member which must assess whether or not it shall apply its commitments to service suppliers of Member A (the service provided is originated or destinated in B)

A 1. Shipping company or shipowner legally established in Member A [and owning, or operating under bare-boat charter, vessels registered in A and flying A's flag]

A 2. Shipping company or shipowner not established in A, but owning, or operating under bare-boat charter, vessels registered in A and flying A's flag, thus recognised by A as a national shipping company or shipowner (conditions put by A for registration of vessels: the shipowner - natural person - must be a national of A; the shipping company must be controled by capital/nationals of A)

C, D,... GATS Member countries

X,Y,Z Non GATS Member countries

"Vessel A,B,C,X.." Vessel registered in and flying the flag of countries A, B, C, X ...

"Vessel X (chartered)" Vessel registered and flying the flag of X but temporarily operated (time chartered) by a shipping company or shipowner of another country

"Vessel A" (owned) means a vessel owned or operated under a bare-boat charter, and registered by A1 or A2 in A's register

0178

Case N° 1	Service supplier A1 operating a vessel A,C,D	B shall apply the commitments
Case N° 2	Service supplier A 1 operating a vessel X (chartered)	B shall apply
Case N° 3	Service supplier A 1 operating a vessel B (chartered)	B shall apply
Case N° 4	Service supplier A 2 (established in B,C, or X) operating a vessel A (owned) (and flying a flag of A)	B shall apply
Case N° 5	Service supplier A2 (established in B) operating a vessel B (chartered)	B shall apply, and may easily know that A 2 is indeed a service supplier from A (and not one of his own)
Case N° 6	Service supplier A2 (established in B) operating a vessel A, C or X	B shall apply and may easily know that A 2 is what it pretends to be
Case N° 7	Service supplier A 2 (established in C or D) operating a vessel A,B, X,Y,Z (chartered)	B shall apply and may assume that A 2 is what it pretends (and if it is not, it would most likely be a service provider of C or D). B retains Art. XXXI as a safeguard
✓ Case N° 8	Service supplier A 2 (established in X) operating a vessel A,B, C (chartered)	B shall apply, and may assume that A2 is what it pretends to be retaining Art. XXXI as a safeguard
✓ Case N° 9	Service supplier A 2 (established in X) operating a vessel X,Y or Z (chartered)	B shall apply, but may wish to check with A the origin of A 2 and retains Art. XXXI as a safeguard
Case N° 10	Service supplier X 1 operating a vessal A (owned)	Impossible ?
Case N° 11	Service supplier X 1 operating a vessel A,B, C (chartered)	B shall not apply, but may (shall?) avoid discriminating the vessel in the use of operational facilities. On which ground? Possibly that it would be a restriction to the rental/leasing service supplied by the owner when chartering out its vessel to the transport service provider X 1

0179

Case N° 12	Service supplier X 1 operating a vessel X,Y Z (owned or chartered)	B shall not apply
Case N° 13	Service supplier X 2 (established in A) operating a vessel A (owned)	Impossible, or otherwise X 2 has to be requalified as A 1
Case N° 14	Service supplier X 2 (established in A) operating a vessel B (owned)	Impossible, or otherwise X 2 has to be requalified as B 2
Case N° 15	Service supplier X 2 (established in A or Z) operating a vessel A,B, C (chartered)	Same solution as 11
case N° 16	Service supplier X 2 (established in A or Z) operating a vessel X,Y, Z (owned or chartered)	B shall not apply (same solution as 12)

0180

이시(원신일검토)

외 무 부

종 별 :

번 호 : GVW-1968 일 시 : 92 1019 1830

수 신 : 장 관(수신처 참조)

발 신 : 주 제네바 대사

제 목 : UR/서비스 양자협상(2)

10.15(목) 개최된 미국.EC.일본과의 양자협상 내용을 하기보고함

1. 각국 공통 논의사항

가. OFFER 수정,보완 및 스케쥴 초안 작성

- 미국.EC.일본은 각각 다음과 같이 자국의OFFER 수정작업 현황을 밝힘

0 미국 : 제3차수정 OFFER를 작성하고 있는바 2차 수정OFFER에 삭제 하였던 4개서비스 공급 형태구분을 다시 도입할 예정이며 다음 협상이전에 동 수정 OFFER를 배부할 계획임.

0 EC : 제4차 수정 OFFER를 이번 협상시 배부할 계획이었으나 미처 작업이 완료되지 못하였음.동 수정 OFFER를 공식문서로 제출할지 비공식 배부할 것인지 아직 결정하지 않았으나 2-3주내에 비공식 문서 형태로라도 배부할 계획이며 다른나라들도이와같은 노력에 동참하기를 희망함

0 일본 : 제3차 수정 OFFER (스케쥴 초안형태임)를 10.14(수)오후에 갓트사무국에 제출하였으며 2차수정 OFFER에 삭제하였던 4개 공급형태 구분을 재도입하고 CPC번호를 첨부하였음

- 아국은 1차 수정 OFFER상의 서비스분야별 CPC번호 분류표를 전달 하는 한편 또 다른 수정 OFFER작성은 고려치 않고 있다고 밝힘

나) MFN일탈

- 아국은 미국 및 EC에 대하여 새로이 추가된 외국인 토지취득 허가시 상호주의 요건과 해운분야 MFN일탈 수정 내용을 설명하였는바

0 EC는 계속하여 아국의 CRS MFN 일탈에 대한 유보적 입장을 표명하였으며 미국은 외국인 토지취득 허가시 상호주의에 대한 MFN 일탈신청이 LEASE권 까지 포함하고있는것은 아국OFFER의 HEAD NOTE 상의 COMMITMENT 질을 떨어뜨리게 된다고

통상국	통상국	통상국	통상국	내무부	법무부	보사부	문화부	고통부
체신부	경기원	농수부	상공부	건설부	과기처	해항정	관경처	공보처

92.10.20 07:37 FL

외신 1과 통제관

0181

지적함.

- 미국은 자국 MFN일탈 신청사항중 다음 세가지를 철회키로 결정 하였다고 밝힘

0 텍사스 주의 외국 변호사 업무허가시 상호주의

0 국경간 트럭운송 및 국경간 버스운송관련 조치의 6-7년내 폐지(동사항은 멕시코에대하여 상호주의 원칙하에 신규사 면허를 정지한조치이나 NAFTA 체결에 따라 폐지키로 된 것으로서 다른 국가와는 관계없는 사항임)

- 한편, 일본은 인력 이동간련 상호주의 조치에대한 MFN일탈을 철회키로 했다고밝힘.

다. 인력이동

- 미국은 서비스 수입국내에 상업적 주재의 설립이없는 상태에서의 전문직업 인의 일시적 이동에대한 COMMITNENT계획을 밝히고 이에관한 문안을 아측에 전달함.

라. 외국인 토지취득

- EC 및 일본은 과거의 자국 REQUEST를 반복한바 아국은 최초의 동제도 개선 내용을 설명하는 한편 외국인의 토지 임차는 제한없이 허용되므로 사업 활동에 별다른지장이 없을것이라고 한바

0 EC는 건물취득이 자유롭게 허용되는지 여부에 대하여 관심을 표명하였으며 (아국은 건물부속토지지분 때문에 어려움이 있을것으로 생각되나 확인해 보겠다고 함)

0 일본은 아측의 제도 개선방향을 환영하고 금번 라운드에서 BINDING COMMITMENT 가 어려울지 몰라도 다음 라운드에는 이룩할 수 있을 것이라는 기대를 표시함.

마. 기본통신에 관한 협상 참여

- 아국간은 동 협정에 불참 입장을 밝힌바 미국은 동 협상의 성공여부에 한국의 참여가 매우중요하기 때문에 자국 정부를 통하여 아국 정부에이 문제를 제기하였다고 함.

2. 국가별 분야별 논의 사항

가. 미국(10.15 오전)

1) 한.미 양자간 합의사항과 서비스협정의 관계

- 미국은 한.미간 서비스분야 시장개방에 관한 여러합의사항의 향후 효력 문제와 관련 서비스 협정이 발효될 경우 신 협정이 과거의 협정을 OVERRIDE한다는 것이 자국 법률 전문가들의 견해라고하면서 과거의 모든 한.미간 합의사항을 계속준수하겠다는 내용의 새로운 약속을 해줄것을 요청한 바 아국은 한.미간 합의 사항을 회피할용의가

PAGE 2

0182

없으며 과연 서비스 협정이 발효된다고 해서 과거 양자간 합의사항에 영향을 미치게 되는지 법률적 검토가 필요하다고 함.

2) 금융분야

- 미국은 아국의 금융분야 1,2,3단계 BLUE-PRINT를 아국 OFFER에 BINDINGCOMMITMENT로 반영할 것을 강력히 요구한바

0 아국은 미래에 시행될 자유화조치는 OFFER에 반영할 수 없으며 1,2 단계 계획중 기시행된 조치에 한하여 제16조, 제17조 해당사항만 주요국이 MFN일탈을 하지 않고 아국의 REQUEST 가반영될 경우 OFFER 에 반영하는 것을 고려할수있다고 하고 미국에 대한 아국의 PRIORITYREQUEST를 제시함. (동 REQUEST 내용 및 미측답변 내용은생략)

0 동 BLUE PRINT의 아국 OFFER 반영과 관련미국은 CUT-OFF DATE가 매우 중요한문제라고하면서 지대한 관심을 표명함. ?

- 한편 미국은 아국 금융 분야 OFFER의 SECTORALCOVERAGE가 FULL COVERAGE가 되어야 한다는 점을강조 하였는바, 특히 은행 업무에 있어서 신용카드를 포함한 송금서비스, LEASING, FINANCINGCOMPANY 가 아국 OFFER에 누락되어 있다고지적함.

- 아국의 보험분야 REQUEST중 현대 해상화재보험의 지점인가와 관련 미측은 캘리포니아주에 확인결과 '93.1전에 인가가 가능할 것이라고답변함.

나. EC (10.15 오후) - EC와 분야별 토의는 금융분야에 집중되었는바, EC는 아국에 대하여 특히 다음사항을 강조함

0 최근의 모든 자유화 조치를 포함한 현존시장 접근 수준의 BINDING

0 은행분야의 FULL COVERAGE 필요 (LEASING, MONEYBROKING등이 빠졌음)

0 인가조건 특히 각 세부분야별 경제적 수요검토기준을 명확히 해야함

0 은행서비스의 국경간 공급과 해외소비에도COMMITMENT가 가능함

0 해상적하보험의 자유화계획('95.1)에 FOB와CF 수입도 포함하는데 아무런 문제가 없을것임.

- 아국은 BLUE PRINT 1,2단계 조치의 아국 OFFER반영에 대한 조건으로 EC에 대한 PRIORITYREQUEST를 전달한바, EC는 동 조치들을 자국SCH EDULE에 유보하지 않았으므로 협정 17조의사실상 내국민 대우를 준수할 계획이라는 것을 의미한다고 하고 한국이 이를 확실히 보장받기 원한다면 제18조상의 ADDITIONAL COMMITMENT 를 요청하여야 할 것이며 이에 상응하는 한국측의COMMITMENT도 있어야 한다고 답변함.

다. 일본 (10.15 20:70-10:30)

- 일본과의 양자협상 재개전 아측 수석대표는 작일 발생한 사태에 대하여 유감을 표명하고 일본측이 현재의 양자협상이 무엇을 하기위한것인지 그 성격에 대하여 주의를 기울일 필요가 있다고 지적한바 일본측은 사과의 뜻을 표명하는 한편 아측이 협상재개에 동의한점에 대하여 평가함

- 일본의 분야별 관심은 해운, 건설,유통분야에 집중되었는바 해운 분야에 있어서아국이 미국에 약속한 해운 보조서비스의 외국인 지분제한 폐지, 육상 트럭킹 허용 지역 확대조치를 MFN원칙하에 일본에게도 적용 할것이라는 점에 대하여 대단한 만족 을 표시하였으며 건설분야에 있어서는 건설업 면허발급주기, 공사별 도급한도제에대하여 자국사의 이익에 아주 중요한 문제라고 하면서 동제도의 개선을 요청하였는바 아측은 동 문제들이 계속검토중에 있다고 답변함. 일본은 또한 일본종합상사에 대한 수입업 허용문제를 제기함.끝.

(대사 박수길 - 국장)

수신처:(통기,통일,통이,통삼,경기원,내무부,법무부,농림수산부,상공부,문화부,건설부,교통부,체신부,보사부,환경처,과기처,공보처,항만청)

이시 2하 [illegible]

관리 번호	92-727

원 본

외 무 부

종 별 :

번 호 : JAW-5586 일 시 : 92 1020 1723

수 신 : 장관(통기)

발 신 : 주 일 대사(일경)

제 목 : 대일 시청각분야 MFN 일탈

대:WJA-4376

1. 대호지시의거, 당관 황순택 서기관은 금 10.20(화) 주재국 외무성 경제국 국제기관 1 과 후나기 담당관을 접촉, 금후 표제건 서면보장 관련 협의를 당관을 통해 하여줄것을 요청한바, 동인은 일본측 협상대표인 쯔루오까 (상기 국제기관 1 과 기획관)가 귀국하여 10.21(수)부내 회의를 한후, 일측 입장을 당관을 통해 전달하겠다고 언급하였음을 보고함

2. 동건관련 당관 참고코자하니 관련자료 있을시 파편 송부요청함

(대사 오재희-국장)

예고:92.12.31. 까지

일반문서로 재분류 (1992 .12 .31

통상국

PAGE 1 92.10.20 18:29

* 원본수령부서 승인없이 복사 금지 외신 2과 통제관 CM

0185

관리번호 92-744

長官報告事項

報 告 畢

1992. 10. 24.
通 商 局
通商機構課(62)

題 目 : UR/視聽覺 서비스 對日 差別待遇 問題

검토필(1992.12.31.)

1. 현 황

o 일측은 10.24. 표제건 관련 아래와 같이 제의

- 일측의 보장은 아래 사항을 non-paper 형식으로 주한 일본대사가 경기원 장관에게 전달(가능하면 10.26.시작주중)

. 한국의 대일 시청각 서비스분야의 현행 조치는 사회.정치적으로 민감한 문제이므로 다자차원에서 취급하는 것은 부적절함.

. 일본은 한국이 현행 조치에 대해 MFN 일탈신청을 하지 않았다는 점을 악용하지 않을 것임.

- 주한 일본대사는 상기 면담시 구두로 아래사항 언급

. 대일 시청각 서비스 규제의 자유화를 위한 한국측의 노력이 필요

. 상기 서면전달 입장은 GATS상 양국의 권리.의무에 영향을 미치지 않음.

o 일측은 상기 제의에 대한 아측 입장을 10.28(수)까지 통보 희망

2. 검토의견(상세 추후보고 예정)

검토필 93. 6. 30

o 동건 처리 형식에 문제점 상존

- 국내적 민감성 고려 지나치게 비공식적인 처리는 곤란

o 서면 및 구두로 전달 예정인 일측 입장중 아국의 대일 규제조치가 자유화 되어야 한다는 일측 입장을 기정사실화 한 점등은 수정 필요

3. 대 책

o 10.27(화) 10.30. 경기원(대조실장) 주재 관계부처 대책회의에서 정부 입장 협의. 끝.

0186

관리번호	92-744

1/5

長官報告事項

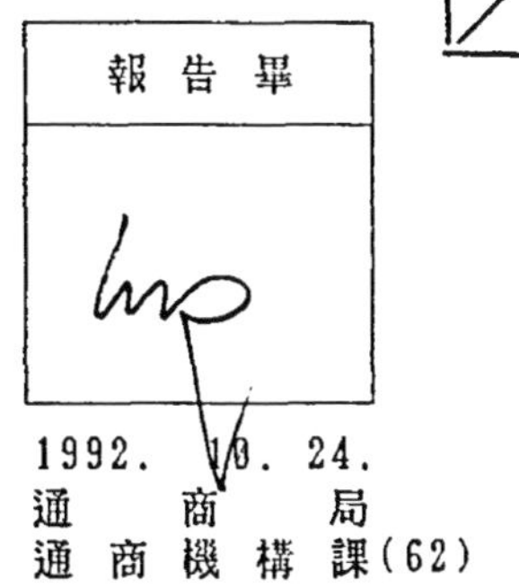

1992. 10. 24.
通 商 局
通 商 機 構 課(62)

題 目 : UR/視聽覺 서비스 對日 差別待遇 問題

검 토 필(1993. 6. 30.)

1. 현 황

o 일측은 10.24. 표제건 관련 아래와 같이 제의

- 일측의 보장은 아래 사항을 non-paper 형식으로 주한 일본대사가 경기원 장관에게 전달(가능하면 10.26.시작주중)

. 한국의 대일 시청각 서비스분야의 현행 조치는 사회.정치적으로 민감한 문제이므로 다자차원에서 취급하는 것은 부적절함.

. 일본은 한국이 현행 조치에 대해 MFN 일탈신청을 하지 않았다는 점을 악용하지 않을 것임.

검 토 필(1992.12.31.)

- 주한 일본대사는 상기 면담시 구두로 아래사항 언급

. 대일 시청각 서비스 규제의 자유화를 위한 한국측의 노력이 필요

. 상기 서면전달 입장은 GATS상 양국의 권리.의무에 영향을 미치지 않음.

o 일측은 상기 제의에 대한 아측 입장을 10.28(수)까지 통보 희망

2. 검토의견(상세 추후보고 예정)

o 동건 처리 형식에 문제점 상존

- 국내적 민감성 고려 지나치게 비공식적인 처리는 곤란

o 서면 및 구두로 전달 예정인 일측 입장중 아국의 대일 규제조치가 자유화 되어야 한다는 일측 입장을 기정사실화 한 점등은 수정 필요

3. 대 책

o 10.27(화) 10.30. 경기원(대조실장) 주재 관계부처 대책회의에서 정부 입장 협의. 끝.

0187

경 제 기 획 원

우 427-760 / 경기도 과천시 중앙동1 정부제2청사 / 전화 503-9144 / 전송 503-9141

문서번호 통조삼10502-
시행일자 1992. 10. .
(경유)
수신 수신처참조

취급		실 장	
보존			
국 장		/	
과 장			
기안	이 성 한		협조

제목 UR/서비스협상 대일 시청각서비스 관련 회의 소집

1. 일본측 UR/서비스 양허협상 수석대표 Tsuruoka (일본 외무성 다자협상 담당기획관)는 10월 23일 (금) 20:00시에 우리측 수석대표인 경제기획원 제2협력관에게 대일시청각 서비스 제한조치에 대한 MFN일탈 신청문제와 관련하여 일본이 제시하기로한 서면보장 내용을 첨부와 같이 전달하였습니다.

2. 동인은 일본측이 상기 내용을 주한 일본대사로 하여금 이 사안을 관장하는 한국측의 장관을 만나 다음 형식의 구두 메시지와 함께 non-paper로 전달하도록 하겠다고 하고 법적성격을 가지는 문서교환을 할 수 없기 때문에 UR/서비스 협상대표인 동인 보다 고위급인 주한 일본대사가 보다 공식적으로 일본측 입장을 전달하고자 하는 것이며, 동인도 그 자리에 동행키로 되어 있다고 설명하였습니다.

(다음은 주한 일본대사가 우리측 장관을 만나 일본입장을 전달하고자 하는 방식)

1) (구두로) 일본은 우루과이 라운드 서비스 협상에서 한국에 대하여 일본 시청각 서비스에 관한 현재의 차별조치를 폐지해 줄것을 요청하였으며 한국정부는 이에 대하여 폐지할 수 없다고 답변하였음. 일본측은 이러한 조치의 자유화를 위한 한국의 노력이 필요하다고 믿음. 그러나 이 문제의 정치.사회적 민감성을 감안할 때 한국에 의해 갓트 다자 체제하에서 동 조치에 대한 MFN일탈이 신청되는 것은 적절하지 않다고 봄.

0188

2) (구두로) 그러므로 일본은 다음과 같은 일본의 입장을 non-paper 형식으로 전달하고자 함. (첨부 서면 non-paper를 우리측에 전달)

3) (구두로) 이상의 non-paper의 전달이 다자체제인 갓트하에서의 일본 정부및 한국정부의 권리.의무에는 아무런 영향도 미치지 않음.

4) (구두로) 이상과 같은 양국 정부의 입장교환은 외교적인 것임. 따라서 일반에게 공개되어서는 안됨. 다만 외부로 부터 동 사안에 대한 질의가 있는 경우 양국 정부가 동 사안의 합리적인 해결책을 찾기 위하여 양자관계에서 계속 동 사안을 논의 하기로 확인하였다고 답변되기를 원함.

3. 이상과 같은 일측 제안에 대한 우리측 검토의견은 다음 주 수요일(10.28)까지 일측에 전달키로 하였는 바, 우리 정부의 대응 입장을 확정하기 위한 관계부처 국장급 회의를 다음과 같이 소집하니 귀부의 의견 (상기 non-paper 내용 검토, 전달형식의 유효성 판단, 동 전달형식을 수용할 경우 우리측 상대등 검토및 수정대안)을 지참하여 본인이 필히 참석하기 바랍니다.

- 다 음 -

회의일시: 92.10. 27(화) 오전 10시 30분

회의장소: 경제기획원 대외경제조정실장실(제2청사 1동 726호실)

참석범위: 경제기획원 대외경제조정실장(회의주재)
경제기획원 제2협력관
외무부 통상국장
문화부 예술진흥국장

첨부: 일측 송부 non-paper (draft) 1 부. 끝.

경 제 기 획 원 장 관

수 신 처 : 외무부장관, 문화부장관

0189

0535U

(Draft)

With regard to the initial commitment negotiations under the draft General Agreement on Trade in Services of the Uruguay Round (GATS), I wish to inform you of the following in view of the practical solution of the issue:

1. It is the view of the Government of Japan that under the current circumstances the issue of the existing Korean measures on Japanese audio-visual services in the Republic of Korea is a sensitive socio-political issue. In light of the sensitivity of this issue, Japan considers inappropriate to address the issue further in the multilateral context.

2. In view of the above, Japan has no intention of taking advantage of the lack of derogation by the Republic of Korea from the most favoured nation treatment obligation under Article II of the GATS with respect to the existing Korean measures on Japanese audio-visual services in the Republic of Korea.

0190

이시

관리번호	92-746

원 본

외 무 부

종 별 : 지 급

번 호 : JAW-5667 일 시 : 92 1024 0910

수 신 : 장 관 (통기 아일 사본 : 주 제네바 대사-중계필)

발 신 : 주 일 대사(일경)

제 목 : 대일 시청각 분야 MFN 일탈

검 토 필(1992.12.31.)

대 : WJA-4376(GVW-1946)

연 : JAW-5586

93.6.30.

1. 연호, 일측 협상대표 쯔루오까는 10.23(금) 자정경 당관 황순택 서기관집으로 전화연락, 표제건 관련 내주중 주한 일본 대사가 경제기획원 장관에 면담을 요청, 아래요지 일측 입장을 전달 예정임을 알려옴.

가. 일측은 한국측의 대일 AUDIO VISUAL 에관한 UR 서비스 무역교섭의 장에서 일본에 대한 규제를 철회하여 줄것을 요청한바, 한국측이 이에 소극적인 태도를 취한 경위가 있어, 일측은 계속 동 규제의 자유화를 요청하는바, 이에대한 한국측의 노력이 필요하다고 생각함. 한편, 한국측이 행한 규제인 MFN 면제등록 통보에 대해서, 동 규제의 사회적, 정치적 배경에 비추어 금후 서비스에 관한 일반협정이라는 다자협상의 장에서의 동규제의 취급은 부적절하다고 생각하는 바임.

나. (상기관련 주한 일본대사는 다음내용을 경기원장관에게 NON-PAPER 로서 전달예정이라 함)

WITH REGARD TO THE INITIAL COMMITMENT NEGOTIATIONS UNDER THE DRAFT GENERAL AFREEMENT ON TRADE IN SERVICES OF THE URUGUAY ROUND (GATS), I WISH TO INFORM YOU OF THE FOLLOWING IN VIEW OF THE PRACTICAL SOLUTION OF THE ISSUE:

1) IT IS THE VIEW OF THE GOVERNMENT OF JAPAN THAT UNDER THE CURRENT CIRCUMSTANCES THE ISSUE OF THE EXISTING KOREAN MEASURES ON JAPANESE AUDIO-VISUAL SERVICES IN THE REPUBLIC OF KOREA IS A SENSITIVE SOCIO-POLITICAL ISSUE. IN LIGHT OF THE SENSITIVITY OF THIS ISSUE, JAPAN CONSIDERS INAPPROPRIATE TO ADDRESS THE ISSUE FURTHER IN THE MULTILATERAL CONTEXT.

2) IN VIEW OF THE ABOVE, JAPAN HAS NO INTENTION OF TAKING ADVANTAGE OF THE

통상국 아주국 중계 차관 장관

PAGE 1 92.10.24 09:42

외신 2과 통제관 FS

0191

LACK OF DEROGATION BY THE REPUBLIC OF KOREA FROM THE MOST FAVOURED NATION TREATMENT OBLIGATION UNDER ARTICLE II OF THE GATS WITH RESPECT TO THE EXISTING KOREAN MEASURES ON JAPANESE AUDIO-VISUAL SERVICES IN THE REPUBLIC OF KOREA.

다. 상기 일본의 입장은 GATS 에 근거한 양국정부의 권리 내지 의무에 영향을 미치는것은 아님.

라. 본건에 관한 양국간 교섭에 관해서는 외교교섭이라는 사실에 비추어, 상호 대외적으로 공표하지 않을것을 희망함. 만일, 외부(언론등)로부터 질의가 있을 경우에는 다음 답변으로 상호 대처하기를 희망함.

- 동 규제에 대해서는 양국간에 합리적인 해결책을 얻을수 있도록, 양국간 관계의 범위내에서 계속 협의를 진행해 나가고자 하는 양해가 양국정부간에 확인됨.

2. 또한, 쯔루오까 대표는 상기와같이 동건이 조용히 처리될수 있기를 희망한다고 부연 설명하고, 동 내용은 같은시간에 우리측 서비스 협상대표인 경기원 제 2 협력관에게도 직접 통보하였다고 함을 보고함

(대사 오재희-국장)

예고 : 93.12.31. 일반

관리번호	92-250

외 무 부

110-760 서울 종로구 세종로 77번지 / (02)720-2188 / (02)720-2686 (FAX)

문서번호 통기 20644-2696
시행일자 1992.10.26.( )

수신 주 일 대사
참조

취급		장 관
보존		
국 장	전 결	
심의관		
과 장		
기안	이 시 형	협조

제목 대일 시청각 서비스

검 토 필(1993. 6. 30.)

대 : JAW-5586

대호 2항 요청에 따라 UR/서비스협상 관련 대일 시청각 서비스 제한문제에 대한 참고자료를 별첨 송부하니 참고바랍니다.

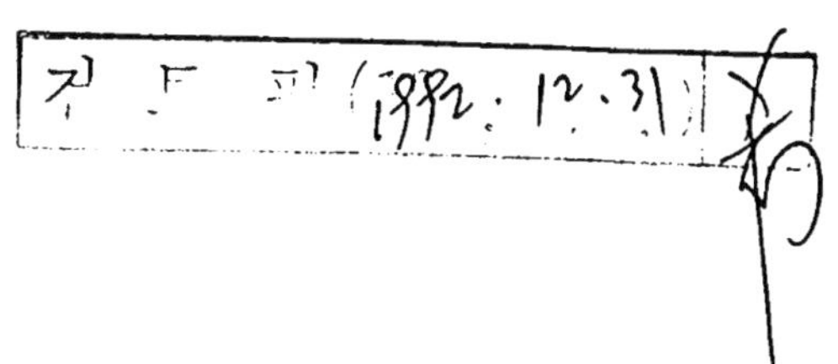

첨 부 : 관련자료 1부. 끝.

접인 1992.10.26 통제관

외 무 부 장 관

0193

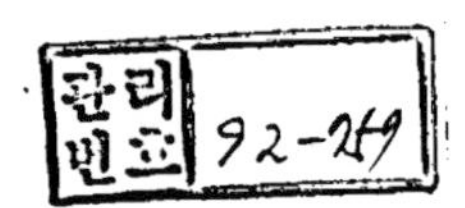

UR/서비스협상 관련 대일 시청각서비스 제한문제

(회의자료)

검 토 필(1992. 12. 31.)

검 토 필(1993. 6. 30)

1992. 10. 26

양고	통상기구과	93년 10월	담 당	과 장	심의관	국 장	차관보	차 관	장 관

외 무 부
통 상 국

0194

1. 회의개요

o 일 시 : 92.10.27(화) 10:30

o 참석범위 : 경기원 대외조정실장(주재), 경기원 제2협력관
외무부 통상국장, 문화부 예술진흥국장

o 의 제 : 일본측이 제시한 서면제안내용 및 전달방법 검토

2. UR/서비스협상과 대일 시청각서비스 제한문제

가. 경 위

o UR관련 한.일 양자서비스협상(92.10.14-15, 제네바)에서 우리측은 시청각서비스 분야에서 일본에 대하여는 MFN원칙을 배제하는 MFN 일탈 신청서를 GATT사무국에 제출하고, 일본측에도 이를 설명
- 동 일탈신청은 서비스 일반협정(GATS)제2조에 근거한 조치

o 일본측은 이에 반대의사와 함께 한국의 기존 차별정책에 대해 GATS 차원에서 이의를 제기하지 않겠다는 내용의 서면 보장을 해주겠다는 의사를 표명, 아측은 일단 동 일탈 신청을 보류

o 일본측은 10.23(금) 아측에 전화로 동 문안과 전달방법을 제의 (10.28한 회신요망)

3. 일측 제의내용

가. 전달방법

o 금주중 주한 일본대사가 경제기획원장관을 면담(UR/서비스협상 대표 동석), 아래 구두메시지 및 NON-PAPER(법적 성격을 가지는 문서를 교환할 수없기 때문) 전달

0195

(구두 메시지)

- 대일 시청각서비스 규제를 자유화하기 위한 한국의 노력필요
- 한국의 MFN 일탈을 다자협상에서 취급하는 것은 부적절
- 일본의 Non-Paper 전달이 GATS상 양국의 권리.의무에 영향을 미치지 않음.
- 동건 교섭내용을 대외적으로 공표하지 않을 것을 희망

(NON-PAPER 요지)

- 일본 정부는 한국의 대일 시청각서비스 관련문제가 정치.사회적으로 매우 민감한 문제임에 비추어 이를 다자차원에서 논의하는 것은 적절치 않다고 생각함.
- 일본은 현재 한국이 취하고있는 일본의 시청각서비스에 대한 조치에 관하여 한국이 GATS상의 MFN일탈을 하지않았다는 사실을 이용 (take advantage) 할 의사가 없음.

4. 검토의견

가. 전달방법 및 교섭통로

o 일측이 주한 일본대사를 통해 관계장관에게 구두메시지 및 NON-PAPER를 전달하려는 것은 정규의 외교통로를 거치지 않음으로써 외교적 의미를 부여하지 않고 최대한 비공식화하려는 의도

- 경제기획원장관은 국내적으로 UR등 경제정책에 대하여 포괄적인 임무를 가졌다고 보나, 외교교섭통로는 아님.

- 우리측 UR/서비스협상 수석대표도 특정기간중 특정한 업무를 위해 한시적인 정부수석대표로 임명(지금까지 UR서비스 양자협상에 한정) 되는 것이어서 상설 외교교섭통로가 될 수없음.

0196

나. 문서의 형식

o 일측이 법적 성격의 문서를 교환할 수없기 때문에 NON-PAPER로 전달 한다고 밝히고 있듯이 동문서는 아무런 구속력을 가지지않는 것으로 동 문서의 국내적 민감성에 비추어 문제점 내포
 - 일본의 관행은 가급적 모든 외교적 약속을 문서로 확보한다는 것임

다. 문서의 내용

o 기본적으로 NON-PAPER형태로 작성된데 문제점 존재
 - 추후 결정될 처리방법에 따라 문서의 형태 및 내용수정 필요

o 일본이 한국의 대일 시청각서비스 규제를 앞으로 GATS차원에서 문제 삼지(CHALLENGE)않겠다는 내용추가 필요

라. 구두 메시지

o 일측은 금번 협상의 내용을 '한국의 대일 시청각서비스 차별정책에 대한 일본의 시정요청→한국의 거절→자유화를 위한 한국의 노력 촉구'로 규정
 - 한국이 GATS규정에 의한 정당한 권리행사를 자제하는 대신 일본이 이의를 제기하지 않는다는 전제하에 양국이 이 문제를 조용히 해결 하기로 했다는 취지를 반영해야할 것임.

o NON-PAPER 전달이 다자체제인 갓트하에서의 양국 권리의무에 영향을 주지 않는다는 것은 일측이 우리의 MFN일탈 부재를 이용(take advantage)할 의사가 없다고 하는 서면내용과의 관계가 불분명

o 교섭내용을 대외적 비공개로 한다는 방침은 바람직

5. 대 책

가. 전반적 대책

o 본건의 국내적 민감성에 비추어 단순한 NON-PAPER 만으로는 불충분함.

- 경제기획원장관에게 NON-PAPER를 전달하는 것은 구두보장과 차이가 없음.

o 따라서, 차기(또는 적절한 시기의) UR/서비스 한.일양자협의시 양측의 양해사항을 양측 수석대표가 서명하는 토의록(RECORD OF DISCUSSIONS)으로 남기는 것이 바람직

o 상기에 대한 일측의 반응을 본후 대안 강구

나. 교섭창구

o 본건은 다자협상과 관련된 외교교섭이며, 한.일관계의 가장 민감한 부분중 하나를 다루고 있음에 비추어 추후의 논의는 정규 외교경로를 통해서 하도록 일측에 통보. 끝.

- 4 -

0198

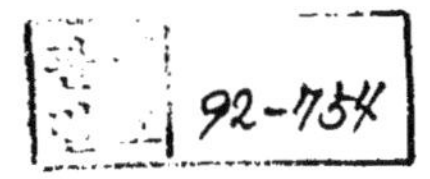

長官報告事項

報告畢

1992. 10. 27.
通 商 局
通商機構課(63)

題 目 : UR/視聽覺 서비스 對日 差別待遇 問題

표제건 관련 관계부처 대책회의 결과를 아래 보고 드립니다.

1. 회의개요
   - o 일시 및 장소 : 1992.10.27(화) 11:00-12:30, 경기원
   - o 참석자 : 경기원 대조실장(주재), 경기원 제2협력관, 외무부 통상국장, 문화부 예술진흥국장 대리

2. 회의결과
   - o 일측이 앞으로 대일 차별대우를 문제삼지 않겠다는 보장을 구두 메시지와 NON-PAPER로 전달하는 것은 수락곤란
   - o 양측 수석대표의 서명이 들어간 토의록(Record of Discussions) 작성을 대안으로 일측에 제시
   - o 토의록의 내용 (일측의 NON-PAPER 내용과 동일)
     - 양측은 한국의 대일본 시청각 서비스 조치를 다자차원에서 다루는 것이 적절치 않다는데 공감
     - 일본은 한국이 현행 대일 조치에 대해 MFN 일탈신청을 하지 않은 점을 악용하지 않을 것임.
   - o 토의록 서명은 11월중 양국간 UR 서비스 양허협상시에 실시
     - UR 서비스 협상이 개최되지 않는경우 양국 수석대표간 별도 회합

3. 조치계획 : 상기 내용을 주일 대사관을 통해 일 외무성에 전달 예정. 끝.

앙고재	통상기구과	92 년 월 일	담 당	과 장	심의관	국 장	차관보	차 관	장 관

0199

RECORD OF DISCUSSIONS

——, ——, 1992

1. WITH REGARD TO THE INITIAL COMMITMENT NEGOTIATIONS UNDER THE DRAFT GENERAL AGREEMENT ON TRADE IN SERVICES OF THE URUGUAY ROUND(GATS), REPRESENTATIVES OF THE GOVERNMENTS OF THE REPUBLIC OF KOREA AND OF JAPAN HELD A SERIES OF BILATERAL CONSULTATIONS.

2. AS A RESULT OF THE CONSULTATIONS, THE FOLLOWING UNDERSTANDINGS WERE REACHED ON THE ISSUE OF THE MFN DEROGATION IN THE AREA OF AUDIO-VISUAL SERVICES.

   1) THE GOVERNMENTS OF THE REPUBLIC OF KOREA AND JAPAN SHARED THE VIEW THAT UNDER THE CURRENT CIRCUMSTANCES THE ISSUE OF THE EXISTING KOREAN MEASURES ON JAPANESE AUDIO-VISUAL SERVICES IN THE REPUBLIC OF KOREA IS SENSITIVE SOCIO-POLITICALLY. IN LIGHT OF THE SENSITIVITY OF ~~THIS~~ the ISSUE, THE TWO SIDES CONSIDERED IT INAPPROPRIATE TO ADDRESS THE ISSUE FURTHER IN THE MULTILATERAL CONTEXT.

   2) IN VIEW OF THE ABOVE, THE GOVERNMENT OF JAPAN ~~expressed its~~ ~~HAS NO INTENTION OF~~ agreed not ~~TAKING~~ to take ADVANTAGE OF THE LACK OF DEROGATION BY THE REPUBLIC OF KOREA FROM THE MFN TREATMENT OBLIGATION UNDER ARTICLE II OF THE GATS WITH RESPECT TO THE EXISTING KOREAN MEASURES ON JAPANESE AUDIO-VISUAL SERVICES IN THE REPUBLIC OF KOREA.

FOR THE GOVERNMENT OF THE REPUBLIC OF KOREA

/S/

FOR THE GOVERNMENT OF JAPAN

/S/

0200

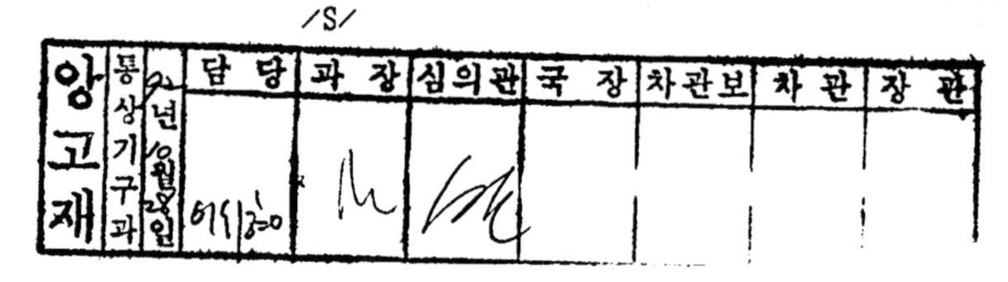

관 리 번 호	92-792

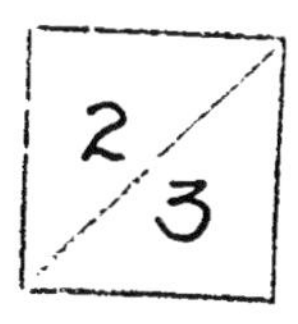

경 제 기 획 원

우 427-760 / 경기도 과천시 중앙동1 정부제2청사 / 전화 503-9149 / 전송 503-9141

문서번호 통조삼 10502-117
시행일자 1992. 10. 28
(경유)
수신 외무부장관, 문화부장관
참조 통상국장

선결			지시	
접수	일자 시간	92.10.29	결재·공람	
	번호	4605		
처리과				
담당자		이시형		

제목 대일 시청각서비스 관련 회의결과 통보

일반문서로 재분류 92.12.31.

1. 통조삼 10502-116(10.26) 관련입니다.

2. 대일 시청각서비스와 관련하여 관계부처회의를 개최한 바 첨부와 같이 그 결과를 통보합니다.

첨부 : 회의결과 1부. "끝"

경 제 기 획 원 장

0201

會議結果

1. 會議日時 및 場所

- 10月 27日(火) 11:00~12:00, 經濟企劃院 對外經濟調整室長室

2. 會議參席者

- 經濟企劃院 對外經濟調整室長, 第2協力官, 外務部 通商局長, 文化部 映畵振興課長

3. 會議結果

① Non-paper를 駐韓日本大使가 한국측 장관에게 전달하는 일본측의 제안은 받지 않기로 하며 그대신 討議錄(Record of Discussion)의 형식으로 兩側 서비스協商 首席代表가 署名하도록 하는 우리측 안을 일본측에 제시하기로 함.

② 日本側에 전달할 우리側 修正提案

i) 韓國側은 일본측이 제안한 non-paper 전달 조치만으로는 부적절하며 양측 서비스협상 수석대표가 서명한 討議錄(Record of Discussion)이 필요하다고 봄.

ii) 同 討議錄은 일본측의 10월 23일자 non-paper草案中 ①, ②項의 기본적 내용과 토의록의 일반요소들(서두, 결어, 서명등)만을 포함하여 작성하고 日側이 당초 구두메시지 형식으로 전달하고자 했던 내용은 포함시키지 않음(개괄적인 ROD의 構造를 일본측에 함께 제시)

iii) 同 討議錄의 文案內容은 양측 수석대표간의 조정을 거쳐 각각 本國政府의 確認을 받은 후 확정함.

0202

- 2-1 -

iv) 同 討議錄에 대한 양측 수석대표의 서명은 11월
전반기중 제네바에서 UR/서비스 兩者協商이 개최될
경우에는 동 계기에 하고, 그렇지 않을 경우에는
별도로 兩國 首席代表間의 회합을 가지고 서명키로
함.

v) 日側은 이상과 같은 한국측의 제안에 대한 일본측
입장을 1주일이내에(11月 5日까지) 韓國側에 通報해
줄것을 요청함.

③ 우리側의 上記修正提案은 10.29(목)중 駐日大使館을
통하여 일본 外務省에 전달되도록 함.

④ 만일 日側이 우리의 상기제안을 받아들이지 않거나 적절한
대안을 제시하지 않을 경우에는 關係部處協議를 통하여
현재 보류상태에 있는 同 件 MFN逸脫申請을 다시 추진
하도록 함.

0203

관리 번호	92 - 764

	분류번호	보존기간

발 신 전 보

번 호 : WJA-4570 921029 1505 WG 종별 : 지급

수 신 : 주 일 대사. 총영사 (사본: 주제네바 대사) WGV-1665

발 신 : 장 관 (통 기)

제 목 : 대일 시청각분야 MFN 일탈

검 토 필 (92.12.31.)

대 : JAW-5667

검 토 필 (1993.6.30.)

대호, 일측의 제안을 10.27. 관계부처 회의에서 검토한 결과, 일측에 대하여 아래와 같이 수정 제의하기로 결정, 이를 귀관을 통해 가급적 금일(10.29)중 일측에 전달키로 하였으니 조치 바람.

- 아 래 -

1. 일본측이 제안한 non-paper 및 구두메시지 전달만으로는 부적절하며 양측 서비스 협상 수석대표가 서명한 토의록(Record of Discussions)이 필요하다고 봄.

2. 동 토의록은 일본측의 10월23일자 non-paper 초안을 토대로 하며, 일측이 구두로 전달 희망하였던 메시지 내용은 포함하지 않음.

(ROD 초안 별첨)

3. 동 토의록에 대한 양측 수석대표의 서명은 11월 전반기중 제네바에서 UR/서비스 양자협상이 개최될 경우에는 동 계기에 하고, 그렇지 않을 경우에는 별도로 양국 수석대표간의 회합을 가지고 협의, 서명키로 함.

/ 계속...

아주국장: 〃 문화협력국장:

보안 통제	

앙 고 재	년 월 일	통상기구과	기안자 성명		과 장	심의관	국 장	제2차관보	차 관	장 관
						후열			전결	

외신과통제

0204

4. 이상에 대한 일본측 입장을 가급적 1주일이내에(11월5일까지) 통보해 주기를 희망함.

첨부 : 동 초안(영문) 1매. 끝.

(차 관 노 창 희)

0205

〈첨부〉

RECORD OF DISCUSSIONS

——, ——, 1992

1. WITH REGARD TO THE INITIAL COMMITMENT NEGOTIATIONS UNDER THE DRAFT GENERAL AGREEMENT ON TRADE IN SERVICES OF THE URUGUAY ROUND(GATS), REPRESENTATIVES OF THE GOVERNMENTS OF THE REPUBLIC OF KOREA AND OF JAPAN HELD A SERIES OF BILATERAL CONSULTATIONS.

2. AS A RESULT OF THE CONSULTATIONS, THE FOLLOWING UNDERSTANDINGS WERE REACHED ON THE ISSUE OF THE MFN DEROGATION IN THE AREA OF AUDIO-VISUAL SERVICES.

   1) THE GOVERNMENTS OF THE REPUBLIC OF KOREA AND JAPAN SHARED THE VIEW THAT UNDER THE CURRENT CIRCUMSTANCES THE ISSUE OF THE EXISTING KOREAN MEASURES ON JAPANESE AUDIO-VISUAL SERVICES IN THE REPUBLIC OF KOREA IS SENSITIVE SOCIO-POLITICALLY. IN LIGHT OF THE SENSITIVITY OF THE ISSUE, THE TWO SIDES CONSIDERED IT INAPPROPRIATE TO ADDRESS THE ISSUE FURTHER IN THE MULTILATERAL CONTEXT.

   2) IN VIEW OF THE ABOVE, THE GOVERNMENT OF JAPAN AGREED NOT TO TAKE ADVANTAGE OF THE LACK OF DEROGATION BY THE REPUBLIC OF KOREA FROM THE MFN TREATMENT OBLIGATION UNDER ARTICLE II OF THE GATS WITH RESPECT TO THE EXISTING KOREAN MEASURES ON JAPANESE AUDIO-VISUAL SERVICES IN THE REPUBLIC OF KOREA.

FOR THE GOVERNMENT OF THE REPUBLIC OF KOREA	FOR THE GOVERNMENT OF JAPAN
/S/	/S/
HEAD OF KOREAN DELEGATION TO THE INITIAL COMMITMENT NEGOTIATIONS UNDER THE GATS	HEAD OF JAPANESE DELEGATION TO THE INITIAL COMMITMENT NEGOTIATIONS UNDER THE GATS

0206

관리 번호	92-765

원 본

외 무 부

종 별 :

번 호 : JAW-5758 일 시 : 92 1029 1814

수 신 : 장 관 (통기)

발 신 : 주 일 대사 (일경)

제 목 : 대일시청각 분야 MFN 일탈

대: WJA-4570

연: JAW-5667

표제관련, 당관 황순택 서기관은 금 10.29. 대호 우리측 수정제의를 '쯔루오까' 주재국 서비스 협상대표에 전달하였음. 끝

(대사 오재희-국장)

예고: 93.12.31. 까지

검 토 필(1992.12.31.)

검 토 필(93.6.30.)

통상국 아주국

PAGE 1

92.10.29 18:38

* 원본수령부서 승인없이 복사 금지

외신 2과 통제관 DI

0207

이시

관리번호	92-779

원 본

외 무 부

종 별 : 지 급

번 호 : GVW-2034 일 시 : 92 1029 1830

수 신 : 장관(통기,~~경기원,문화원~~)사본: ~~주일대사-본부중계필~~

발 신 : 주 제네바 대사

제 목 : 대일 시청각분야 MFN 일탈

대: WGV-1655

1. 대호 일본에 전달한 토의록(RECORD OF DICUSSION) 초안 2 항 1)중 THE TWO SIDES CONSIDERED IT INAPPROPRIATE TO ADDRESS IN ISSUE FURTHER IN THE MULTILATERAL CONTEXT 는 일본이 동 문제를 다자 차원에 가지고 오는 것이 부적당(INAPPROPRIATE) 하다고 주장하는 것을 우리가 동의해 주는 결과가 될 우려가 있으므로 동 표현을 THE SIDES AGREED NOT TO ADRESS THE ISSUE FURTHER IN THE MULTILATERAL CONTEXT 로 수정하는 것이 보다 더 적합할 것으로 사료됨.

2. 상기 이외에도 당관이 부분적 수정을 가진바, 동문안은 다음과 같음.

1. WITH REGARD TO THE INITIAL COMMITMENT NEGOTIATIONS UNDER THE DRAFT GENERAL AGREEMENT ON TRADE IN SERVICES OF THE URUGUAY ROUND(GATS), REPRESENTATIVES OF THE GOVERNMENT OF THE REPUBLIC OF KOREA AND OF JAPAN HELD A SERIES OF BILATERAL CONSULTATIONS.

2. AS A RESULT OF THE CONSULTATION, THE FOLLOWING UNDERSTANDINGS WERE REGACHED ON THE ISSUE OF THE MFN EXEMPTION IN THE AREA OF AUDIO-VISUAL SERVICES.

1) THE GOVERNMENTS OF THE REPUBLIC OF KOREA AND JAPAN SHARED THE VIEW THAT UNDER THE CURRENT CIRCUMSTANCES THE EXISTING KOREAN MEASURES ON JAPANESE AUDIO-VISUAL SERVICES IN THE REPUBLIC OF KOREA IS A SENSITIVE SOCIO-POLITICAL ISSUE. IN LIGHT OF THE SENSITIVITY OF THE ISSUE, THE TWO SIDES AGREED NOT TO ADDRESS THE ISSUE FURTHER IN THE MULTILATERAL CONTEXT.

2) UNDER THIS CIRCUMSTANCE, THE GOVERNMENT OF JAPAN AGREED NOT TO TAKE ADVANTAGE OF THE LACK OF EXEMPTION BY THE REPUBLIC OF KOREA FROM THE MFN

통상국 ~~문화부 경기원 중계~~

PAGE 1 92.10.30 17:29

* 원본수령부서 승인없이 복사 금지 외신 2과 통제관 FR

0208

TREATMENT OBLIGATION UNDER ARTICLE II OF THE GATS WITH RESPECT TO THE EXISTING KOREAN MEASURES ON JAPANESE AUDIO-VISUAL SERVICES IN THE REPUBLIC OF KOREA. 끝

(대사 박수길-국장)

예고:92.12.31. 까지

외교문서 비밀해제: 우루과이라운드2 23

우루과이라운드 서비스 분야 양허 협상 2

초판인쇄 2024년 03월 15일
초판발행 2024년 03월 15일

지은이 한국학술정보(주)
펴낸이 채종준
펴낸곳 한국학술정보(주)
주 소 경기도 파주시 회동길 230(문발동)
전 화 031-908-3181(대표)
팩 스 031-908-3189
홈페이지 http://ebook.kstudy.com
E-mail 출판사업부 publish@kstudy.com
등 록 제일산-115호(2000. 6. 19)

ISBN 979-11-7217-125-4 94340
979-11-7217-102-5 94340 (set)

책에 대한 더 나은 생각, 끊임없는 고민, 독자를 생각하는 마음으로 보다 좋은 책을 만들어갑니다.